N ブックス

改訂 人体の構造と機能：解剖生理学

荒木 英爾
藤田 守
編著

川合 清洋
河手 久弥
北川 章
佐藤 容子
馬場 良子
日野真一郎
平林 義章
山﨑 俊介
共著

建帛社
KENPAKUSHA

はしがき

解剖学；anatomyとは，人体を理解するために，身体とそれを構成している部分の大きさ，形態・構造とそれらの相互の関連や身体の発生などについて学ぶ学問である。その語源が「ばらばらに；ana」することや「切る；tomy」ことに由来しているように，解剖学は当初，身体や器官を切断して肉眼的に観察することではじめられたが，光学顕微鏡，ついで電子顕微鏡が取り入れられ，細胞レベルから分子レベルまでの微細構造も観察の対象となっている。さらに近年，免疫組織化学などによる観察もあわせて行われている。現在，臨床的にはPET-CTなど各種の画像診断法の進歩により，生体の臓器の動態を「ばらばら」にしないでそのままで全体（whole body）の中で観察する電子解剖学が医療に貢献している。

生理学；physiologyとは，人体を動的に理解するために，身体とその構成部分が恒常性を維持するために，どのように協調的に機能して複雑な生命活動を組み立てているかを学ぶ学問である（physio；自然，ology；学問)。近年，生理学の領域は細胞レベルから分子レベルまでに及び，身体を構成する細胞，組織，器官，器官系の機能が総合的に解き明かされている。したがって，その十分な理解の基礎として生化学の学習なども必要である。

私たちが生命活動を営む「人体」の仕組みを学ぶうえでは，構造を学ぶ解剖学と機能を学ぶ生理学とは，終始表裏一体をなしており，切り離して理解することは困難である。

本書では，人体の各器官系を，その分野の構造・機能の専門者が分担執筆したうえで，全体としての均衡を調整し，一貫性をとることに留意した。

現在，わが国は世界に類をみない速さで超高齢人口増加，年少人口減少に向かっている。その中で，医療に関しては保健・医療・福祉によるチーム医療が不可欠となり，管理栄養士・栄養士には，そのチーム医療（例：nutrition support team；NST）に参加する専門職として，他のスタッフと並ぶ高い水準の知識と確かな専門分野の技術が求められている。

2000（平成12）年には栄養士法が改正され，2002（平成14）年8月には新しい管理栄養士国家試験出題基準（ガイドライン）が発表された。そのガイドラインが適用された2005（平成17）年度の第20回管理栄養士国家試験からは，それまでの基礎科目であった「解剖学・生理学」は，「生化学」「病理学」「臨床栄養学の臨床医学分野」と一緒となり，「人体の構造と機能及び疾病の成り立ち」の大枠に組み込まれることとなり，以後さまざまな疾患の成因，病態，診断，治療などに関連した問題が出題されている。

本書は，近年の解剖学・生理学をはじめとする著しい学問の進歩・発展，また，管理栄養士・栄養士教育の面でも前記ガイドラインの改定（2010（平成22）年）などに対応するように努めた。その一例として，各章には当該器官系の異常に基づく疾病概論を記し，より深い学習の目的を示唆している。本書を「解剖生理学」の授業の教科書としてだけでなく，管理栄養士国家試験参考書，さらには専門職となられてからも活用していただきたいと祈念している。

2012年2月

荒 木 英 爾

改訂版にあたって

本書初版刊行から5年が経過した。今般，一部に新しい執筆者を迎え，改訂版を刊行することになった。特に各章末に記載した疾病の概要は，刊行後に改定された管理栄養士国家試験出題基準（2015（平成27）年2月）にあげられたものを中心として，全編改めた。

前版にも増して，活用いただければ幸いである。

2017年1月

藤 田　守

人体の構造と機能

目　次

第1章

人体の構成

人体は，心臓や脳といった肉眼で見ることができる器官（臓器）から，心筋細胞や神経細胞といった顕微鏡下で初めて見ることができる細胞まで，さまざまな構造が集まって構成されている。それらの構造は無秩序に集まっているのではなく，共通のはたらき（機能）を持つ器官が集まって器官系（系統）をつくり，共通の形（構造）と機能を持つ細胞が集まって組織をつくっている。いくつかの組織が集まったものが器官である。このように，人体は次のような階層構造に分けて整理される。

個　体…人体
系　統…共通の機能を持つ器官の集まり。人体は約10系統から構成される
器　官…肉眼で見ることができる一定の構造と機能を持つ組織の集まり
組　織…同一の構造と機能を持つ細胞の集まり
細　胞…顕微鏡で見ることができる構造。生命の単位

細胞より小さな階層に細胞小器官があり，それよりさらに細かい階層に分子などが位置する。人体を構成する構造とその機能について学ぶうえで，より細かい階層，より大きな階層を意識し，人体の構造と機能を総合的に理解することが不可欠である。

1. 細　胞

細胞は，生命の単位である。人体は約60兆個もの細胞から構成されているが，細胞はさまざまな大きさと形状を持つ。直径10 μm程度の大きさの細胞が多いが，きわめて大きいもの（卵細胞など）や，きわめて長いもの（神経細胞など）もある。形状も扁平なもの，細長いものや長い突起を伸ばすものなど，細胞の種類によってさまざまである。ヒトをはじめとする動物や植物のからだをつくる細胞は，明瞭な核を含み，真核細胞と呼ばれる。これに対し，細菌類やラン藻類は核膜を持たず，原核細胞と呼ばれて区別される。

細胞は，①細胞膜に包まれる，②遺伝情報を持つ，③タンパク質合成などの「代謝」を行う，④自己複製する，という4つの特徴を持つ。これらの役割は，細胞膜や核，さまざまな細胞小器官と細胞骨格によって担われる（表1－1，図1－1）。

1.1 細胞の構造

（1）細　胞　膜

外界と細胞の内部を隔てる膜で，主成分はリン脂質である。リン脂質には親水性

表1－1　細胞の構成

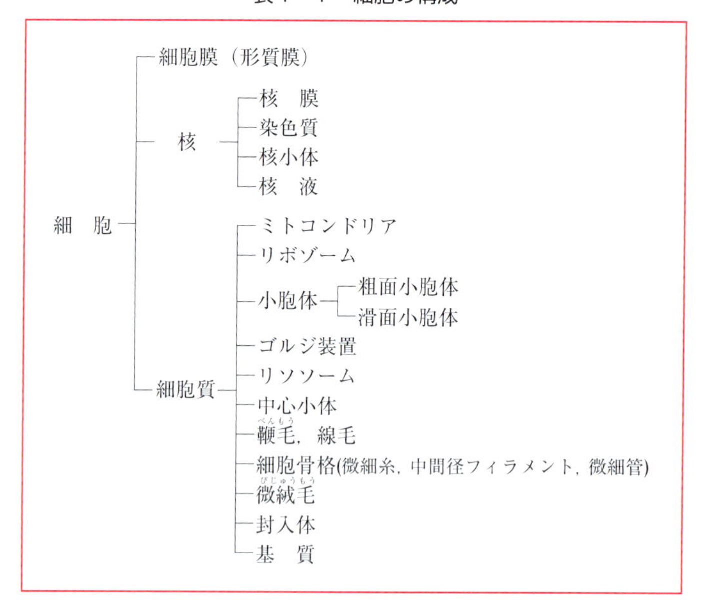

- 細　胞
  - 細胞膜（形質膜）
  - 核
    - 核　膜
    - 染色質
    - 核小体
    - 核　液
  - 細胞質
    - ミトコンドリア
    - リボゾーム
    - 小胞体
      - 粗面小胞体
      - 滑面小胞体
    - ゴルジ装置
    - リソソーム
    - 中心小体
    - 鞭毛（べんもう），線毛
    - 細胞骨格(微細糸，中間径フィラメント，微細管)
    - 微絨毛（びじゅうもう）
    - 封入体
    - 基　質

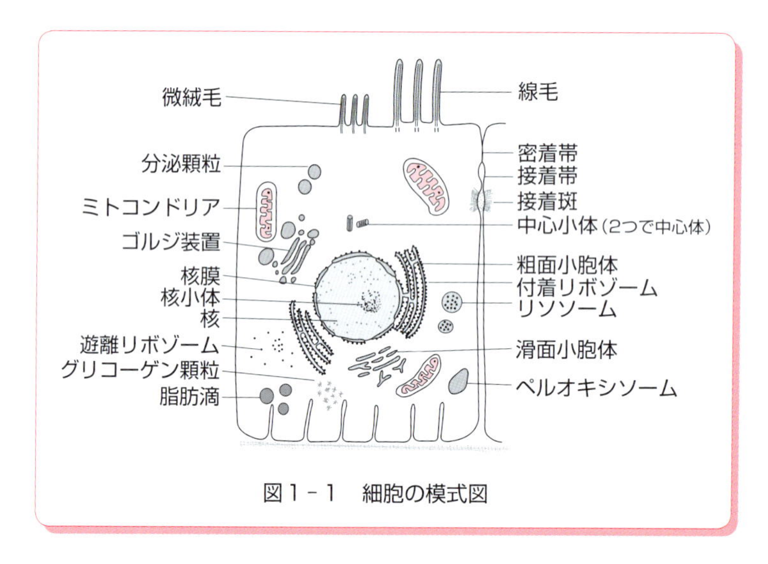

図1－1　細胞の模式図

（水に溶けやすい）の部分と疎水性（水に溶けにくい）の部分があり，疎水性の部分を中央に向けて平面的に配列した，脂質二重層を形成する。細胞膜内にはタンパク質分子が存在し，膜を貫通しているものもある。これらのタンパク質分子はチャネルやレセプターを形成するなど，多くの機能を持つ。

(2) 核

細胞は普通1個の核を持つ。核は二重の核膜に包まれ，核膜のところどころに核膜孔があき，核の内部と細胞質の間の交通を可能にしている。核内には遺伝情報源であるDNAがヒストンというタンパク質と結合して蓄えられている。細胞分裂の際には，DNA とヒストンが凝集して染色体となる。核小体には RNA が集まっている。RNA は DNA の遺伝情報を写し取り，核から細胞質に運ぶなどのはたらきをする。

(3) 細　胞　質

細胞から核を除いた部分で，細胞質にはさまざまな細胞小器官や細胞骨格がある。細胞小器官の多くは細胞膜と同じ種類の膜でおおわれている。細胞骨格は線維状の構造物で，細胞の構造保持や運動にかかわる。

1) 細胞小器官

① 小胞体　小管状，小胞状の構造で，細胞質に存在する。内腔は連絡していて，物質輸送の場になる。小胞体には，表面にリボゾームが付着し，タンパク質合成にかかわる粗面小胞体と，リボゾームが付着しない滑面小胞体がある。滑面小胞体の機能は細胞により多様である。

② リボゾーム　小さな顆粒状の構造で，粗面小胞体に付着するものと，細胞質内に遊離状態で集合するもの（ポリリボゾーム）がある。核の遺伝情報を写し取った RNA をもとに，タンパク質を合成する場である。粗面小胞体では細胞膜に埋め込まれるタンパク質や，細胞外に分泌されるタンパク質がつくられ，遊離リボゾームでは細胞質内で使われるタンパク質がつくられる。

③ ゴルジ装置　扁平な袋が積み重なったものと，その周囲の小胞や空胞からなり，核付近に位置する。糖の合成を行う。粗面小胞体でつくられたタンパク質に糖を付加して細胞表面に運ばれるようにする。

④ 中心体　中心体は 2 つ 1 組の中心小体（中心子）からなる。中心小体は 3 本 1 組の微小管が 9 組集まって，短い円筒をつくったものである。細胞分裂のときに細胞の両極に移動し，染色体を引き寄せる中心となる。線毛や鞭毛（べんもう）の基部には，中心小体によく似た構造が見られる。

⑤ ミトコンドリア　0.5 ～ 1 μm の球形ないし糸状の構造で，内膜と外膜という二重の袋からなる。内膜はしばしば内向きに折れ込んでクリステと呼ばれるヒダをつくる。炭水化物や脂肪を酸化する酵素を多く含み，細胞内の活動でエネルギー源となる ATP（アデノシン三リン酸）を効率的に産生する。

⑥ リソソーム　膜に包まれた球形の小体で，高分子物質を加水分解する酵素を多く含んでいる。不要になった細胞の構成成分や細胞内に取り込んだ物質を分解する。

2) 細 胞 骨 格

タンパク質がつくる細胞質の線維で，細胞の形を保ったり，細胞の運動を起こしたりする。径が 5 nm ほどの微小線維はアクチンという。25 nm ほどの微小管はチューブリンというタンパク質からなる。このほかに径が 10 nm ほどの中間径線維などがある。細胞の種類によって特定の細胞骨格が発達して，突起をつくったり，収縮装置をつくったりする。

1.2　細胞の増殖と染色体

細胞は分裂して２つに分かれることによって増殖することができる。１つの受精卵が繰り返し分裂して，人体がつくられる。しかし，成熟した身体では，すべての細胞が増殖を続けているわけではない。神経細胞や腎糸球体の足細胞のように，増殖することがないもの，肝細胞や平滑筋細胞のように普段は増殖しないが必要が生じたときに増殖するもの，小腸の上皮細胞や皮膚の表皮細胞のように失われる細胞を補うために絶えず増殖を続けているものなどさまざまである。細胞の増殖は，組織の秩序を壊さないように調節されているが，そのしくみが壊れて無制限に増殖するようになったものが，癌細胞である。

（1）細胞周期

分裂を行う細胞は，細胞分裂の時期（M期）と分裂していない間期を繰り返しており，この繰り返しを**細胞周期**という（図１－２）。間期はDNAの合成準備期（G_1期），DNA複製期（S期），分裂準備期（G_2期）に分けられる。細胞分裂を中止しているが，必要なときに分裂を再開する細胞（肝細胞など）はG_1期でとどまっていると考えられる。

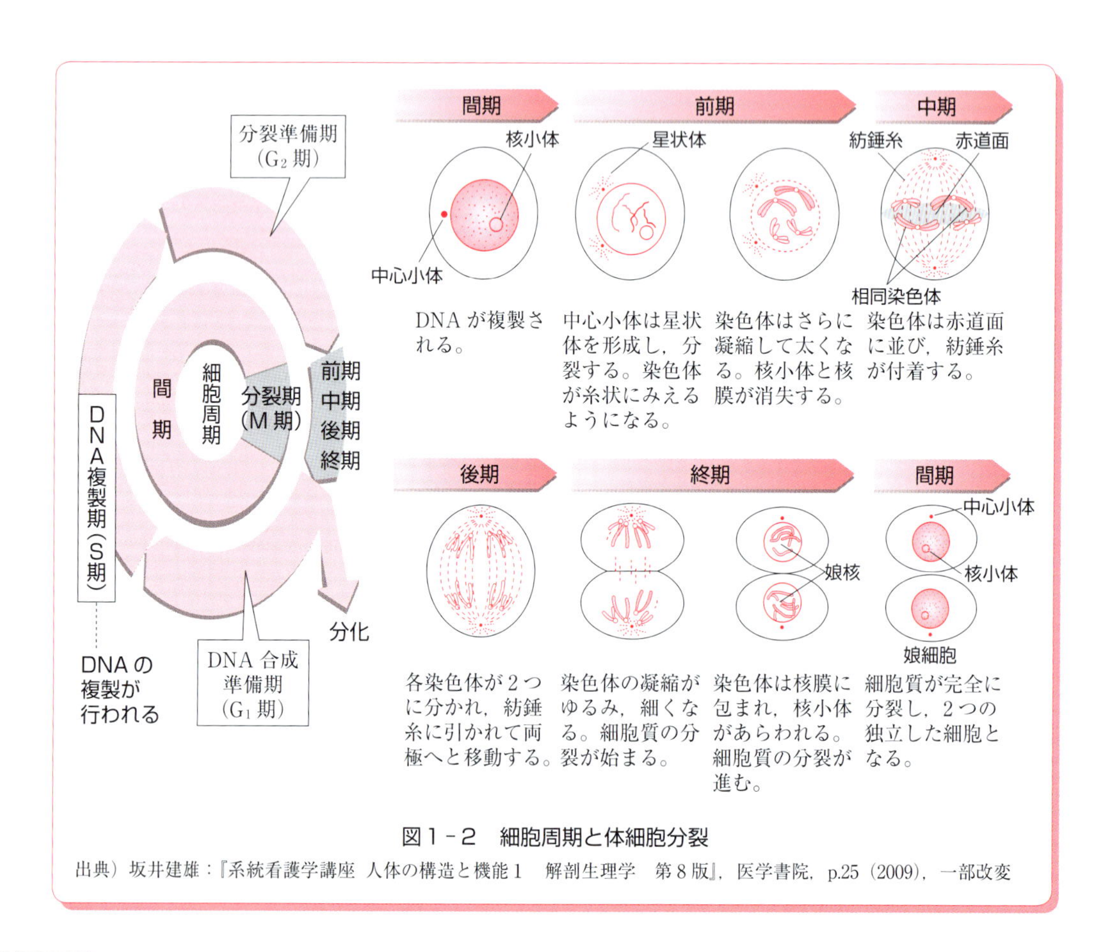

図１－２　細胞周期と体細胞分裂

出典）坂井建雄：『系統看護学講座 人体の構造と機能１　解剖生理学　第８版』，医学書院，p.25（2009），一部改変

M期は前期，中期，後期，終期に分けられる。M期には核内のDNAとヒストンが凝集して染色体となり（前期），核膜と核小体が消えて染色体が細胞の中央（赤道面）に並ぶ（中期），紡錘糸によって両極に引き寄せられ（後期），核膜形成後，収縮輪によって細胞質が分けられる（終期）。真核細胞の分裂は染色体や紡錘糸が現れるため，有糸分裂と呼ばれる。有糸分裂には，体細胞分裂と生殖細胞で起こる減数分裂がある。

（2）染色体とゲノム

人体の細胞には46本の染色体がある。そのうち，男女に共通な44本は2本1組の対をなし，常染色体と呼ばれる。残りの2本は男女で異なるため，性染色体と呼ばれる。常染色体は大きさの順に1から22までの番号で呼ばれる。性染色体には，大きなX染色体と小さなY染色体があり，男性の細胞はXとY，女性の細胞はXを2本持つ。

このように人体の細胞には，常染色体と性染色体を合わせて，23組46本の染色体があるが，23本は父親から，残りの23本は母親から譲り受けたものである。染色体のそれぞれに，1本の長いDNAの二重らせんが含まれ，そこに遺伝子がのっている。生物を構成する細胞の染色体に含まれる遺伝情報の全体をゲノムと呼ぶ。

2. 組　織

器官（臓器）は種類ごとに固有の組織が存在する。組織は，細胞と細胞がつくり出した物質（細胞間質）で構成され，①上皮組織，②結合および支持組織，③筋組織，④神経組織，の4種類に分けられる。

2.1　上皮組織

上皮組織は細胞が並んで1枚のシートをつくり，身体の表面や体内の腔所の内面をおおう組織で，細胞間質がほとんどない。個体の外表面の保護を行うものを保護上皮，器官の内腔をおおうものを被蓋上皮，分泌機能を持つものを分泌上皮，吸収機能を持つものを吸収上皮などのように，機能によって分類することもある。

（1）上皮組織の構成要素

上皮組織をつくる上皮細胞は，隣り合う細胞との間をタイト結合（密着帯）でつながれ，接着斑（デスモゾーム）などによって補強されて，切れ目のないシートをつくる。上皮細胞の細胞膜はこのタイト結合を境にして，体表や腔所に面する自由面とその反対側の基底側面とに分けられる。上皮細胞の自由面には，微絨毛（びじゅうもう），線毛などの特殊に分化した構造も見られる。基底側面が上皮下の結合組織に接するところは基底膜が裏打ちしている。

（2）上皮組織の種類と分布

上皮組織の構造や機能は多様である。

上皮細胞の形状による分類には平たい形の細胞からなる扁平上皮，サイコロのような形からなる立方上皮，縦に長い細胞からなる円柱上皮がある。

上皮細胞の配列による分類には，単層上皮と重層上皮がある。単層上皮は１層の細胞からなるため，物質を通しやすく，吸収や分泌などに適している。重層上皮は２層以上の細胞からなり，丈夫で，機械的な保護に適している。

上皮細胞の形状と配列を組み合わせて，単層円柱上皮，重層扁平上皮のように記述する（表１－２，図１－３）。

① **重層扁平上皮**　皮膚，口から食道までの消化管の粘膜，腟の粘膜などに見ら

表１－２　上皮組織の形態的分類

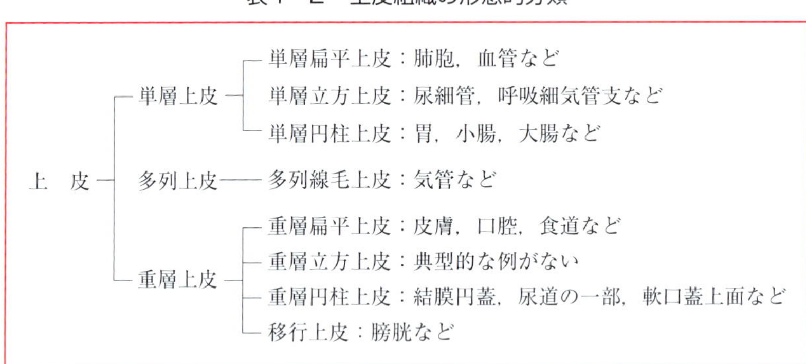

上　皮	単層上皮	単層扁平上皮：肺胞，血管など
		単層立方上皮：尿細管，呼吸細気管支など
		単層円柱上皮：胃，小腸，大腸など
	多列上皮	多列線毛上皮：気管など
	重層上皮	重層扁平上皮：皮膚，口腔，食道など
		重層立方上皮：典型的な例がない
		重層円柱上皮：結膜円蓋，尿道の一部，軟口蓋上面など
		移行上皮：膀胱など

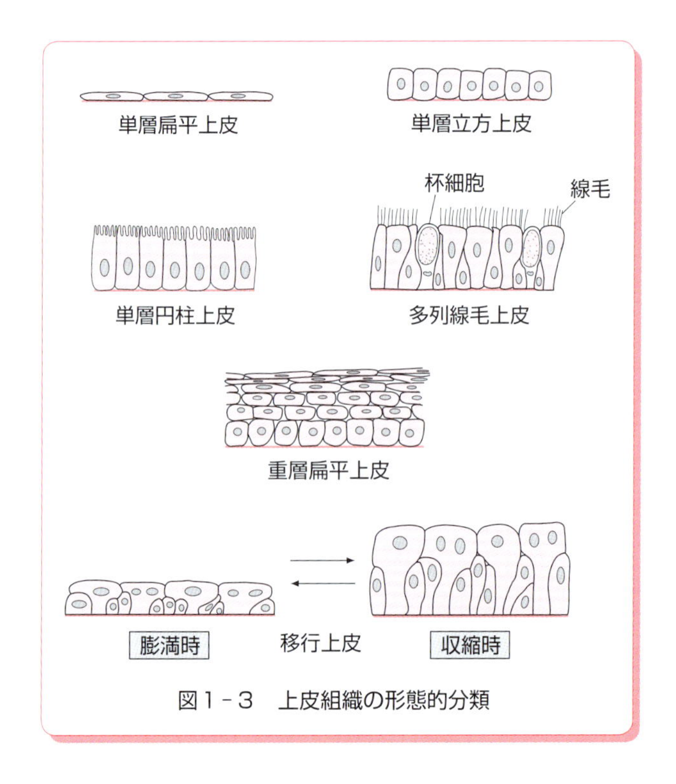

図１－３　上皮組織の形態的分類

れる。機械的に強靱である。皮膚の上皮は特に表皮と呼ばれる。

② **単層円柱上皮**　胃や腸の粘膜などに見られる。分泌や吸収を効率的に行う。

③ **多列線毛上皮**　気管や精管に見られる。細胞は一層であるが，個々の細胞の高さが異なるために，核の高さがバラバラに見えるものを多列上皮という。自由面にある線毛によって表面の液をゆるやかに運ぶ。

④ **移行上皮**　膀胱や尿管に見られる。内圧によって細胞の形を変えて伸展する性質を持つ。

⑤ **単層扁平上皮**　肺胞・腹膜・血管などに見られる。肺胞の上皮は酸素や二酸化炭素などのガスを通す。血管の上皮は特に内皮と呼ばれ，腹膜などの上皮は中皮と呼ばれることがある。

(3) 腺　上　皮

肝臓や膵臓などの臓器は内部に小さな空間を持つ。それらの空間には腺上皮が存在する。腺上皮は血液中から得た材料を使って産生した物質をその空間内に分泌し，その分泌物は導管を通して，体表や消化管などの臓器の内腔に運ばれる。このように導管を介して体外に分泌する腺を外分泌腺という。これに対して，導管を介さず，物質を血液に向かって分泌する腺もあり，内分泌腺と呼ばれる。内分泌腺からはホルモンが分泌される。

シート状の上皮組織の中に，分泌能を持った細胞が挟まっている場合を，単細胞腺という（例：気道や消化管の杯細胞など）。これに対して複数の細胞からなる外分泌腺を多細胞腺という。

外分泌腺は，発生の過程で上皮の一部が管状に陥没し，先が伸びて分岐し，次第に複雑な形を呈する。陥没した先端部には分泌能を持つ細胞が集まって終末部をつくり，途中の部分は分泌物を運ぶ導管となる。

外分泌腺から出される分泌液の成分の大半は水であり，そこに溶けている物質によって液の性質が変わる。ムチンという糖に富む物質を多く含む粘液は，消化管や気管の粘膜などに分布する。唾液腺や膵臓から出される分泌液には，消化酵素のはたらきをするタンパク質が多く含まれている。また，脂腺は毛包に付属し，脂質を分泌して皮膚を滑らかにする。

膵臓や唾液腺などの多くの外分泌腺の腺細胞は，細胞内で合成した物質を自由面から開口分泌によって放出する。この機構では分泌物は膜で包まれた分泌顆粒の中に蓄えられており，顆粒の膜が細胞膜と癒合して分泌される。毛包に付属する脂腺では細胞全体が分泌物となる。この分泌様式をホロクリン分泌（全分泌）という。大汗腺や乳腺では，自由面に向かう細胞質の一部がちぎれて分泌物となるが，これをアポクリン分泌（離出分泌）という。大汗腺はアポクリン汗腺ともいう。

2.2　結合および支持組織

結合および支持組織は身体を機械的に支持する組織である。細胞間質が非常に豊富で，線維が多量に存在する。腱や靭帯など大量の線維を含む強靭なものや，隙間を満たす柔軟なものなど，さまざまである。骨格をつくる骨組織や軟骨組織も結合および支持組織に含まれる（表1－3）。

表1－3　結合および支持組織の分類

1．結合組織	2．軟骨組織
3．骨組織	4．血液およびリンパ

（1）結合組織の構成要素（表1－4）

結合組織には，多量の細胞間質が含まれ，その間に細胞が散在する。

結合組織に存在する主要な細胞は，線維を産生する線維芽（せんいが）細胞である。このほかに，遊走性の細胞として，ヒスタミンを含む肥満細胞，貪食（どんしょく）作用のあるマクロファージ（大食細胞）や好中球，抗体を産生する形質細胞，リンパ球などが見られる。

細胞間質に存在する線維には，膠原（こうげん）線維，弾性線維がある。膠原線維は結合組織の細胞間基質の主体をなし，コラーゲンと呼ばれる線維状のタンパク質によってつくられる。コラーゲンの分子がより合わさってつくられた線維は，引き伸ばされにくく，組織に機械的な強靭さを与える。弾性線維は，血管の壁などにあり，エラスチンというタンパク質を含んでいる。弾性線維はゴムのようによく伸び縮みする性質がある。

表1－4　結合組織を構成する線維

膠原線維	身体のあらゆる場所に見られ，細胞間質の最も重要な要素である。結合組織のほか，骨や軟骨にも大量に含まれる。引っ張りの力に対して非常に丈夫で，支えとしての機能がある。
細網線維	赤色骨髄，咽頭扁桃，リンパ節，脾臓などに見られ，器官を保持する。基底膜の重要な構成成分である。
弾性線維	項靱帯や黄色靱帯に多量に含まれ，ゴムひものようなはたらきをしている。また，血管や肺，皮膚などの器官に弾力性を与える。

（2）結合組織の種類と分布（表1－5）

膠原線維を主体とする。特に，膠原線維が密集し，隙間が少ないものを密性結合組織という（例：筋膜，靭帯，腱，真皮など）。線維や細胞の間に隙間が多く，間質液（組織液）を多量に含むものを疎性結合組織という（例：皮下など）（図1－4）。弾性線維が豊富に存在し，ゴムのような弾力に富む弾性組織（例：大動脈壁など），細かな膠原

表1－5　結合組織の分類

- 疎性結合組織 ― 線維がまばらに不規則に走行
  皮下組織，粘膜下組織など
- 密性結合組織 ― 線維が束をつくり密に配列
  - 規則性結合組織：腱，靱帯など
  - 不規則性結合組織：真皮，粘膜固有層，強膜，角膜など

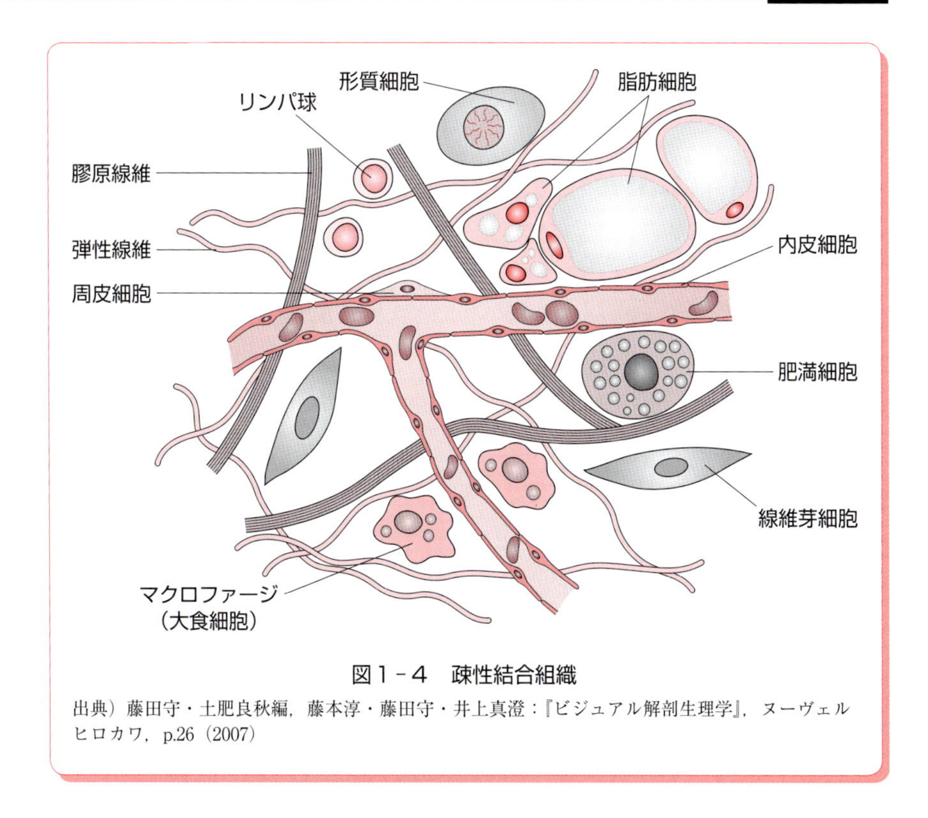

図１－４　疎性結合組織

出典）藤田守・土肥良秋編，藤本淳・藤田守・井上真澄：『ビジュアル解剖生理学』，ヌーヴェルヒロカワ，p.26（2007）

線維網とその表面をおおう星状の細網細胞からなる細網組織（例：リンパ節，脾臓，骨髄など），疎性結合組織の中に多量の脂肪細胞がたまった脂肪組織（例：皮下組織など）も結合組織の一種である。

（3）骨　組　織（表1-6）

骨は基質の膠原線維に，多量のリン酸カルシウムが沈着したものである。硬い基質の間のところどころに**骨小腔**という小さなすきまがあり，**骨細胞**をおさめている。骨小腔は細い骨細管によって互いにつながり，骨細胞は突起を伸ばして互いに連絡する。骨の内部には血管が分布する。

骨組織も生きており，基質が代謝されて絶えず入れ替わっている。また，力が加わる部分では基質が発達して丈夫になり，力の加わらない部分の骨は吸収される。骨基質をつくるのは**骨芽細胞**（こつがさいぼう）のはたらきであるが，骨基質を溶かすのは遊走性のマクロ

表１－６　骨を構成する細胞

骨芽細胞：	細胞間質にリン酸カルシウムと炭酸カルシウムを分泌し，骨質をつくる。
骨 細 胞：	骨芽細胞が分裂能を失ったもので，骨小腔に存在し，骨組織を硬く，負荷に強い構造にする。
破骨細胞：	骨を溶解して吸収し，骨のリモデリングや骨折の治癒過程に重要なはたらきをする。

ファージに由来する**破骨細胞**である。骨はカルシウムの貯蔵庫としての役割もあり，血液中へのカルシウムの出し入れは，ホルモンによって調節されている。

（4）軟骨組織（表1－7，図1－5）

軟骨は硬さでは骨に劣るが弾力性があり，骨格の一部（肋軟骨・椎間円板など）や骨の関節面に見られる。また，骨のほとんどは軟骨であらかじめ形がつくられ，その内部のいくつかの場所で骨に置き換わりながら成長するため，胎児の骨格の大部分は軟骨からつくられている。

軟骨細胞は２～３個ずつ軟骨小腔におさまっている。軟骨基質は膠原線維のほかに大量のムコ多糖類を含んでいて，プラスチックのような硬さと弾力がある。軟骨の内部に血管は分布しない。基質の成分によって軟骨の性質はさまざまである。

① **硝子（がらす）軟骨**　基質は半透明で均質に見える。多くの軟骨がこの種類に分類される（例：肋軟骨，関節軟骨，気管，気管支など）。

② **弾性軟骨**　不透明で黄色みを帯び，弾性線維を豊富に含む（例：耳介軟骨，鼻軟骨など）。

③ **線維軟骨**　多量の膠原線維を含み，軟骨細胞が少ない。柔軟で簡単に曲がるが，圧迫や牽引に対しては強靱である（例：椎間円板，恥骨結合など）。

表1－7　軟骨の分類

硝子軟骨：	軟骨基質は半透明で，微細な膠原線維を含む。 胎児の骨格，肋軟骨，関節軟骨，気管軟骨，甲状軟骨，輪状軟骨など。
弾性軟骨：	軟骨基質に多量の弾性線維を含み，弾性に富む。 耳介軟骨，外耳道軟骨，喉頭蓋軟骨など。
線維軟骨：	軟骨基質のコンドロイチン硫酸の量が少なく，多量の膠原線維を含む。 硝子軟骨と結合組織の中間。 椎間円板，恥骨結合など。

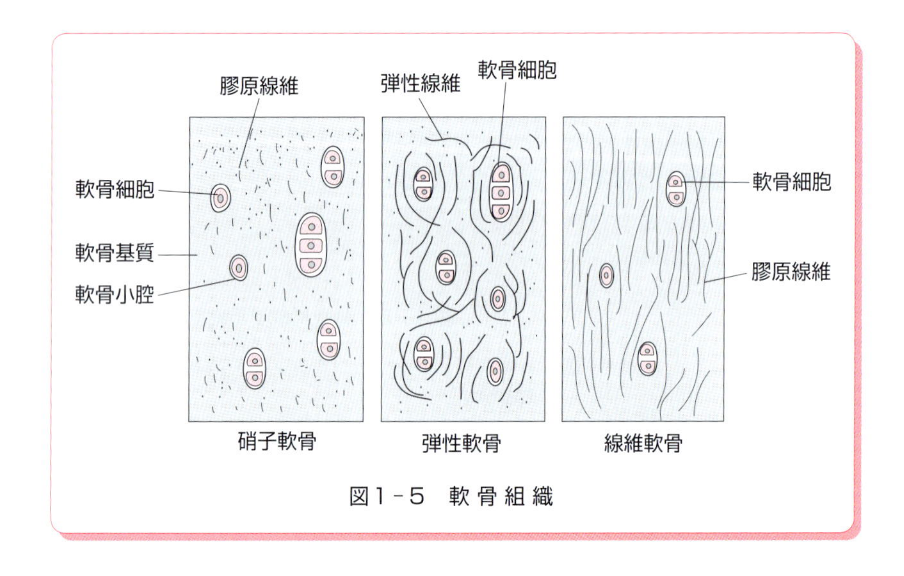

図1－5　軟骨組織

2.3 筋組織

筋組織は，細胞骨格の一種であるアクチンとミオシンのフィラメントを収縮装置として発達させた筋線維（筋細胞）からなる。筋組織には，骨格を動かす骨格筋のほかに，心臓壁をつくる心筋，他の内臓や血管の壁をつくる平滑筋の3種類がある（図1－6）。

骨格筋と心筋は筋線維の中に縞模様があるため，横紋筋と呼ばれる。骨格筋は運動神経の支配を受け，意思の力によって収縮させたり，弛緩させたりできるのに対し，心筋と平滑筋の収縮は意思の影響を受けない。このため骨格筋は随意筋，心筋と平滑筋は不随意筋とも呼ばれる。

(1) 骨格筋

骨格筋を構成する筋線維は太さ約100 μm，長さは十数cmの円柱状であり，筋線維そのものが多数の核を持つ大きな細胞である。骨格筋細胞の内部には，筋原線維というアクチンとミオシンのフィラメントの束がいくつも見られる。筋原線維の中で，アクチンとミオシンは規則正しく並び，長さ約2.5 μmの収縮単位をつくる。筋原線維がそろって並ぶので，顕微鏡で観察すると骨格筋細胞に横紋が観察される。

骨格筋細胞には運動神経の終末が必ず結合しており（運動終板），中枢神経からの指令に従って動くため，随意筋である。

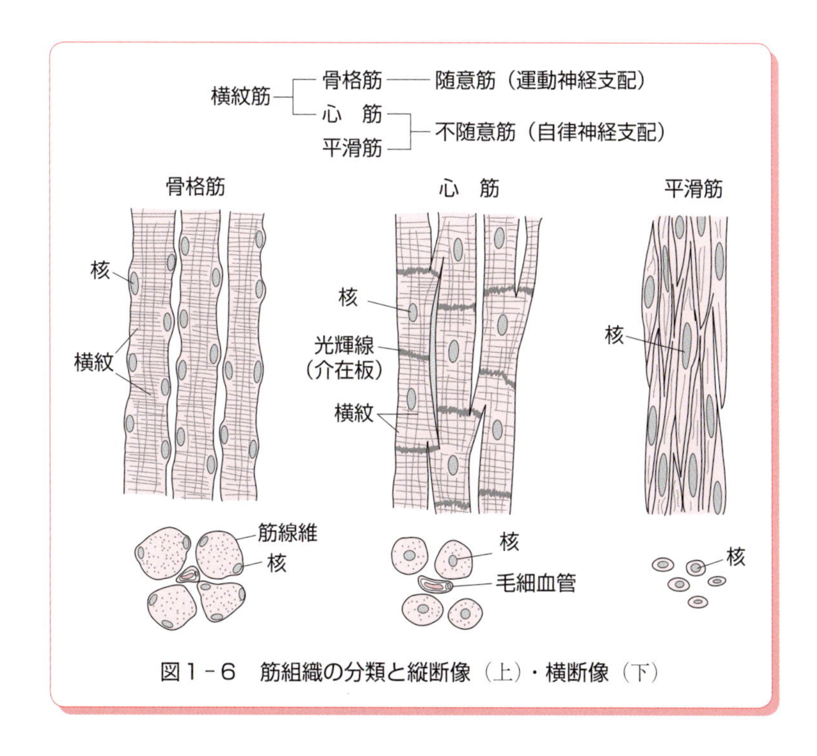

図1－6　筋組織の分類と縦断像（上）・横断像（下）

(2) 心　筋

太さ約10 μm，長さ約100 μmの心筋細胞は側枝を出し，介在板を挟んで縦につながりながら心臓壁全体に広がる。心筋細胞は単核ないし二核であり，細胞質には骨格筋細胞と同様に筋原線維とフィラメントの束があり，顕微鏡で横紋が観察される。

心筋細胞は運動神経が結合しない不随意筋で，心臓の収縮のリズムは心臓自身がつくっている。特殊心筋と呼ばれる筋原線維に乏しい一部の心筋細胞が，規則的な興奮の発生と伝導を行っている。

(3) 平 滑 筋

平滑筋をつくる平滑筋細胞は，細長い紡錘状で，太さ5 μm前後，長さ20 μm（血管）〜200 μm（腸壁）である。消化管・気管・尿管・膀胱・子宮などの内腔を持つ臓器の筋層や，血管壁，皮膚の立毛筋，眼球内部に存在する瞳孔散大筋，瞳孔括約筋や毛様体筋として存在する。平滑筋細胞は単核で，細胞質の中にアクチンとミオシンは豊富にあるが，筋原線維のような束をつくらないため，顕微鏡で見えるような横紋がない。

平滑筋細胞は運動神経と結合をつくらない不随意筋で，自律神経やホルモンの支配を受ける。また引っ張られると収縮するなど，機械的な刺激の影響も受ける。

2.4 神経組織

神経組織は，脳と脊髄からなる中枢神経と，そこから出て身体全体に向かう末梢神経を構成する。神経組織の主体となる神経細胞は，細長い突起を遠方にまで伸ばし，他の神経細胞からの興奮を受け取り，それを遠方にまで伝えることができる。神経組織には神経細胞のはたらきを助ける支持細胞も含まれる（第6章　神経系の構造と機能参照）。

(1) 神経細胞

神経細胞は細胞体とその突起からなり，ニューロン（神経元，神経単位）という（図1－7）。細胞体は，大きいものでは直径約150 μmで，形もさまざまである。細胞体から2種類の突起が出る。神経細胞は，胎児期につくられ，一旦分化すると分裂しない。

① **樹状突起**　ふつうは細胞体から周囲に向かって多数伸び出し，先が樹枝状に細かく分かれる。他の神経細胞からの興奮を受け取る場で，他の神経細胞の軸索終末が連結してシナプスを形成する。ここで受け取った興奮は細胞体に伝えられる。

② **軸　索**　細胞体から1本だけ出る突起で，途中で側枝を出して末端は多数の枝に分かれる。分かれた枝の先端は，他の神経細胞や筋線維（筋細胞）などとシナプスを形成する。細胞体から遠方に興奮を伝え，他の細胞に受け渡す。

神経細胞の形は多様であり，突起の数によって単極，双極，偽単極，多極神経細胞

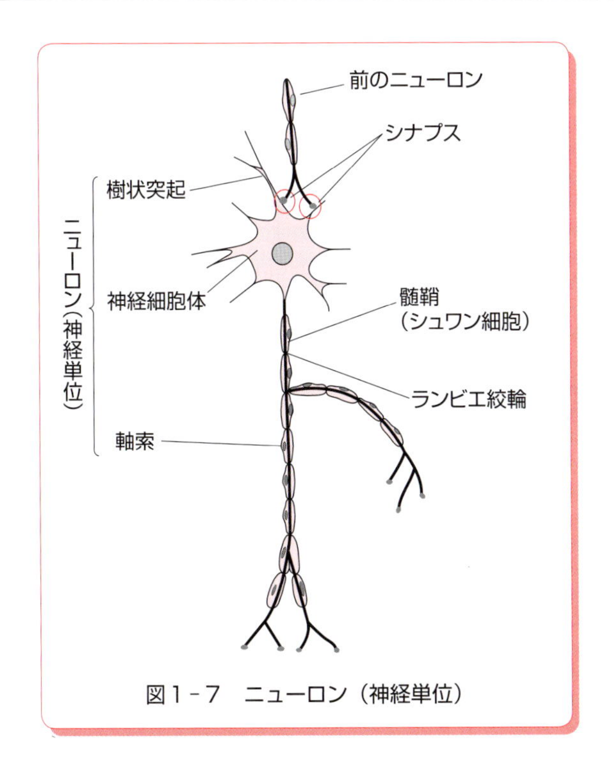

図1－7　ニューロン（神経単位）

などに分けられる。

（2）末梢神経の構造

末梢神経を肉眼で観察すると白いひも状に見えるが，細い神経線維が多数集まってできている。神経線維の太さは細いもので 1 μm 以下，太いもので 10 μm ほどである。神経線維の中軸には神経細胞から伸び出した軸索があり，この周りを**シュワン細胞**が包む。神経線維は，シュワン細胞の包み方によって**無髄神経線維**と**有髄神経線維**とに区分される。

① **無髄神経線維**　シュワン細胞は神経鞘（シュワン鞘）をつくり，1 本ないし複数の軸索を単純に抱え込むように包む。自律神経（交感神経と副交感神経）には多くの無髄神経線維が含まれる。

② **有髄神経線維**　シュワン細胞は軸索の周囲を円筒状に包む白い髄鞘（ミエリン鞘）をつくる。髄鞘はシュワン細胞の細胞膜が何重にも巻き込んでつくられ，髄鞘の外側にあるシュワン細胞のわずかな細胞質を神経鞘と呼ぶ。シュワン細胞の髄鞘は長さが 0.08 ～ 0.6 mm で，その間隔ごとに途切れてランビエ絞輪をつくる。この場所では軸索の細胞膜が露出しており，興奮はランビエ絞輪から次の絞輪へと跳躍するように伝わっていく（跳躍伝導）。そのため，有髄神経線維の伝導速度（10 ～ 100 m/ 秒）は無髄神経線維（1 m/ 秒）よりも著しく速い。

(3) シナプス

軸索は伸びた先で枝分かれし，その末端部はふくらんで神経終末となり，他の神経細胞の樹状突起や細胞体に付着する。この付着部位がシナプスである。神経終末には神経伝達物質を含む小胞が含まれ，軸索を伝わってきた電気的興奮がここに到達すると神経伝達物質を放出する。神経伝達物質にはアセチルコリン，カテコールアミン，GABA（γ-アミノ酪酸）などさまざまな種類があり，その作用は受け取る側の細胞膜に存在する受容体の種類によって変化する。

3. 構造からみた人体

3.1 体幹と体肢

人体は身体の中軸部にあたる体幹と，そこから左右に突き出た体肢に区分される。

(1) 体　幹

体幹は上方から，頭部，頸部，胸部，腹部，骨盤部に区分される。胸部，腹部，骨盤部は体幹の太い部分で胴と呼ばれ，内部に内臓をおさめている。

① 頭　部　　脳と顔がある。
② 頸　部　　頭と胴をつなぐ細い部分。
③ 胸　部　　かご状の骨組みがあり，肺・心臓などをおさめている。
④ 腹　部　　筋でできた壁からなり，胃腸・腎臓などをおさめている。
⑤ 骨盤部　　受け皿状の骨組みがあり，膀胱・直腸・生殖器などをおさめている。

頭部の骨組みは頭蓋（とうがい）で，頸部から骨盤部までは中軸に脊柱があって身体を支えている。胸部のかご状の骨組みは胸郭と呼ばれ，わずかに動いて呼吸運動を行う。骨盤は内臓を保護するとともに，腹部の内臓を下から支える受け皿になっている。脊柱は頭蓋と胸郭の間の頸と，胸郭と骨盤の間の腰において可動性が高い。すなわち体幹は，重要な内臓をおさめる頭蓋・胸郭・骨盤の間を動きのよい頸と腰でつないだ形になっている。

(2) 体　肢

体肢は１対の上肢および下肢からなる。上肢は運動の自由度が大きい。下肢は全身の体重を支えて歩行するために，丈夫にできている。上肢と下肢の付け根はそれぞれ上肢帯と下肢帯と呼ばれる。体幹から外に突き出した部分は，それぞれ自由上肢と自由下肢と呼ばれる。自由上肢の骨組みは，上腕・前腕・手に分かれ，自由下肢の骨組みは，大腿・下腿・足に分かれる。

3.2 人体内部の腔所と膜

人体の内部には，性質の異なる２種類の腔所がある。１つは中枢神経をおさめる腔所で，頭の中にある頭蓋腔と，脊柱の中にある脊柱管とからなる。もう１つは胴の中

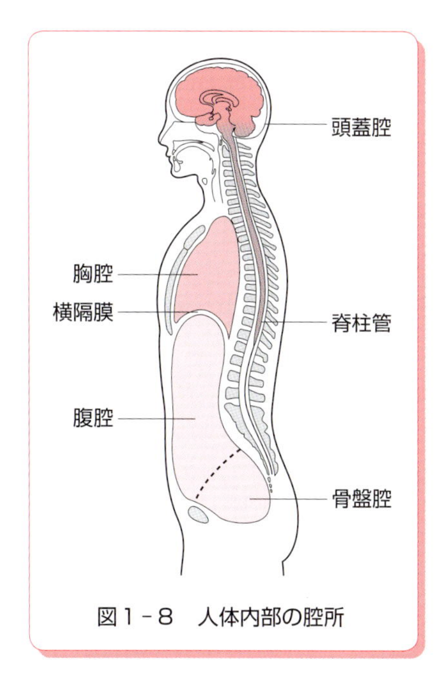

図1－8　人体内部の腔所

にある胸腔と腹腔であり，横隔膜で仕切られて内臓をおさめている。腹腔の下部で特に小骨盤に囲まれた部分を骨盤腔という（図1－8）。

・中枢神経のための腔所：頭蓋腔（頭蓋の内部）・脊柱管（脊柱の内部）
・内臓のための腔所：胸腔（胸郭の内部），骨盤腔（小骨盤の内部）

（1）体　腔

心臓や肺，腹腔の胃・小腸・肝臓などの内臓は，その表面の大部分が滑らかな漿膜におおわれている。また，胸腔と腹腔の壁の内面も漿膜でおおわれている。臓器の表面をおおう臓側の漿膜と壁の内面をおおう壁側の漿膜とは，臓器の出入口の周囲でつながる。臓器と体壁の間の狭い空間はつながった漿膜の袋に包まれるので漿膜腔，または体腔と呼ばれる。

心臓をおおう漿膜は心膜，肺をおおう漿膜は胸膜と呼ばれ，漿膜腔はそれぞれ心膜腔・胸膜腔である。腹腔にある胃・小腸・大腸・肝臓や，小骨盤にある直腸・膀胱・子宮などをおおう漿膜は腹膜と呼ばれ，漿膜腔は，ひとつながりの腹膜腔である。腹部にある腎臓・副腎・膵臓などは，壁側腹膜の後ろにあるので，後腹膜器官と呼ばれる。

（2）上皮性の膜

上皮性の膜は上皮組織とそれを裏打ちする結合組織からなる。上皮組織の性質により，粘膜と漿膜が区別される。皮膚も上皮性の膜にあたる。

1）粘　膜

粘膜は外界につながる中空性の器官（消化器・呼吸器・泌尿器・生殖器）の内腔をおおう膜である。表面は角化せず，通常は粘液と呼ばれるネバネバした物質を分泌する。粘膜は組織学的には次の3層からなる。

①　**粘膜上皮**　粘膜上皮の構造と機能は，部位によって多様である。口腔や食道などは，強靭で摩擦につよい非角化重層扁平上皮からなり，胃と腸の粘膜は液の分泌や吸収に適した単層円柱上皮からなる。また，鼻腔や気管の粘膜は多列線毛上皮からなり，尿管や膀胱の粘膜は伸展性に富む移行上皮からなる。

②　**粘膜固有層**　粘膜の丈夫さの主体となる，やや緻密な結合組織である。神経・毛細血管・リンパ管が多く分布する。

③　**粘膜筋板**　食道や胃・腸などの消化管の粘膜では，粘膜固有層の下に粘膜筋板という薄い平滑筋層があり，粘膜の繊細な運動を行う。

これらのほかに，粘膜下層も粘膜に含めることがある。粘膜下層は，粘膜固有層と壁の本体（平滑筋層など）との間をつなぐゆるい結合組織で，より太い血管・神経を含む。

2）漿　膜

漿膜は体腔とその内部にある器官の表面をおおう膜である。胸膜・腹膜・心膜がこれにあたる。少量のさらさらした漿液を分泌するため表面は滑らかで，臓器が摩擦なしに動けるようにしている。表面の漿膜上皮（単層扁平上皮で，中皮とも呼ばれる）と，その下の薄い結合組織からなる。

漿膜には，臓器の表面をおおう**臓側葉**と体壁内面をおおう**壁側葉**とがあり，両者はひと続きで，胸膜腔・腹膜腔・心膜腔という閉じた袋をつくる。袋の中には少量の漿液が含まれるが，漿膜の炎症に際して漿液は増量し（胸水・腹水と呼ばれる），細胞成分（特に白血球）が増加する。

（3）結合組織性の膜

結合組織性の膜は，上皮の要素を持たない。関節腔などの内面をおおう滑膜がこれにあたる。滑膜の表面からは滑液が分泌されて，関節の動きを円滑にさせる。腱の動きを滑らかにする滑液包や腱鞘の内面も滑膜によっておおわれている。

3.3　人体の形状（図１－９）

人体の表面にはいろいろな部位に名前が付いている。それらの名前の多くは内部にある構造に基づいて付けられている。

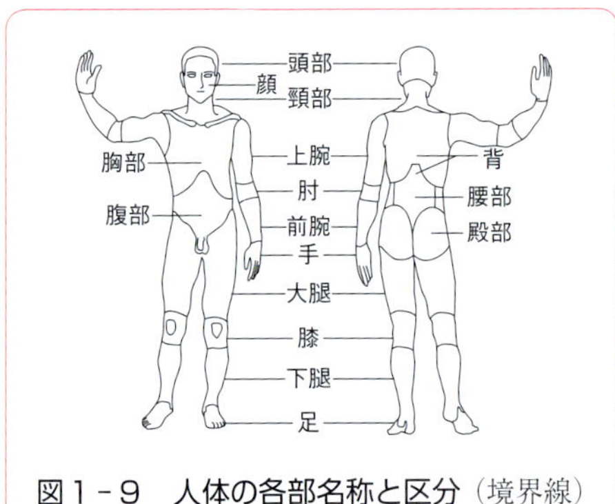

図１－９　人体の各部名称と区分（境界線）

出典）石橋治雄監修：『これならわかる要点解剖学』，南山堂（2004），一部改変

（1）体幹の部位の名称

体幹は頭・頸・胸・腹に分かれる。頭の前下の部分は顔，頸の後面は項，腹の後面は腰である。頭の上面は頭蓋（とうがい）の骨に合わせて，前頭部，頭頂部，側頭部，後頭部に区分される。また腹部の前面は９等分されて，中央の上腹部，臍（さい）部，下腹部と左右の下肋（かろく）部，側腹部，鼠径（そけい）部に分けられる。体幹の下端部で，左右の下肢の間を会陰（えいん）という。

・頭と頸で触れる目印：乳様突起（側頭骨の一部），眼窩，オトガイ（下顎骨の一部），耳介，口唇，鼻，頬

・胸で触れる目印：鎖骨，胸骨，肋骨，大胸筋

・背部で触れる目印：脊柱，肩甲骨

（2）体肢の部位の名称

① **上　肢**　上肢は上腕，前腕，手に分かれる。上腕の付け根は肩，その下面のくぼみは腋窩である。上腕と前腕の境目は肘，その前面のくぼみは肘窩である。てのひらは手掌，その裏面は手背である。

② **下　肢**　下肢は大腿，下腿，足に分かれる。下肢の付け根の後面のふくらみは殿（しり）である。大腿と下腿の境目は膝，その後面のくぼみは膝窩である。足の裏は足底，その上面は足背である。

（3）人体の形の差異

人体の外見は正中線を中心にほぼ左右対称にできている。それは骨格・筋・皮膚などの体壁の構造は左右がほぼ同じ形にできているためである。これに対し，胸部と腹部の内臓では左右差が大きく，非対称である（例：心臓は左に多めに張り出している，右肺は左肺よりもやや大きい，胃腸は腹部で激しくねじれた走行をしている，肝臓は右側に大きく張り出している）。

人体の構造と機能は年齢，性別，個体で異なる。性別による違いを男女差（性差）といい，特に，生殖器の構造が異なっている。生殖器以外では骨盤などの骨格の構造，筋や皮下脂肪の発達の程度などに性差が見られる。また年齢によっても人体の構造は変化する。特に，小児では発達により，高齢者では老化により，構造と機能が著しく変化する。

（4）方向と位置を表す用語（図1－10）

① **基準面**　人体の位置と方向を示すために，人体が直立しているものとして，互いに垂直に交わる3方向の基準面（水平面，前頭面，矢状面）を想定する。

② **水平面**　地表と平行な面で，人体を上下に分ける。

③ **前頭面**　前頭部と平行の面という意味で，人体を前後に分ける。前額面ともいう。

④ **矢状面**　正面から飛んでくる矢の方向という意味で，人体を左右に分ける。このうち，身体を左右半分に分けるものを正中面という。

⑤ **対になる方向用語**　身体の部位の方向を示す用語は，対になっているものが多い。

- 上／下：人体の頭に近い方と，足に近い方。動物と比較するために，頭方／尾方ともいう
- 前／後：直立した人体の前と後ろ。動物と比較するために，腹側／背側ともいう

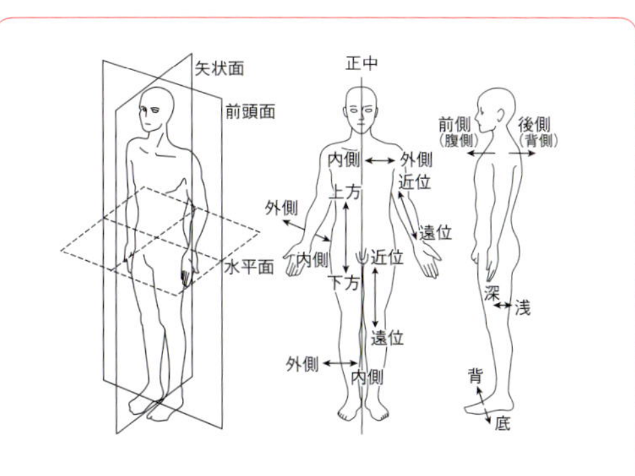

図1－10　方向と位置を示す用語（方向用語）
出典）石橋治雄監修：『これならわかる要点解剖学』，南山堂（2004）

・内側／外側：正中面に近い方と，正中面から遠い方

・近位／遠位：四肢などで，身体の中心に近い方と，身体の中心から遠い方

⑥ **縦の基準線**　身体の表面の位置を示すために，縦線がいくつか使われる。

⑦ **正中線**　正中面を通る体表の線である。

⑧ **胸骨線**　胸骨の外側縁に沿った縦の線である。

⑨ **鎖骨中線**　鎖骨の中央を通る縦の線。乳頭の上を通る線にあたるが，成人女性では乳頭の位置が動くので不正確になる。乳頭線ともいう。

⑩ **腋窩線**　腋窩の中央を通り，人体の側面を縦に通る線。腋窩の前後の端を通る前腋窩線と後腋窩線が使われる。

⑪ **肩甲下線**　肩甲骨の下角を通り，人体の背面を縦に通る線である。

4. 生体成分とその分析

4.1　人体を構成する元素と主成分

人体を構成する元素と主な成分の重量については，性，体質，栄養状態などによって異なるが，おおよそ図１−11，表１−８に示したとおりである。

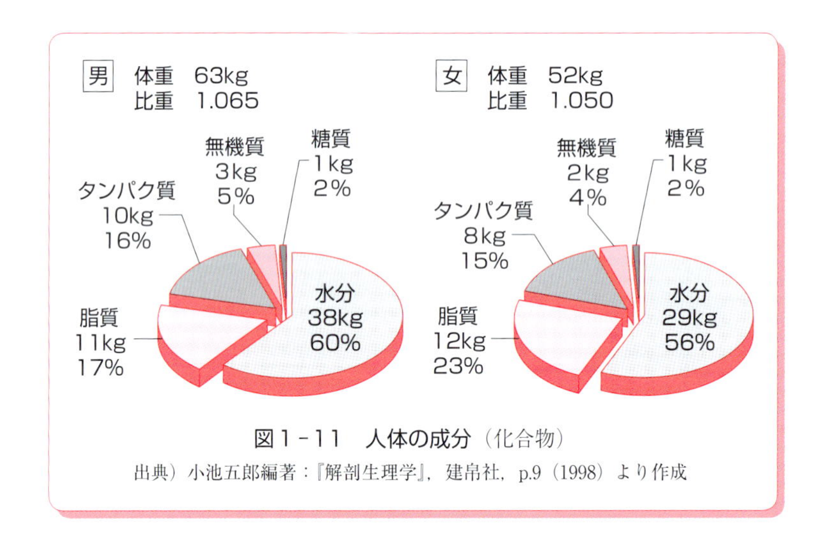

図１−11　人体の成分（化合物）

出典）小池五郎編著：『解剖生理学』，建帛社，p.9（1998）より作成

表１−８　人体構成元素（Sherman による）

構成元素	重量（%）	構成元素	重量（%）	構成元素	重量（%）
酸素 O	65	カリウム K	0.35	銅 Cu	（微量）
炭素 C	18	硫黄 S	0.25	マンガン Mn	（微量）
水素 H	10	ナトリウム Na	0.15	亜鉛 Zn	（微量）
窒素 N	3	塩素 Cl	0.15	フッ素 F	（微量）
カルシウム Ca	1.5	マグネシウム Mg	0.05	モリブデン Mo	（微量）
リン P	1.0	鉄 Fe	0.004	その他	（微量）
		ヨウ素 I	0.00004		

出典）小池五郎編著：『解剖生理学』，建帛社，p.9（1998）

構成元素として，体内には水分が多いために酸素が最も多く，有機化合物をつくる炭素がこれに次ぎ，次いで水素が多く，あわせて90%以上を占める。

人体を構成する成分では水分と脂質がきわめて多く，合計して体重の75～80%を占め，残りの大部分はタンパク質による。

(1) 水　分

水は元素ではないが，ほとんどあらゆる有機化合物が水に溶けている，あるいは水と相互作用している。人体の体重のおおよそ60%を占め，体内で最も豊富に存在する無機化合物である。体水分は細胞内外に存在するが，成人男子の場合，細胞内液と細胞外液は，ほぼ3：1の割合で分布している（表1－9）。男性も女性も，加齢とともに細胞数の減少に伴って減少傾向となる。

表1－9　体液各相の水分量（Bland）

	細胞内液	細胞外液
成人男子	45%（35～50%）	15%（15～22%）
成人女子	40%（30～45%）	14%（14～22%）
乳　児	48%（45～50%）	29%（25～35%）

出典）小池五郎編著：『解剖生理学』，建帛社，p.10（1998）

(2) 体　脂　肪

体脂肪には，人体を構成する脂質と貯蔵脂肪とがある。貯蔵脂肪の多少は栄養状態に関係があり，人体を構成する脂質と区別して測定することができないので，全体の脂質量を測定し，脂質以外の部分と分けることがある。その場合，脂質以外の部分を除脂肪体重（LBM：lean body mass）という（表1－10）。

表1－10　体脂質（あるいはLBM）量の測定

体水分量による方法	LBM中の水分量を平均73.2%とし，体水分量を測定する方法。
体比重による方法	体脂質およびLBMの比重を一定とみなし，体比重を測定して求める方法。水中体重法と皮厚測定法がある。
^{40}K測定による方法	カリウムはLBM中にのみ存在し，その平均濃度を男子68.1 mE/kg，女子64.2 mE/kgとし，天然に存在するカリウム中に放射性カリウム（^{40}K）が0.02%存在することを利用し，後者をHuman Counterによって測定する方法。
インピーダンス法	LBM部分と脂質部分の電気伝導度が異なることを利用して測定する方法。

出典）小池五郎編著：『解剖生理学』，建帛社，p.10（1998）

(3) 体タンパク質

体重から水分，脂質を除いた部分は，体重の20～25%を占めるに過ぎないが，その大半を占めるのがタンパク質である。成人の体内にはタンパク質が7～10 kg存在し，その大部分は細胞をつくる主成分であり，生体内の化学反応を触媒する酵素をはじめ，ホルモン，抗体などの主成分でもある。栄養欠乏の際には，エネルギー源にもなる（図1－12）。

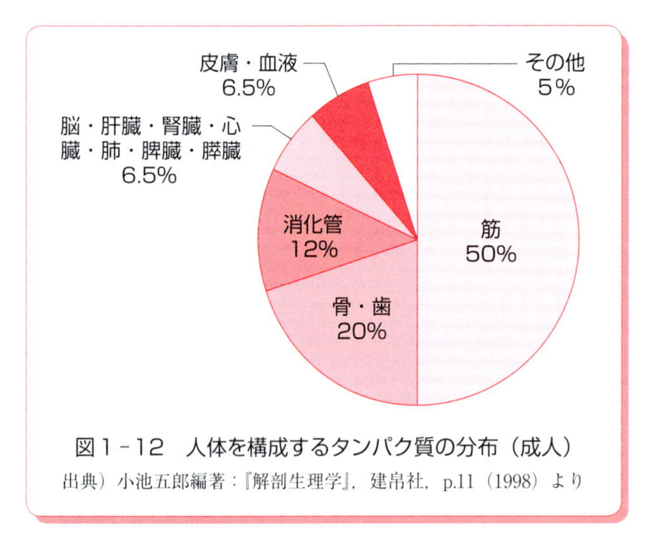

図１－12　人体を構成するタンパク質の分布（成人）
出典）小池五郎編著：『解剖生理学』，建帛社，p.11（1998）より

（４）その他の成分

体成分から水分，脂肪，タンパク質を除いた成分は数 kg に過ぎない。そのうち糖質（ほとんどエネルギー源として消費されてしまう），ビタミン，ホルモン，その他の有機質は約 10 分の 1 で，大部分はリン酸カルシウム（骨などの成分）を主体とする無機質である。

4.2　生化学的分析

（１）生体分子の分離・生成方法

① 沈殿法　タンパク質や核酸などの生体高分子は水に溶解した状態で存在するが，ある条件下では，水に溶解しなくなり沈殿する。このことにより生体高分子を濃縮することができ，精製のスタートとなる。硫安沈殿，脱塩，エタノール沈殿などがある。

② アフィニティー・クロマトグラフィー　抗原と抗体，酵素と基質，リガンドとレセプターのように，ある特定の物質同士が非常に強固に結合することがある。このような特異的相互作用を利用して物質を精製する方法を，**アフィニティー・クロマトグラフィー**という。

（２）生体成分の構造決定方法

① 生体高分子の構成要素の配列を決定する方法：シークエンサー　タンパク質はアミノ酸の重合体，核酸はヌクレオチドの重合体である。タンパク質の構造や機能，核酸の遺伝情報は，その構成単位の配列によって決定される。この配列のことを**シークエンス**，配列を決定する装置を**シークエンサー**という。例えば，タンパク質シークエンサーのアドマン分析法や DNA シークエンサーのサンガー法などがある。

② 微量の物質の構造を決定する方法：質量分析法　ごく微量のタンパク質のアミノ酸の配列を決定することができ，それによって未知のタンパク質を同定することができる。例えば，**質量分析法**（**マススペクトロメトリー**）などがあり，得られた数値をコンピューター上のデータベースと照合することにより，アミノ酸の配列を決定することが可能となる。

③ タンパク質の立体構造を決定する方法　タンパク質の立体構造はアミノ酸配列によって決定されているが，現在までアミノ酸配列（一次構造）から立体構造（三次構造）を予知することは困難である。タンパク質の立体構造は，X 線結晶構造解析や核磁気共鳴（NMR）などが利用されている。

参考文献

・荒木英爾編著：『Nブックス解剖生理学』，建帛社（2010）
・小池五郎編著：『新栄養士課程講座解剖生理学』，建帛社（1998）

■練習問題■

問題1 細胞の構造と機能に関する記述である。誤っているのはどれか。
(1) 細胞膜は脂質の二重層からなる。
(2) ミトコンドリアはATPを合成する。
(3) 中心体は細胞分裂の際に染色体を移動させる。
(4) ゴルジ装置では糖の付加が行われる。
(5) リボゾームはタンパク質合成装置であり，DNAを多く含む。

問題2 細胞に関する記述である。誤っているのはどれか。
(1) 生殖細胞は減数分裂を行う。
(2) 粗面小胞体は細胞骨格を構成する。
(3) リソソームは加水分解酵素を含み，細胞内消化や異物処理を行う。
(4) 1つの細胞に2個以上の核が見られることもある。
(5) 細胞膜にはレセプターがある。

問題3 上皮組織に関する記述である。正しいのはどれか。
(1) 肺胞は円柱上皮でおおわれる。
(2) 食道は立方上皮である。
(3) 小腸は円柱上皮である。
(4) 尿管は立方上皮でおおわれる。
(5) 精管は移行上皮でおおわれる。

第2章 消化器系の構造と機能

食物は分解（消化）・吸収され，生きるためのエネルギー源になったり（主として糖質と脂質），私たち自身の身体を構築するための材料になったり（タンパク質や電解質など），さらに体内で起こる化学反応が円滑に進むための触媒として利用される（ビタミンなど）。この食物の消化と栄養の吸収のためにはたらいているのが消化器系で，大部分は腹腔内におさまっている。

消化器系は口から肛門まで続く１本の消化管と，それに付属し，消化を助ける消化液を分泌するいくつかの器官（消化腺）で構成されている。消化管は体内におさめられているが，その内腔は口と肛門を通して外につながる空間で，体外にあたる（図２－１，図２－２）。

口から取り入れた食物は移送される間に，消化腺や消化管の細胞から管腔内に分泌される消化酵素の作用を受けて消化される。消化された栄養素や水分，各種の電解質は，主として小腸壁から吸収され，吸収後の栄養素の大部分は肝臓に送られ，そこで合成・分解・解毒を受けて，全身の細胞が利用できる形に変えられる。吸収されなかった残りは大腸でさらに水分を吸収された後，便として体外へ排泄される。このような消化・吸収機能は自律神経と腸の神経叢（そう），消化管壁から血液中に分泌される消化管ホルモンによって調節されている。

1. 消化器系の構造

1.1 口の構造

(1) 口　腔

口腔の前方は口裂によって外界に開き，後方は口峡（こうきょう）を通して咽頭につながっている。口腔内には上顎と下顎から歯列が生え揃い，これによって口腔は次の２つに分けられる。

① **固有口腔**　　狭義の口腔で，歯列よりも奥の領域である。舌があり，顎下腺と耳下腺の導管が開口する。

② **口腔前庭**　　歯列よりも手前の領域で，耳下腺が開口する。

口腔に取り入れられた食物は咀嚼（そしゃく）という機械的な消化を受け，嚥下（えんげ）によって咽頭へ送られる。

咀嚼は口腔内のあらゆる構造が協調して行われる。口蓋・頬・口唇により口腔を閉鎖空間にし，大唾液腺からの唾液により食物塊を湿らせ，舌により食物塊を口腔内の

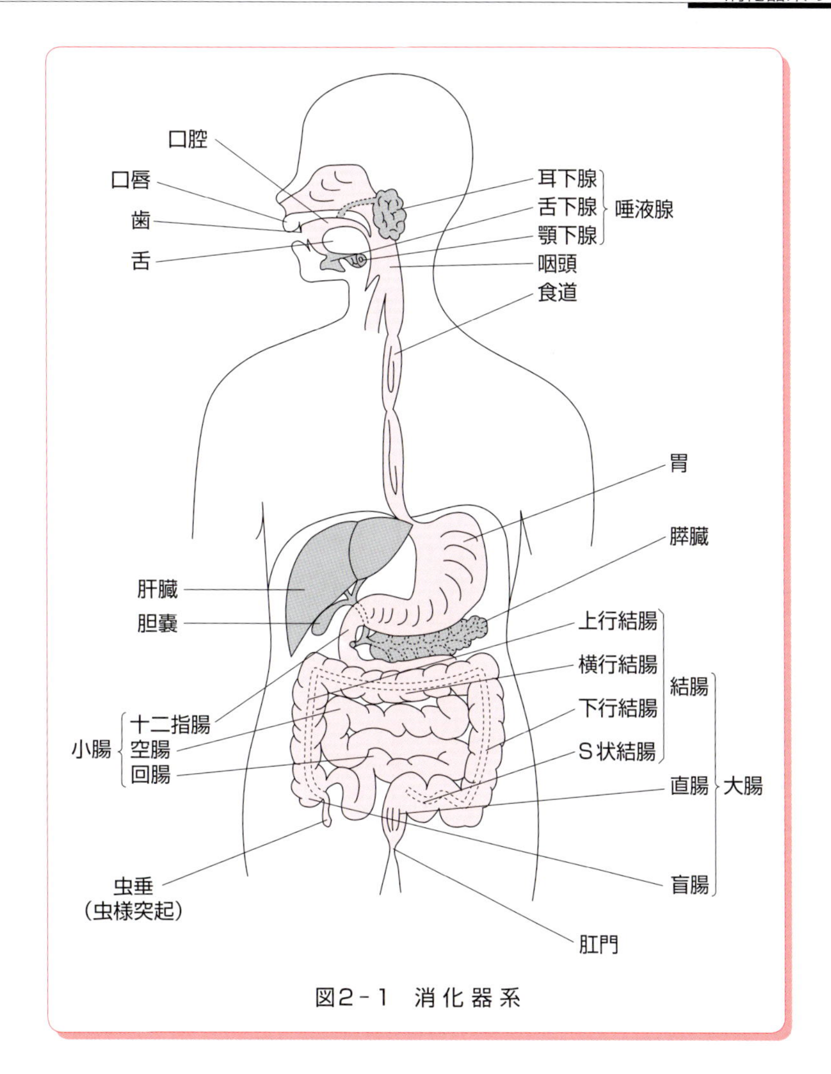

図2-1 消化器系

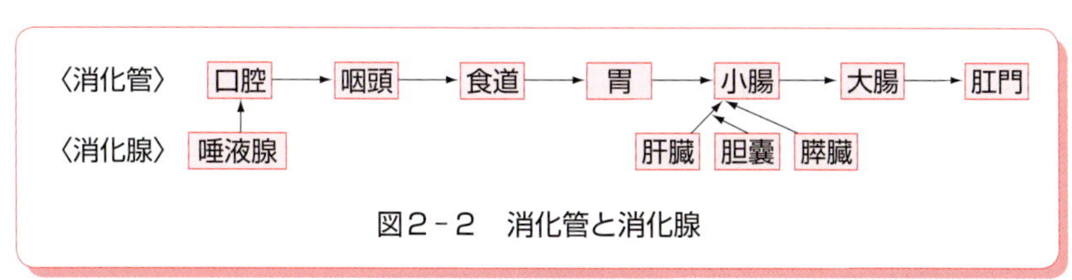

図2-2 消化管と消化腺

適当な位置に動かし，下顎が複雑な運動をすることにより，多様な形の歯で食物を噛み砕く。

(2) 口蓋・頬・口唇

口腔の天井は**口蓋**（こうがい）で，鼻腔との間を隔てている。口蓋の前2/3は骨を含む**硬口蓋**で，後ろの1/3は筋肉性の**軟口蓋**である。軟口蓋のよく動く後縁は口蓋帆と呼ばれ，その中央部は垂れ下がって口蓋垂となる。軟口蓋から2対のヒダが左右に下降し，口峡の両側に２対のアーチ（口蓋舌弓と口蓋咽頭弓）をつくる。両ヒダの間のくぼみには，リンパ組織を含む口蓋扁桃が存在する。

頬は口腔の外側壁をつくり，口唇は口裂の上下にあり，ともに筋性である。頬と口唇の本体をなす筋は顔の皮膚を動かす表情筋の一部で，頬に緊張を与えたり，口唇を開閉したりするはたらきをする。口腔が閉鎖空間になるのは，成人の咀嚼だけでなく，乳児が母乳を摂取する際にも必要である。口腔がどこかに開いていると，摂取した乳汁がもれてしまう。口唇や口蓋が左右に分かれている口唇裂や口蓋裂の乳児では，母乳をうまく吸うことができないため，手術を必要とする場合がある。

（３）舌

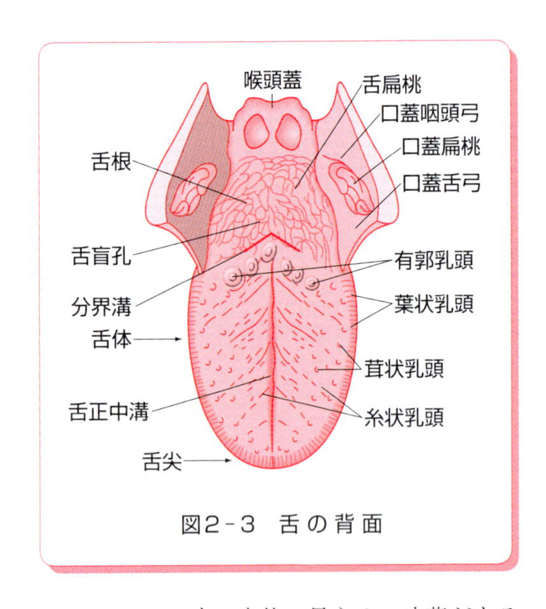

図2－3　舌の背面

舌は口腔底にある骨格筋の塊で，その表面は硬い結合組織と粘膜でおおわれている。舌の粘膜には，舌乳頭という小さな凸がたくさんある。舌乳頭は４種類あり，糸状乳頭以外には味覚を感じる味蕾が備わっている（図２－３）。

① **糸状乳頭**　舌の前2/3に無数に散在し，先端が角化するため，舌背面が白っぽく見える。また，口腔内の不潔や乾燥，発熱時などに舌粘膜に舌苔（ぜったい）と呼ばれる白い付着物が生じることがある。これは，粘液・食物残渣・細菌または剥離した舌の上皮細胞などが糸状乳頭の間にたまったものである。

② **茸状（じじょう）乳頭**　舌の前2/3に無数に分布し，赤い点状に見える。味蕾がある。

③ **葉状乳頭**　舌の外側面にあり，ヒダ状で，味蕾がある。

④ **有郭（ゆうかく）乳頭**　舌根部との境をなすＶ字形の分界溝に沿って，10個ほどが１列に配列する。味蕾がある。

舌根の粘膜下にはリンパ組織が集まり，舌扁桃と呼ばれる。舌は食塊（かみくだかれた食物）を移動させて咀嚼されやすくするとともに，唾液と混合して食塊に湿り気を与えることにより，唾液中の消化酵素の作用を受けやすくする。

（４）歯　列

上顎と下顎には歯が１列に並んでいる。突出した部分を歯冠，粘膜に埋もれた部分を歯根といい，その大部分は歯槽という骨の中にはまり込んでいる。歯の中心部には歯髄腔があり，歯髄を入れる（図２－４）。

歯の本体は３種類の硬組織でつくられている。歯冠の表面をおおうエナメル質は99％がリン酸カルシウムからできていて，水晶にも負けない硬さがある。歯の本体を

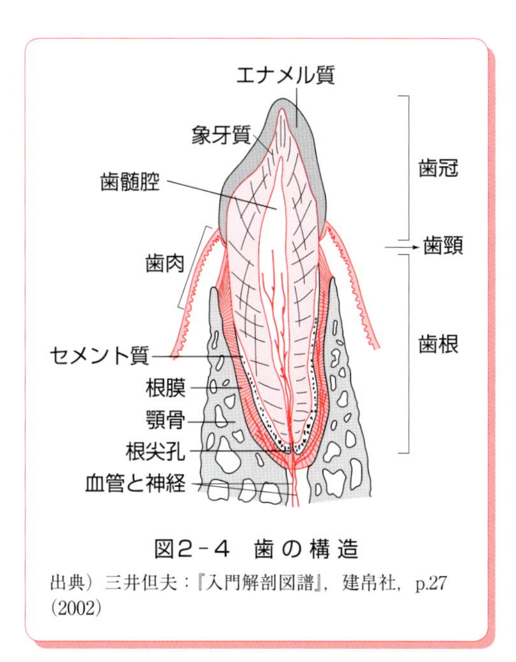

図2－4　歯の構造

出典）三井但夫：『入門解剖図譜』，建帛社，p.27（2002）

つくる象牙質は硬さが少し劣り，歯髄腔の内面に並ぶ細胞が象牙質の中に細い突起を伸ばしている。エナメル質は生命も感覚もないが，象牙質は生きている組織で，虫歯の際に痛みを感じたり，歯髄腔に向かってわずかに成長したりすることがある。

歯根はセメント質という薄い骨質におおわれ，歯槽の骨との間を歯根膜という結合組織がつないでいる。歯髄腔には，歯根の先端の孔から，感覚神経（知覚神経）と血管が進入する。

乳歯と永久歯

ヒトの歯は小児にみられる乳歯（脱落歯）と，成人の歯である永久歯の2種類がある。永久歯は形としては4種類あり，すべて生えそろうと32本である。上顎の片側だけをとると，前方から切歯というノミの形をした歯が2本，犬歯という先端のとがった歯が1本，先端が立方形の小臼歯と大臼歯はそれぞれ2本と3本で，合計8本ある。切歯と犬歯は食物を切断し，小臼歯と大臼歯は食物をすりつぶして細かく粉砕する。乳歯は，永久歯よりも柔らかく，成人の切歯，犬歯，小臼歯に対応し，20本ある。乳歯は胎児の頃から発生を始め，生後6～7か月で歯肉から外に出て（萌出（ほうしゅつ）），満1歳頃に上下8本，2歳までには上下10本ずつが生えそろう。小学校入学頃（6歳頃）に，早く生えた乳歯から次第に抜けて，永久歯に入れ替わる。最初に生えるのは第1大臼歯で，第3大臼歯（智歯，一般的に親知らずと呼ばれる歯）は思春期以降に生えてくるが，異常な生え方をすることや，萌出しないことも多い。

（5）唾　液　腺

口腔の中には耳下腺，顎下腺，舌下腺という大唾液腺があり，その他にも多数の粘液腺（小唾液腺）が散在している（図2－5）。唾液腺は交感神経と副交感神経の支配を受けており，食物の感触・味・においによる反射や，その他の条件反射により唾液を分泌する。

① **耳下腺**　耳介前方から下方にかけて広がる大きな唾液腺である。導管（耳下腺管）は前方に向かい，頬の内側面で上顎第2大臼歯に相対する場所に開口する。漿液性のさらさらした唾液を分泌する。

② **顎下腺**　下顎骨の下面内側にあり，導管（顎下腺管）は歯列の内側で舌の付け根の両側にある舌下小丘に開口する。粘液と漿液の混ざった粘り気のある唾液を分泌する。

③ **舌下腺**　大唾液腺の中で最も小さく，口腔底の舌下小丘の粘膜下にある。導管はいくつもあり，顎下腺管よりも後方に開口する。混合性の粘りの多い唾液を分泌

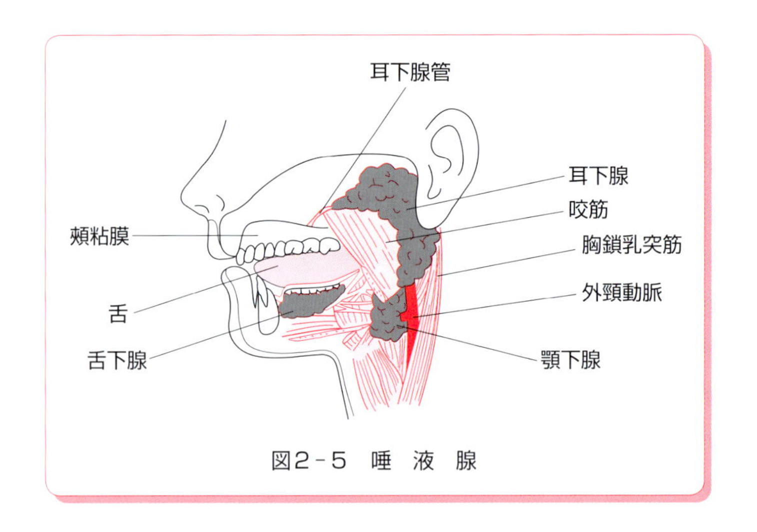

図2－5　唾　液　腺

する。

④ **小唾液腺**　口唇・頬・口蓋・舌などの粘膜下に見られる。流行性耳下腺炎（おたふくかぜ）は，ムンプスウイルスの感染により耳下腺が炎症を起こし，その部位の顔が腫れたものである。

（6）口腔の運動と感覚

食物の咀嚼は下顎を上顎に押し付けたり，動かしたりすることにより行われる。顎関節は関節円板があるために，運動に大きな自由度があり，下顎骨は単に上下に開閉するだけでなく，前後・左右にずれることができる。咀嚼筋は下顎を引き上げて上顎に押し付ける筋群で，咬（こう）筋，側頭筋，内側・外側翼突筋の４つがあり，三叉神経に支配されている。顎を開くはたらきは重力のはたらきや，下顎骨と舌骨を結ぶ舌骨上筋群と，舌骨と胸郭などを結ぶ舌骨下筋群によって行われる。

口唇の開閉は表情筋のはたらきで顔面神経によって支配され，下顎の動きとは独立する。舌の筋には，内部におさまり，舌の形を変える内舌筋と，舌とほかの骨をつなぎ，舌の位置を変える外舌筋がある。舌の運動は舌下神経によって支配されている。舌の知覚は前後で異なる。舌の前2/3では，味覚は顔面神経によって，触覚は三叉神経によって支配されている。舌の後1/3では味覚も触覚も舌咽神経によって支配されている。

口腔粘膜と歯の知覚は，顔の皮膚と同じで三叉神経によって支配されている。

消化の最初の段階である口腔における消化は，上顎・下顎から生えている歯による咀嚼，唾液腺からの唾液分泌，舌による食塊のこねまわしと移動，そして嚥下からなる。

1.2　咽　　頭

咽頭は鼻腔・口腔・喉頭の後ろに位置し，口腔から食道への食物路と，鼻腔から喉頭への呼吸路が交差する部位であり，消化器系と呼吸器系の両方に属する。上は頭蓋底に達し，頸椎のすぐ前を降りながら漏斗状に細くなり，食道へと続く。骨格筋性で，長さ約 12 cm の管状器官で，上から鼻部，口部，喉頭部の 3 部に分けられる。

① **咽頭鼻部**　鼻腔と後鼻孔でつながる。両側壁には耳管の開口部があり，後壁上部の粘膜にはリンパ組織が集まり，咽頭扁桃をつくる。

② **咽頭口部**　口蓋から舌骨の高さの部分で，前方は口峡により口腔とつながる。

③ **咽頭喉頭部**　舌骨より下方の高さで，喉頭の後ろに位置する。前方には喉頭口が開き，下は食道に続く。

咽頭鼻部と口部を取り囲むようにリンパ組織が集まり，口蓋扁桃，咽頭扁桃，舌扁桃をつくり（**ワルダイエル咽頭輪**），外界の病原体から呼吸器や消化管を保護する役割をしている。咽頭扁桃は小児期によく発達し，感染により肥大することがある（アデノイド）。肥大した扁桃は耳管の開口部を圧迫して聴覚障害を起こしたり，空気の通路をふさいで鼻呼吸を困難にさせたりする。

1.3 食　道

食道は長さ約 25 cm，直径 1 ～ 2 cm の扁平な筋性の管である。輪状軟骨下縁の高さ（第 6 頸椎）で咽頭からつながり，左右の肺に挟まれた縦隔内で脊柱の前方から気管と心臓（左心房）の後方を下行し，横隔膜の食道裂孔を貫いて胃の噴門へとつながる。

食道粘膜は縦走するヒダをつくり，非角化重層扁平上皮によりおおわれている（図 2 − 6）。また，筋層は上 1/3 が横紋筋，中 1/3 が横紋筋と平滑筋，下 1/3 が平滑筋で構成されている。食道の筋層は蠕動運動を行い，体位に関係なく食塊が胃に送られる。その速度は平滑筋からなる部位よりも横紋筋からなる部位が 10 倍ほど速い。食塊が食道に入ると，食道は反射的に弛緩，次いで収縮し，食塊を下方へ送る。横紋筋部分の蠕動運動は胃や腸とは異なり，延髄からの指令が迷走神経を通して送られ，食

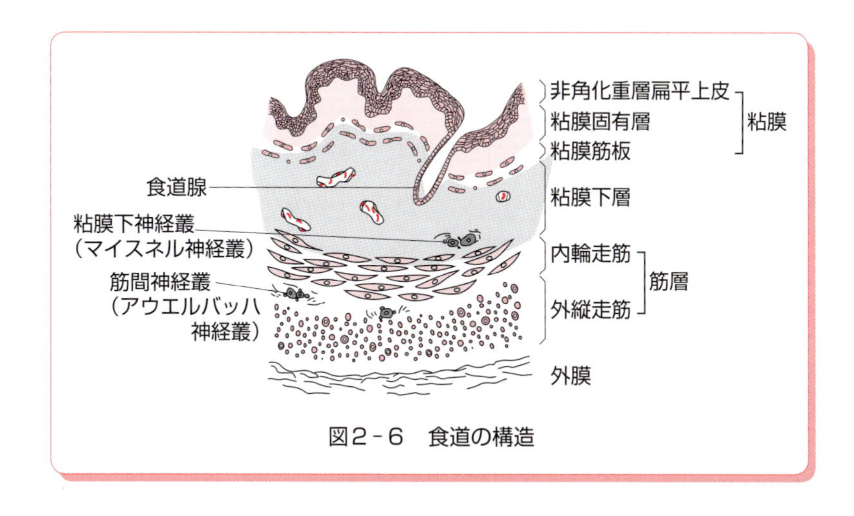

図 2 − 6　食道の構造

道壁の筋を刺激して起こる。

食道には，機能的に３つの狭窄部がある。食道の入口（輪状軟骨の下縁），気管分岐の高さ（大動脈との交差），横隔膜を貫く部分である。このうち上端と下端には，食物が逆方向に進むのを防ぐはたらきがある。食道下端部のしまりが悪くなり，胃の内容物が食道に逆流すると「胸やけ」を感じる。

1.4 胃

胃（図２－７）は，消化管の最も広がった部分で，左上腹部にある。第 11 胸椎の高さで食道からつながり，右下方で十二指腸につながる。食道につながる部分を**噴門**，十二指腸につながる部分を**幽門**という。全体として左に向かってふくれた形をしているが，生体での大きさと形は内容の量や個体によってきわめて多様である。右側の短いへりを**小彎**，左側の長いへりを**大彎**といい，胃の大きく膨らんだ本体の部分は**胃体**で，右下の細くなった部分は**幽門部**である。胃体の上端で，噴門の左側に上がった部位を**胃底**という。X 線で見ると，胃体と幽門部の境目には深いくびれがあり，これを角切痕（かくせっこん）と呼ぶ。小彎と大彎は胃に分布する血管の通路になっていて，小彎には小網という薄い膜が付着し，肝門（肝臓下面）との間をつないでいる。大網は大彎に付着する脂肪とリンパ組織を含む薄いエプロン状の膜で，腹部内臓の前面に垂れ下がっている。

胃壁（図２－８）は，粘膜，粘膜下層，筋層，漿膜からなる。胃が空虚なときには胃粘膜は多数のヒダをつくり，その多くは縦走する。小彎沿いのヒダは胃に内容物が満ちても消えずに残る。筋層は発達し，内斜走，中輪走，外縦走の３層が重なっている。胃の運動は，筋層の間にある**アウエルバッハ神経叢**（そう）（**筋間神経叢**）が司る。幽門では輪走筋が特に発達して幽門括約筋をつくり，十二指腸への食物の輸送が調節される。

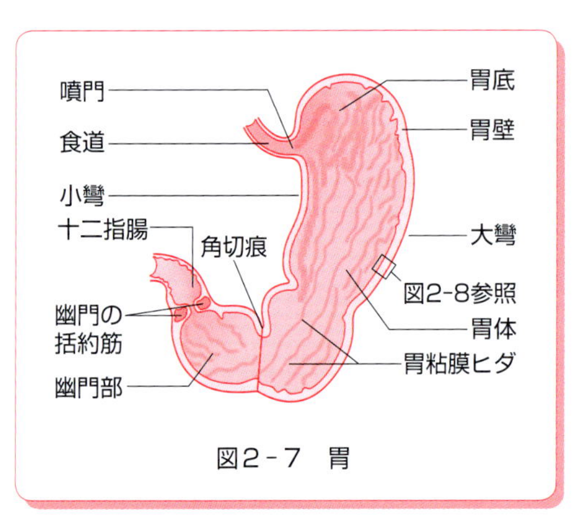

図２－７　胃

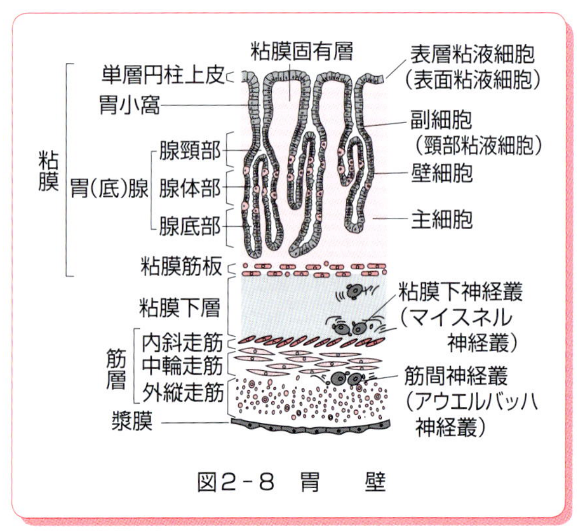

図２－８　胃　壁

胃粘膜表面には胃腺の開口部である**胃小窩**が 1 cm^2 あたり 100 個ほど開いている。胃小窩には表層（表面）粘液細胞が存在し，粘液を分泌する。食道に近い噴門部と十二指腸に近い幽門部では，胃小窩が深く発達し，胃腺（噴門腺，幽門腺）は主に粘液を分泌する。胃の大部分の胃腺（**胃底腺**または**固有胃腺**）は，粘液を分泌する**副細胞**（頸部粘液細胞）のほか，H^+ と Cl^- を分泌する**壁細胞**，ペプシノーゲンを分泌する**主細胞**を有する。ペプシノーゲンは塩酸のはたらきで分解されてペプシンというタンパク質分解酵素になる。

1.5 小　腸

小腸は胃に続く非常に長い管で，**十二指腸**，**空腸**，**回腸**の 3 つの部分に分かれる。このうち，十二指腸は腹腔後壁に埋め込まれ，**腸間膜**によって腹腔後壁からぶら下げられた空腸と回腸が小腸の長さの大部分を占める。腸間膜を持った空腸と回腸を**腸間膜小腸**と呼んで十二指腸と区別する。

小腸は消化管の最も重要な部分で，栄養の消化と吸収の大部分が行われる。胃で粥状にされた食物（糜粥）は，小腸を通る間に膵臓からの膵液と小腸粘膜からの腸液と混ぜられて吸収できる分子にまで消化され，小腸粘膜上皮から吸収される。

(1) 十二指腸

十二指腸は長さ約 25 cm で C 字型に走行し，C 字のくぼみに膵臓がおさまっている。上部，下行部，水平部，上行部の 4 部に区別される。

幽門につながる最初の部分は，小網の右端の肥厚部（肝十二指腸間膜）を介して肝臓と連絡している。肝臓と胆嚢から出てくる胆管と，膵臓の膵管は膵臓の中で合流して，十二指腸下行部に開口する。この開口部には括約筋があり，**大十二指腸乳頭**（**ファーター乳頭**）となって十二指腸内にもりあがっている。十二指腸上半部の粘膜下層にはアルカリ性の粘液を分泌する**十二指腸腺**（**ブルンネル腺**）が多数存在する。

(2) 空腸と回腸

十二指腸から空腸への移行部（十二指腸空腸曲）は左上腹部にあり，**トライツの靭帯**（**十二指腸提筋**）によって後腹壁に固定される。空腸と回腸は腸間膜によって腹腔後壁からぶら下げられ，全長は約 6 m である。右下腹部（回盲部）で盲腸につながる。上部約 2/5 は空腸，残りの下部約 3/5 が回腸であるが，両者の間に明瞭な境界はない。回腸は大腸に対して直角につながり，盲腸内部に上下 2 枚の**回盲弁**（**バウヒン弁**）が突出して，内容物の逆流を防いでいる。

腸間膜の付け根（腸間膜根）は左上から右下に向かう 15 ～ 18 cm の直線となっており，ここから腸間膜がヒダの多いカーテンのように垂れ下がり，その裾に空腸と回腸がぶら下がる。腸間膜の両面は腹膜によっておおわれ，小腸に出入りする動静脈・リンパ管（乳糜管），神経が通り，相当量の脂肪が貯蔵されている。空腸，回腸は腸

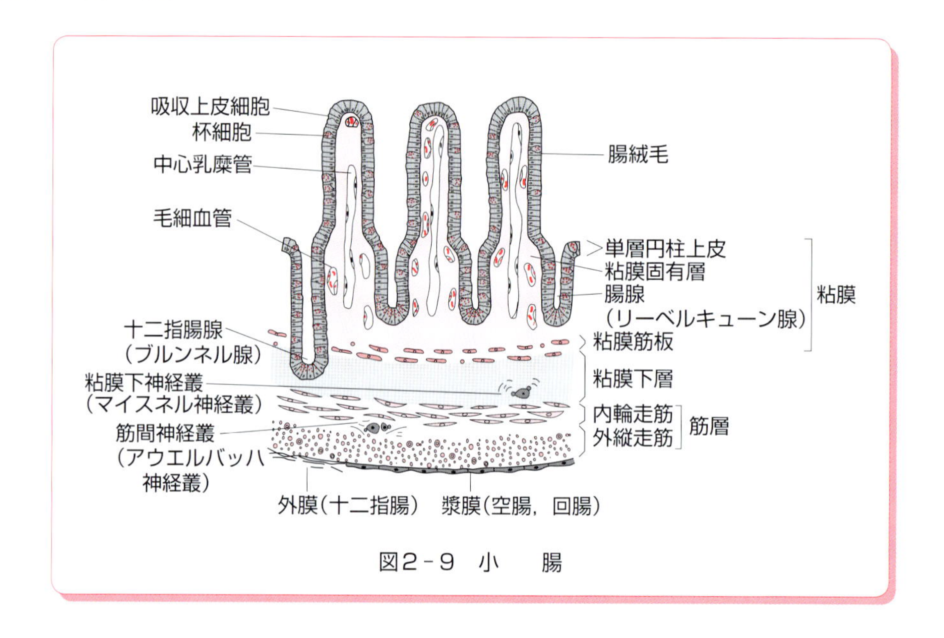

図2-9　小　　腸

間膜により腹腔後壁にゆるくつながれているために，腹腔内で自由に位置を変え，蠕動運動をすることができる。

(3) 小腸の壁

小腸内面にはヒダやさまざまな突起があり，表面積を拡大している。粘膜および粘膜下層が円周方向にもりあがり，高さ約 8 mm の**輪状ヒダ**をつくる。粘膜表面には高さ 0.5 ～ 1.5 mm の腸絨毛（じゅうもう）が多数生えているため，ビロード状に見える。腸絨毛の間には，**腸腺**（**リーベルキューン腺**，**腸陰窩**）が開口する。腸絨毛や腸腺の表面をおおう吸収上皮細胞は，管腔面に高さ約 1 μm の微絨毛を密に持っていて，**刷子縁**（さっしえん）を形成する。これらを合わせると，小腸粘膜側の表面積は漿膜面の 600 倍になり，栄養物の吸収が効率的に行われるようになっている（図２－９）。

小腸粘膜にはリンパ小節がたくさん存在し，消化管の内容物に対する免疫応答の場になっている。特にリンパ小節が多く集まった部位は**パイエル板**として肉眼的に観察することができる。

筋層は内輪走，外縦走の 2 層の平滑筋からなる。筋層間の**アウエルバッハ神経叢**が平滑筋の運動を調節し，蠕動運動を行う。

空腸と回腸に顕著な境界はないが，壁の構造に差異がある。空腸は回腸より太く，壁も厚い。輪状ヒダや腸絨毛は空腸で発達し，形も大きく密度も高い。これに対し，パイエル板は回腸下部で特に多く見られる。

1.6 大　　腸

大腸は小腸よりも太く，長さ約 1.5 m である。右下腹部の**盲腸**から**結腸**に続き，結

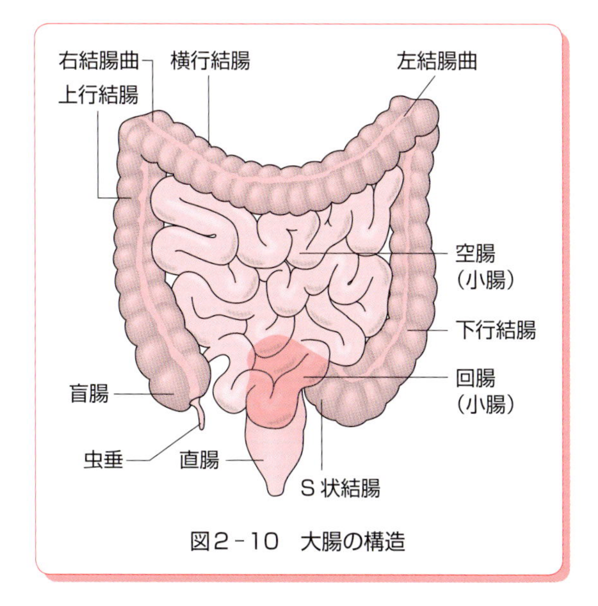

図2-10　大腸の構造

腸は右腹部，上腹部，左腹部，下腹部と続き，骨盤内の直腸となって肛門に開く。盲腸の先端には虫垂がつく（図2-10)。大腸では小腸で消化・吸収された残りから水分などを吸収し，固形状の糞便をつくる。糞便は消化されないで残った食物の残渣や腸上皮，腸内細菌およびその産生物からなる。

(1) 盲腸と虫垂

盲腸は回盲弁より下にある短い袋状の部分（長さ6～8 cm)で，腹腔後壁に癒着している。虫垂は盲腸の左後壁から出る鉛筆くらいの太さの突起で，長さ（2～20 cm，平均6.5 cm）も位置も個人差が著しい。虫垂粘膜にはリンパ組織が豊富にあり，免疫系の一部をなす。青年期には細菌感染により虫垂炎を起こしやすく，マックバーネー点（臍と右上前腸骨棘（きょく）を結ぶ線上の臍から2/3の位置）に圧痛を生じる。

(2) 結　腸

結腸は大腸の大部分を占め，上行，横行，下行，およびS状結腸の4部に分かれる。

右下腹部の盲腸から続き，腹腔後壁の右側縁を上行して肝臓下面にある右結腸曲までを上行結腸，そこから左に曲がって胃の深層を横切り，脾臓の下の左結腸曲までを横行結腸，ここから下方に向かい，左腸骨下までを下行結腸という。そこから大きくうねり，骨盤に入って仙骨（第3仙椎）の前面までをS状結腸といい，そこから直腸に移行する。上行結腸と下行結腸は腹腔後壁に付着しているが，横行結腸とS状結腸は，短い腸間膜によってぶら下げられている。

結腸壁をつくる平滑筋のうち，縦走する筋が3か所に集合して結腸ヒモをつくる。結腸ヒモの間の部分は外に向かって膨れ出した結腸膨起となり，内面に半月ヒダをつくる。結腸外面には，腹膜垂という脂肪を含む房がぶら下がっている。結腸ヒモ，結腸膨起，腹膜垂は大腸と小腸を区別する手がかりとなる。

(3) 直腸と肛門

直腸は骨盤内で仙骨前面に沿って下行し，尾骨の先端を超えたところで後下方に急に向きを変え，肛門に達する。内腔の広い部分が直腸膨大部，そこから急に細くなった部分が肛門管である。直腸の内面には横走するヒダが2～3本あり，特に大きいコールラウシュヒダが肛門から約6 cm上の右側にある。直腸の前方には男性では膀胱，前立腺，精嚢があり，女性では子宮，腟がある。

肛門で粘膜と皮膚の境には痔帯（肛門櫛）という輪状の高まりがある。その上縁には，8～10本の肛門柱という縦方向の高まり（ヒダ）がある。この一帯の粘膜下には，内腸骨静脈の枝につながる直腸静脈叢がよく発達しており，痔による出血が起こりやすい原因となっている。

肛門では，輪走の平滑筋がよく発達して内肛門括約筋をつくり，その外方に骨格筋の外肛門括約筋があって，意識的な排便の調節を行うことができる。

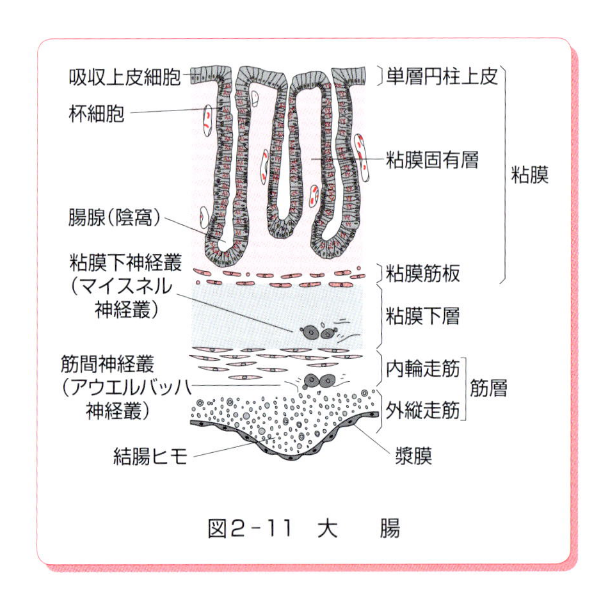

図2-11　大　　腸

(4) 大腸の壁

大腸の壁（図２－11）は小腸と同じように，粘膜と平滑筋層を備えているが，少し違いがある。大腸粘膜には，輪状ヒダや腸絨毛はなく，半月ヒダと腸腺が存在する。平滑筋層は内輪・外縦の２層からなるが，結腸では外縦走筋が３か所で集まって結腸ヒモをつくる。大腸では消化はほとんど行われず，栄養素もほとんどが小腸で吸収されるため，大腸では水と電解質のみが吸収される。しかし，大腸の吸収能は高いため，肛門から大腸内に挿入して薬剤を吸収させる坐薬などに利用される。

1.7　膵臓・肝臓・胆嚢

(1) 膵　　臓

膵臓は重さ60～70 g，長さ約15 cmの細長い器官である。腹腔後壁にあり，網嚢（もうのう）を隔てて胃の後面に接し，第１・第２腰椎の前で腹腔後壁に付着して横走する。十二指腸のＣ字に膵頭がはまり込み，膵体は左側に向かって伸びて，膵尾は脾臓に接する。導管は主膵管として膵臓中心部を右に走り，膵頭内部で総胆管と合流して十二指腸乳頭に開口する（図２－12）。

膵臓の大部分は膵液をつくる外分泌部からなるが，その間にインスリンなどのホルモンを出す膵島（ランゲルハンス島），すなわち内分泌部も散在する（p.93，図５－９）。膵臓の中で，血管はいったん膵島を通ってから，ホルモンを含む血液を外分泌部に運ぶように配置されている（膵門脈系）。

(2) 膵　　液

膵外分泌部の組織は小葉に分かれ，その中に導管と腺房が含まれる。膵液の中の有機成分は腺房の細胞から分泌され，電解質と水分は腺房と導管の両方から分泌され

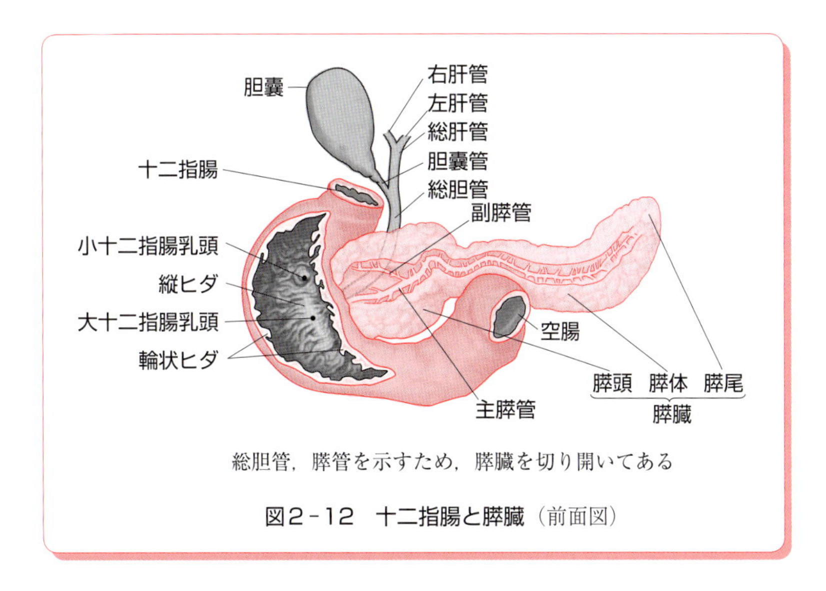

図2-12　十二指腸と膵臓（前面図）

る。膵液の分泌は迷走神経からのアセチルコリンによる刺激と，小腸の粘膜から分泌される消化管ホルモン（コレシストキニン・パンクレオザイミン，セクレチン）により刺激される。

(3) 肝　臓

肝臓（図2-13）は，重さ1～1.5 kgの人体最大の臓器で，上腹部のやや右寄りにあり，横隔膜の下面に付着する。肝臓の上面は横隔膜に沿って丸く膨隆し，下面は胃・十二指腸・横行結腸・右腎臓などに接するために凹凸しており，全体にくぼんでいる。肝臓の下面には胆嚢と胆管がある。肝臓に出入りする血管は3種類あり，そのうち流入する2種類（固有肝動脈と門脈）は胆管とともに肝門と呼ばれるくぼみから入り，流出する1種類（肝静脈）は肝臓の後面に接する下大静脈に注ぐ。

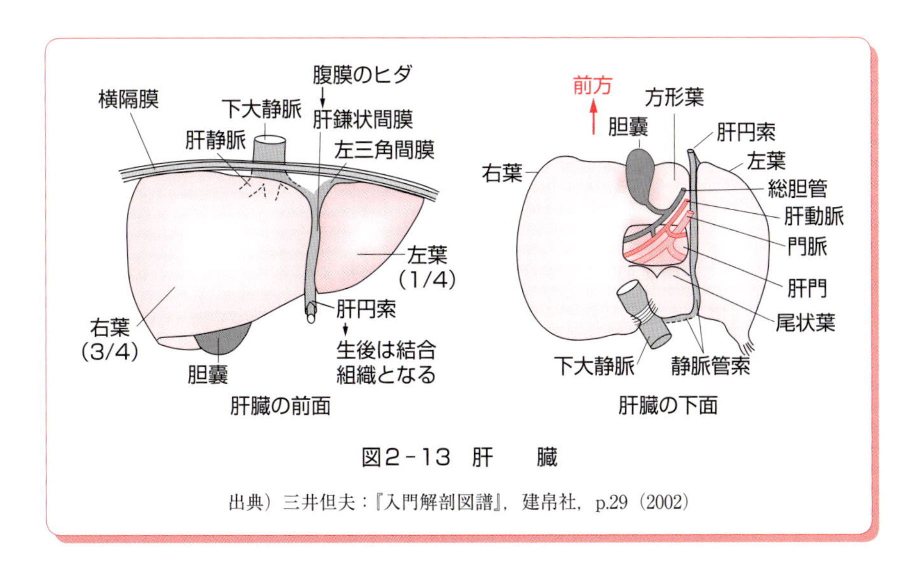

図2-13　肝　臓

出典）三井但夫：『入門解剖図譜』，建帛社，p.29（2002）

肝臓を前方から見ると，大きい右葉と小さな左葉に区分される。肝臓を後下方から見ると右葉，左葉以外に，浅い溝によって方形葉，尾状葉の２つの葉が区分される。４つの葉に囲まれた下面中央に肝門があり，門脈，肝動脈，胆管の３種類の管（三ツ組）が出入りする。肝門の右前方で右葉と方形葉の間に胆嚢が付着している。

肝門から十二指腸起始部と胃の小彎までの間に小網という薄い膜が広がっている。肝門に出入りする血管や胆管は小網の右辺縁部の厚くなった部分を通っており，この部分を特に肝十二指腸間膜と呼ぶ。肝臓の前面で右葉と左葉の間には肝鎌状間膜というヒダがあり，前腹壁との間をつないでいる。

１）門　脈

小腸に送られた血液は，吸収された栄養分を取り込み，門脈に集められて肝臓に流入する。門脈と肝動脈は肝臓の中で枝分かれして肝小葉の周囲に達し，そこから肝細胞の間を通る毛細血管を通過し，中心静脈→肝静脈→下大静脈を経て心臓に戻る。肝臓を流れる全血液量のうち，約1/5は肝動脈から，4/5は門脈から流入する。

２）肝臓の組織構造

肝臓の組織は，直径1 mmほどで多面体の形をした肝小葉という単位からできている（図２-14）。肝小葉の周縁部で多面体の辺にあたる部分には，グリソン鞘（しょう）という結合組織の区域があり，肝動脈，門脈および胆管の３種類の枝（三ツ組）を含んでいる。小葉の中心にある中心静脈は肝静脈につながる。肝小葉の中では肝細胞が並んで索をなし，その間に洞様毛細血管（どうよう）（類洞（るいどう））という幅広い毛細血管があり，肝細胞索と洞様毛細血管は肝小葉の中で放射状に配列されている。血液は周辺のグリソン鞘から中心静脈に向かって流れ，胆汁を運ぶ毛細胆管は肝細胞索の中で隣接する肝細胞の間のすきまとして始まり，周縁部に向かって走る。肝細胞と毛細血管内皮の周辺には，異物を貪食するクッパー細胞や，ビタミンＡを貯蔵する伊東細胞（脂肪摂取細胞）が存在する。

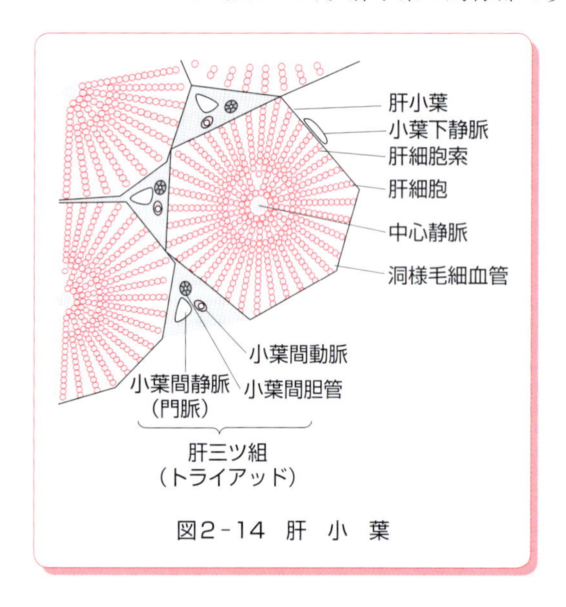

図2-14　肝　小　葉

（４）胆嚢と胆道

肝臓下面の右前方にあるナス型の袋（長さ約8 cm，最大幅4 cm，内容量約70 mL）が胆嚢である。太い前端は肝臓の前下縁に達し，後上方は細くのびて胆嚢管に移行する。

胆嚢から出た胆嚢管と肝臓から出た肝管は，肝門の少し下方で合流して総胆管となる。総胆管は，肝十二指腸間膜の中を下って膵臓に達し，そこで膵管と合流して大十二指腸乳頭に開く。開口部にはオッディ括約筋がある。胆汁を運ぶ管を胆管といい，肝臓の中の毛細血管と小葉間胆管から始まり，肝臓の外に出て，十二指腸に至る。肝臓から出た総肝管は，胆嚢からの胆嚢管と合流して，総胆管になる。肝臓の中と外の胆汁の通路を合わせて**胆道**という。

オッディ括約筋は普段は閉じており，肝臓から出された胆汁は胆嚢に蓄えられる。胆嚢では胆汁を一時的に貯蔵し，水分を吸収して濃縮する。食事を摂ると，コレシストキニン・パンクレオザイミン（CCK-PZ）が小腸粘膜から分泌され，胆嚢を収縮させ，オッディ括約筋を弛緩させて胆汁が十二指腸に分泌される。

胆汁はさまざまな固形成分を含んでおり，胆嚢で胆汁が濃縮されると，これらの成分からしばしば石がつくられる（胆石）。胆石を排出しようとして胆道に蠕動が起こると，激しい痛みが起こる（胆石仙痛）。

1.8 門　脈

胃や腸，脾臓，膵臓を経た静脈血は，合流して門脈に入り，肝臓に流入する。肝臓では吸収されたさまざまな物質の処理（解毒・分解・合成）が行われる。肝臓には肝動脈も流入するため，肝臓には2系統の血管から血液が入ることになる。

門脈は一種の静脈であるため，門脈圧は約8 mmHgと低い。しかし，肝臓の循環抵抗がきわめて低いため，毎分1.2～1.5 Lという大量の血液が流れ込むことができる。ただし，肝硬変などにより肝循環抵抗が増大したり，下大静脈に鬱血が生じたりすると，逆行性に門脈の鬱血をきたし，門脈圧が上昇する（門脈圧亢進症）。門脈圧亢進症では，腹腔内諸臓器からの血流が門脈・肝臓を迂回（バイパス）して下大静脈に注ごうとするため，食道静脈瘤や痔核などの症状が出現する。

1.9 腹膜と腸間膜

腹腔内臓器の大部分（肝臓，脾臓，胃，小腸，大腸など）は，なめらかで光沢のある漿膜によりおおわれている。腹部内臓をおおう漿膜は**腹膜**と呼ばれる（図2-15）。人体の漿膜には腹膜のほかに左右の肺をそれぞれ包む胸膜，心臓を包む心膜がある。

臓器の表面をおおう腹膜（**臓側腹膜**）は臓器に血管などが出入りする場所の周囲で折り返して，腹壁の内面をおおう腹膜（**壁側腹膜**）に続く。臓側腹膜と壁側腹膜にはさまれた空間（**腹膜腔**）の内部には少量の液が含まれ，臓器の動きを滑らかにしている。

腹部消化管のかなりの部分（胃，空腸，回腸，横行結腸，S状結腸）では，臓側腹膜と壁側腹膜が直接につながるのではなく，腸間膜が間にはさまっている。腸間膜は腹壁から垂れ下がった膜状の構造で両面を腹膜におおわれ，消化管に向かう血管・リンパ管・神経の通路になっている。

漿膜は中皮とも呼ばれ，単層扁平上皮とこれを裏打ちする疎性結合組織からなる。上皮細胞間の結合はかなりゆるく，受動的な拡散によって物質が透過しやすい。腎不全患者に行う腹膜透析はこの性質を利用したもので，腹腔内に透析液を注入して1～

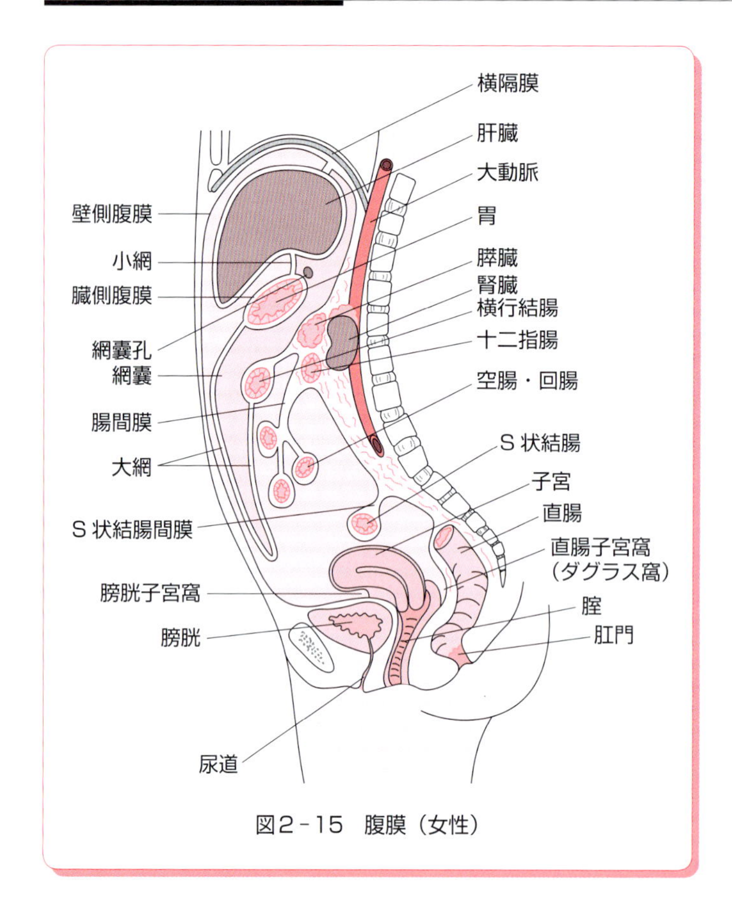

図２-15　腹膜（女性）

数時間貯留し，その後，液を排出することにより，不要な物質を身体から除去することができる。

腹膜と内臓の位置関係

腹部の内臓は，腹膜との位置関係により分類される。臓器の大部分を壁側腹膜によって包まれているもの（胃，空腸，回腸，肝臓など），一部で腹腔を欠くもの（上行結腸，下行結腸など），壁側腹膜の後ろに位置する**後腹膜器官**（腎臓，副腎，十二指腸，膵臓など）である。

2．消化器系の機能

2.1　消化器系の機能の概要

消化器系の主な機能は，食物を摂食して基本構成物質まで分解（消化）し，消化管壁の細胞を通して体液中に移動させ（吸収），肝臓あるいは身体の細胞が利用（代謝）できるようにすることで，次の６つの基本的な機能に分けられる。

① **摂　食**　食物は能動的に口腔に取り込まれる。

② **食物の破砕**　食物の消化は３つの過程が組み合わされて行われる。

ⅰ 噛んだり攪拌（かくはん）したり，移動させる**機械的（理学的）消化**

ⅱ 消化液中の酵素の加水分解を主とする**化学的（酵素的）消化**

ⅲ 腸内細菌による発酵などの**生物学的（細菌学的）消化**

③ **食物の移送**　摂取した食物を輸送し，消化液と混和，粘膜面との接触を促進するために，消化管は平滑筋の律動収縮により各種の運動をする。蠕動（ぜんどう）は消化管壁の平滑筋が収縮と弛緩を連続的に繰り返す不随意的波動であり，食物は搾り出されるように移送される。また，分節運動は消化管の壁が交互に収縮・弛緩して食物を前後に動かし，消化液と混ぜ合わせる運動である。

④ **吸　収**　消化の最終産物はまず能動輸送または受動輸送により吸収上皮細胞

の中に取り込まれる。ついで，血液やリンパ液の中へと輸送される。

⑤ 代　謝　体外から摂取した食物だけでなく，体内の成分からも同化の過程により身体をつくるための生体成分を合成し，異化の過程により反応に必要なエネルギーを取り出している。

⑥ 排　便　消化されずに残った食物などは固形老廃物として肛門を通して糞便の形で排出される。

2.2 消化管の機能

(1) 口腔，咽頭，食道の機能

1) 咀　嚼

下顎が上顎に対して前後・左右に動き，食物を切歯でかみ切り，臼歯でかみ砕き，そこに唾液を混ぜる。食物が口腔粘膜，歯，舌などに触れるとその情報が三叉（さんさ）神経の知覚枝から延髄に伝わり，同神経の運動枝を経て閉口筋の緊張を抑制，開口筋を収縮させる（開口反射）。また下顎伸展反射も起こさせる。これに舌，口唇，頬が協調して運動する。唾液腺の漿液腺細胞からはα-アミラーゼ（プチアリン）と電解質が分泌されるが，咽頭と食道は消化機能を持たず，食物を胃へ送りこむ通路の機能を果たしている。

2) 食物の移送―嚥下と蠕動

① 嚥下運動　嚥下は複数の器官（舌，軟口蓋，咽頭，食道）のはたらきを同調させた複雑な反射運動である。その過程は，三叉神経，舌咽神経，迷走神経の求心性入力が孤束核・疑核で統合され，遠心性線維は三叉神経，顔面神経，舌下神経を通って咽頭筋に至る。

嚥下運動は下記の3相に分けることができる。

第1相；口腔咽頭相，随意相：食物が咀嚼され唾液とよく混ぜ合わされると，食塊は舌による後上方への圧力により咽頭に送り込まれる（随意運動）。咽頭に食塊が入ると反射運動の範囲に入る。

第2相；咽頭食道相：これは咽頭と食道を経て食物を移送する過程で，食塊が咽頭に触れることにより始まる不随意運動である。

迷走神経をはじめとする副交感神経系が，この相を支配し，この部位より先の消化管運動を促進させるようにはたらく。食物がたどる経路以外のあらゆる経路は遮断される。舌は口腔を塞ぎ，軟口蓋は鼻部との通路を閉じるために持ち上がり，咽頭も持ち上がって入口（気管への入口）を喉頭蓋と呼ばれる「ふた」で閉鎖する。食物は咽頭から食道へと筋の蠕動により移動する。この際，同時に声門が閉じ，呼吸運動も一時的に止まる（嚥下性無呼吸）。

第3相；食道相：食塊が食道の端に到達すると，食塊は下部食道括約筋を押し広げて開き，胃の中に入る。咽頭と食道を通る食塊の動きは平滑筋の不随意運動によるので，たとえ逆立ちしていても飲み込むことができ，食塊は胃の噴門に到達する（図

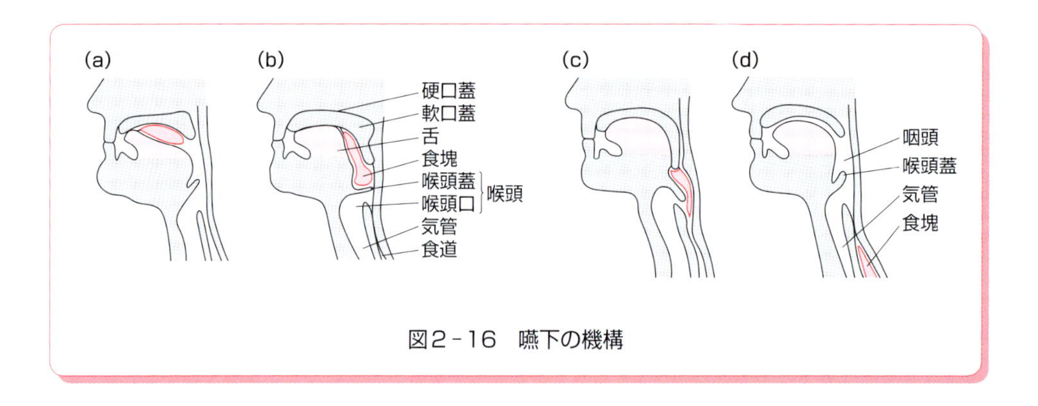

図２-16　嚥下の機構

２-16)。

② **蠕動運動**　　食物の通過に際して，食道は食塊のすぐ下の部分の筋が弛緩し，すぐ上の部分の筋が収縮して食塊を下方に押し出す。この波動のような運動を**蠕動運動**という。これは食道から直腸に至る消化管のすべての部分に起こる現象である。

(2) 胃 の 機 能

1）食物の破砕

① **胃液の分泌**　　胃液の分泌は神経性と体液性の２つの調節を受けており，３相に分けることができる。

第１相；**頭相**または**脳相**：①中枢神経分泌相，すなわち，咀嚼などにより口腔・咽頭粘膜が物理的・化学的に刺激されて起こる無条件反射と，②精神的分泌相，すなわち，食物の外観，匂い，味わい，連想などは大脳に作用して起こる条件反射である。

第２相；**胃相**：食物が胃壁を伸展させるとき（神経性），また，タンパク質性の食塊が幽門部の粘膜に触れる粘膜内のガストリン産生細胞から**ガストリン**の分泌が促進される。ガストリンはペプシノーゲン，粘液，塩酸の分泌を増加させる。通常，１日1.5～３Ｌの胃液が分泌される。

第３相；**腸相**：胃内容物中のタンパク質は胃液の分泌を刺激するのに対し，脂質は胃液の分泌を抑制する。

胃液の分泌は，食事の種類，薬剤あるいは感情によって影響される。

ⅰ **促進因子**：副腎皮質ホルモン，ガストリン，インスリン，カフェイン，アルコール，ヒスタミン，アセチルコリン，ニコチン，ピロカルピン，香辛料

ⅱ **抑制因子**：酸，アトロピン，脂質

② **胃液の成分**　　胃腺には３種類の外分泌細胞があり，塩酸，ペプシノーゲン，粘液などが分泌される（表２-１）。

ⅰ **塩　酸**：壁細胞から分泌される（分泌時の濃度は約170 mEq/L，pHは約1.0)。この強酸性の環境は，次のような効果を示す。①ペプシノーゲンを活性化し，ペプシンに変える。②ペプシンが作用するための至適pHにする。③タンパク質を変性させて

表2－1　胃腺の種類と機能

種　類	部　位	腺細胞	分　泌	機　能
噴門腺	噴門部	副細胞	粘液	粘膜保護
胃底腺	胃底部・胃体部	主細胞	ペプシノーゲン	タンパク質の不活性型消化酵素
		副細胞	粘液	粘膜保護
		壁細胞	塩酸（0.4～0.5%）pH（1.0～1.5）	ペプシノーゲンの活性化，内容の酸性化でタンパク質の消化を助ける
			内因子	ビタミン B_{12} の吸収
		D細胞	ソマトスタチン	胃酸分泌抑制
		ELC細胞	ヒスタミン	胃酸分泌刺激
幽門腺	幽門部	副細胞	粘液	粘膜保護
		G細胞	ガストリン	胃酸分泌刺激

ELC細胞：腸クロム親和様細胞 enterochromaffin-like cells

ペプシンの作用を受けやすくする。④殺菌作用により腐敗を防ぐ。⑤胆汁，膵液の分泌を促す。

ⅱ **ペプシン**：主細胞から分泌されるタンパク質分解酵素で，細胞内には**ペプシノーゲン**として存在し，分泌後，塩酸により活性化されペプシンになる。至適pHは1.5～2.0である。タンパク質をポリペプチド，ペプトンとプロテオースまで分解する。

ⅲ **凝乳酵素**（キモシンまたは**レンニン**）：主細胞から分泌され，pH 6.0～6.5で作用する。主に乳児で産生され，乳汁タンパク質（カゼイン）にはたらき凝固性にする。

ⅳ **粘　液**：副細胞，表層粘液細胞から分泌され，胃粘膜を塩酸，ペプシンや，機械的刺激から保護するとともに食塊の移動を円滑にする。

ⅴ **内因子**（キャッスルの抗貧血因子）：壁細胞から分泌され，ビタミン B_{12} の吸収に必要である。

ⅵ **消化管ホルモン**：胃および腸の粘膜に分布する内分泌細胞（基底顆粒細胞）からエキソサイトーシスにより分泌され，胃酸の分泌などを調節する（表2－1）。

③ 胃における消化・吸収　タンパク質の消化が開始される。また，アスピリンとアルコールの吸収を行う。

2）胃の運動

① 運動と分泌　食物が胃に入ると，胃壁は伸展され，胃液が分泌され始める。ついで，胃の筋層は食物を各方向から圧縮し，押さえつけて物理的に破砕する。食塊は酵素を含んだ胃液と持続的に混ぜ合わされることにより，半液体状の糜粥（びじゅく）がつくられる。ただし，液状のものは幽門括約筋を通過して胃壁の筋が1回収縮するごとに速やかに少量（約3 mL）ずつ十二指腸に送られる。十分に細かくされていないものはさらに攪拌されるために胃へ戻される。

② 蠕動運動　毎分3～4回の運動が胃体部の中央から始まり幽門部のほうに進

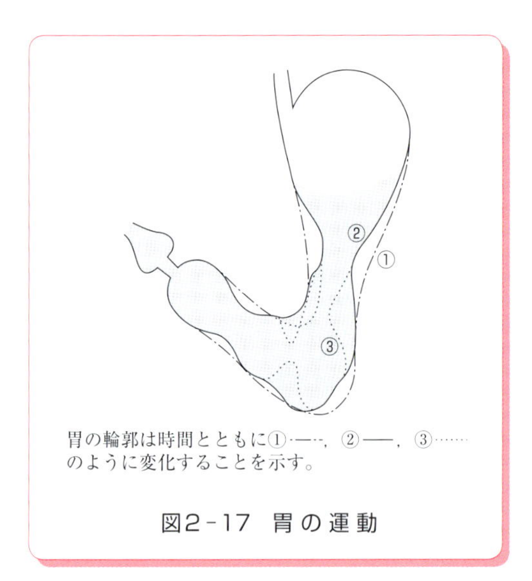

胃の輪郭は時間とともに①-・-・，②――，③……のように変化することを示す。

図2-17　胃の運動

む。運動は幽門部に近づくにつれ，収縮力を増して深いくびれをつくるようになる（図２-17）。

③ **食物の移送**　胃の内圧が高まり，幽門括約筋の圧力と十二指腸の内圧の和に勝ったとき，胃内容物は十二指腸に移送される。十二指腸が糜粥で満たされてその壁が伸展されると，腸胃反射が起こる。この反射は迷走神経（副交感神経）を抑制して，食物が十二指腸に存在する間は，胃をからにするのを遅らせるようにする。

④ **胃の運動の調節**

ⅰ **神経性調節**：迷走神経を刺激すると胃の緊張・運動が増し，交感神経への刺激で抑制される。

ⅱ **体液性因子**：脂質や酸性内容物が十二指腸に移送されると，エンテロガストリンが血中に分泌され，胃に到達して運動を抑制する。

ⅲ **その他**：食塊が十二指腸壁や空腸壁を伸展させると，反射的に胃運動の低下がみられる。

（３）小腸の機能

１）食物の消化と吸収

① **小腸における消化**

ⅰ 管腔内消化：小腸に到達した酸性の糜粥は４～９時間かけて蠕動運動により小腸内を移動する。その過程で消化腺で合成され管腔内に分泌された消化酵素と混和された化学的消化が行われる。この消化過程を管腔内消化（管内消化）という（p.44，膵液の分泌参照）。

ⅱ 膜消化：小腸吸収上皮細胞の微絨毛膜には，消化酵素「刷子縁酵素（終末消化酵素，膜消化酵素）」や栄養素吸収のための輸送タンパク質などが存在する。この酵素により，管腔内消化だけでは最終的に吸収されるに至らない栄養最小構成単位まで分解され，消化が完了する。この消化過程を膜消化（終末消化）という（表２-２）。

② **小腸における吸収**　消化の最終段階である膜消化は，それに続く吸収では初段階となり，各栄養素は受動拡散，能動輸送，促進拡散の３様式のいずれかにより小腸吸収上皮細胞から吸収される。各栄養素の吸収は，その輸送担体の存在部位が異なるため，小腸の部位により量的・質的な差異がある。たとえば，空腸では単糖類，二糖類（一部），アミノ酸，ジペプチド，トリペプチド，ビタミン，亜鉛，鉄，カルシウム，コレステロール，脂肪酸が，回腸では胆汁酸，ビタミン B_{12} などが吸収される。

絨毛の芯となる粘膜固有層内には血管，リンパ管があり，アミノ酸，単糖類は毛細血管に入る。脂肪酸などはキロミクロン（カイロミクロン）の形でリンパ管に入り，

表2－2　膜消化に関係する酵素—刷子縁酵素

糖質消化	タンパク質消化	脂質消化	核酸消化
マルターゼ	アミノペプチダーゼ	コレステロールエステラーゼ	ヌクレオチダーゼ
スクラーゼ	ジアミノペプチダーゼ	ホスホリパーゼ	ヌクレオシダーゼ
ラクターゼ	トリアミノペプチダーゼ		
イソマルターゼ	エンテロキナーゼ		
トレハラーゼ	γ－グルタミルトランスペプチダーゼ		

中心乳糜管，胸管を経由して左鎖骨下静脈より大循環に入る。

2）小腸の運動

小腸の運動には，①分節運動，②蠕動運動，③振子運動の3種類がある（図2－18）。

① **分節運動**　輪走筋の収縮と弛緩により，腸管のいくつかの部分にくびれをつくり腸内容物の移動なしに消化液とよく混和する。また，小腸壁との接触の頻度を増し，血流，リンパ流を促進するため消化・吸収に有効である。

② **蠕動運動**　主として輪走筋が収縮し，そのくびれが胃側から大腸側に向かって移動することにより内容物を移送する伝播性の運動である。

③ **振子運動**　主として縦走筋の部分的・周期的収縮による運動である。

④ **絨毛の運動**　小腸の粘膜表面をおおう腸絨毛も絶えず運動しており，栄養素の消化・吸収に有効である。マイスネル神経叢により調節されている。

⑤ **小腸の運動の調節**

ⅰ **神経性調節**：輪走筋，縦走筋は壁内神経系により調節されている。糜粥による粘膜壁の受容器の刺激により腸内反射が起こり，縦走筋についで輪状筋が収縮し，内容物が口側から肛門側に向かって移送される。小腸の運動は，副交感神経によって促進され，交感神経により抑制される（腸外反射）。

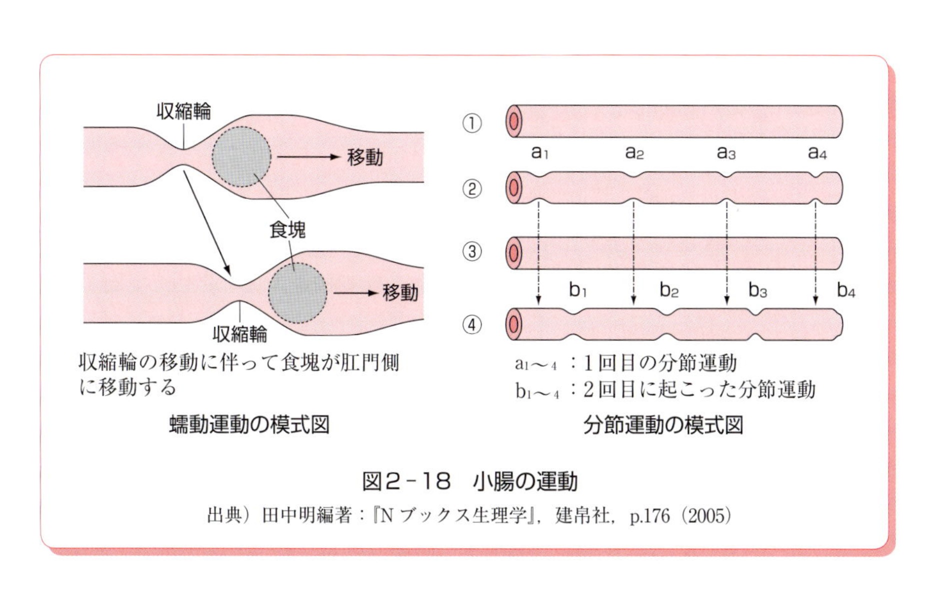

図2－18　小腸の運動

出典）田中明編著：『N ブックス生理学』，建帛社，p.176（2005）

ⅱ **体液性因子による調節**：ガストリン，CCK-PZ などにより運動の促進がみられ，セクレチンによって運動の抑制がみられる。

⑥ **小腸内容物の大腸への移送**　小腸内容物の移送は十二指腸，空腸では比較的早く，回腸では遅くなり，摂食後約４時間で回腸末端部に到達する。回盲弁は回腸末端部に起こる強い蠕動運動，あるいは胃から起こる反射（胃回腸反射）により開き，結腸に内容物を送る。

（４）大腸の機能

１）食物の破砕と吸収

大腸に到達した内容物は 12 ～ 24 時間以上そこにとどまる。結腸自体は消化酵素を産生しないが，結腸内の細菌が残った栄養素の一部を代謝する。盲腸，上行結腸，横行結腸の右半分では主として糖質の発酵により短鎖脂肪酸を生じるのに対して，Ｓ状結腸においてはタンパク質分解とアミノ酸発酵が盛んで，アミン，フェノールなどが産生される。また，大腸内の細菌は，ビタミンＫと各種のビタミンＢ複合体も合成する。したがって，大腸ではこれらのビタミン，ある種の電解質，有機陰イオン，水分などが吸収される。横行結腸の左半分，下行結腸，Ｓ状結腸では水分が吸収されて半固形状の糞便をつくり，多量にたまると直腸に送られる。糞便は食物残渣，粘液，膨大な数の細菌，そして円滑な移送に必要な水分を含む。

２）残渣の移送と排便

① **残渣の移送**　大腸の主要な運動は，蠕動運動と分節運動である。盲腸－上行結腸間では小腸側に移動する逆蠕動が認められるが，結腸の蠕動は緩徐で，内容物の推進にはあまり寄与しない。総蠕動はゆっくりとした動きで，力強い収縮波が結腸の大部分をおおうように起こり（３～４回 / 日），内容物を直腸へ移送する。総蠕動はふつう食事中または食後，食物が胃や小腸を満たすことをきっかけに起こる。大腸内容物はＳ状結腸内にあり，直腸は一般に「から」である。

② **排　便**　糞便が直腸壁を伸展させると，排便反射が起こる。排便反射は仙骨領域の脊髄反射（脊髄肛門中枢，S2 ～ 4）であり，Ｓ状結腸と直腸の壁が収縮し，肛門括約筋が弛緩する。糞便が肛門管を通過しようとするとき二分された情報の一方が上位中枢（延髄，間脳）および大脳へ伝達され，外肛門括約筋を弛緩させたままにするか，糞便の通過を阻止するために収縮するか決定される。反射的収縮は数秒以内に終わり，直腸壁は弛緩する。次の総蠕動に伴い排便反射が再び起こることになる。

（５）消化器系の機能に対する調節機構

１）神経による調整

消化機能は，自律神経系の二重支配を受けており，交感神経系はその運動や消化液の分泌を抑制し，副交感神経系は促進するが，大半は副交感神経の反射により調節されている。さらには，脳からの調節も加えられている。また，壁内神経系，マイスネル神経叢やアウエルバッハ神経叢により，平滑筋，消化管ホルモン分泌細胞を支配している。これらの反射を構成する感覚器（機械的受容器および化学受容器）は，消化管壁に局在し，管腔内の食物による消化管壁の伸展，内容物のpH，破砕された消化産物の存在などに反応する。これらの感覚受容器が活性化されると，消化液を管腔内に分泌したりホルモンを血液中に分泌する腺，管に沿って食物を混ぜて輸送する平滑筋層などを刺激，あるいは抑制するような反射が出現する。

2）消化管ホルモンによる調節

消化管ホルモンはペプチドホルモンで，主要なものには，ガストリン，セクレチン，CCK-PZ などがある（p.96，第5章「2.8 その他のホルモン」参照）。

3）食欲・摂食の調節

視床下部の腹内側核にある満腹中枢は，摂取後の血糖濃度の上昇を受容し，満腹感を形成して空腹中枢を抑制して摂取を終了させ，過食を抑制する。視床下部の外側にある空腹中枢（摂食中枢）は，空腹時の血中遊離脂肪酸濃度の上昇を受容し，空腹感を形成して，摂食を促す。

2.3 消化腺の機能

(1) 唾液腺の機能

1）唾液の性質

主として大唾液腺（耳下腺，顎下腺，舌下腺）から口腔粘膜に分泌される。小唾液腺が口腔粘膜全体に散在するが，分泌される唾液の量はわずかである。分泌量は1日平均1～1.5 L，比重1.002～1.008，pHは5.4～7.5でやや酸性である。99%以上が水分で，Na，K，Ca，Cl，HCO_3，SCN，PO_4などのイオン，粘液（糖タンパク），尿素，酵素（α-アミラーゼ），血液凝固因子などを含む。

2）唾液の役割

①口腔内の湿潤・催滑化（咀嚼を助け，食塊をつくり嚥下の準備をする），②口腔内の清浄化（リゾチーム，分泌型免疫グロブリンIgA，ラクトフェリンなどを含み細菌の増殖を阻止する），③食物の軟化・溶解（味覚を感じさせる），④消化作用（唾液アミラーゼを含み消化を開始する），⑤水代謝の調節作用（脱水で舌が乾燥すると口渇感を起こす）などにはたらく。

3）唾液の分泌調節

主として自律神経に調節されており，3相に区別される。①脳相：食物の連想，においを嗅いだり，見たり，料理の音を聞いたりすると生後の学習に基づき分泌が刺激される（条件反射）。②味覚相：食物が口腔内に入り，直接舌で味わったりあるいは粘膜に触れると分泌が刺激される（無条件反射）。この脳相，味覚相は消化器系全体に影響を与え消化液分泌を促す。③胃腸相：食物が飲み込まれた後も消化管からの反射により，唾液分泌は続く。

４）分泌の神経調節

唾液分泌の中枢は延髄・橋にある。交感神経は，胸髄から出て，上頸神経節で線維を変えて各唾液腺に分布する。これが刺激されると顎下腺から少量の粘稠性の高い唾液分泌が起こる。また，延髄・橋にある神経中枢から出る副交感神経は，耳下腺では舌咽神経，顎下腺・舌下腺では顔面神経を経て腺組織を支配し，刺激により多量の唾液分泌が起こる（表２－３）。このように，副交感神経と交感神経がともに唾液分泌を促し，両神経が刺激されると分泌はさらに促進する（増強分泌）のが特徴である。

表２－３　唾液腺の神経支配と唾液の性状

唾液腺	神経支配	腺細胞の種類	唾液の内容	分泌量（%）*
耳下腺	舌咽神経	漿液腺	アミラーゼ	20
顎下腺	顔面神経	混合腺	混合	70
舌下腺	顔面神経	粘液腺	ムチン	5

＊　唾液分泌の残り５%は舌および口腔内の小唾液腺からの分泌による。

（２）膵臓の機能

１）膵液の成分とその機能

分泌量は１日 500 ～ 2,000 mL（平均 700 mL），陽イオンとして Na^+，K^+，Ca^{2+}，Mg^{2+}，陰イオンとして高濃度の HCO_3^- および Cl^-，SO_4^{2-}，HPO_4^{2-} などを含むので，アルカリ性（pH 7.1 ～ 8.5）である。胃から入ってきた酸性内容物を中和し，ペプシンを不活性化し，それに代わって小腸内で作用する消化酵素の至適 pH などの環境を整える。

膵液には三大栄養素を管腔内消化する酵素が含まれている。すなわち，糖質消化酵素である α-アミラーゼ，脂質消化酵素である膵リパーゼ（ステアプシン：steapsin），ホスホリパーゼ A_2，コレステロールエステル水解酵素，タンパク質消化酵素であるトリプシン，キモトリプシン，エラスターゼ，カルボキシペプチダーゼ A，カルボキシペプチダーゼ B，核酸消化酵素であるデオキシリボヌクレアーゼ，リボヌクレアーゼなどが含まれる。これらのうち，タンパク質消化酵素については，それぞれトリプシノーゲン，キモトリプシノーゲン，プロカルボキシラーゼ A，プロカルボキシラーゼ B，プロエラスターゼという不活性の酵素前駆体として膵臓から分泌され，まず，小腸粘膜上皮にある膜消化酵素エンテロキナーゼ（エンテロペプチダーゼ）によりトリプシノーゲンが活性化されトリプシンとなり，ついでトリプシンがトリプシノーゲンその他の酵素前駆体を活性化する。十二指腸でタンパク質消化酵素が活性を持つことにより，膵臓自体が消化される危険な事態が回避されている。

２）膵液の分泌調節（図２－19）

膵液分泌は内分泌性，神経性に調節されており，それらは３相に区別される。

① 脳　相　食物連想，視・聴・嗅覚（条件反射），味覚，口腔・胃粘膜内の機械的・化学的刺激（無条件反射）などにより，迷走神経（副交感神経）が膵外分泌腺を刺

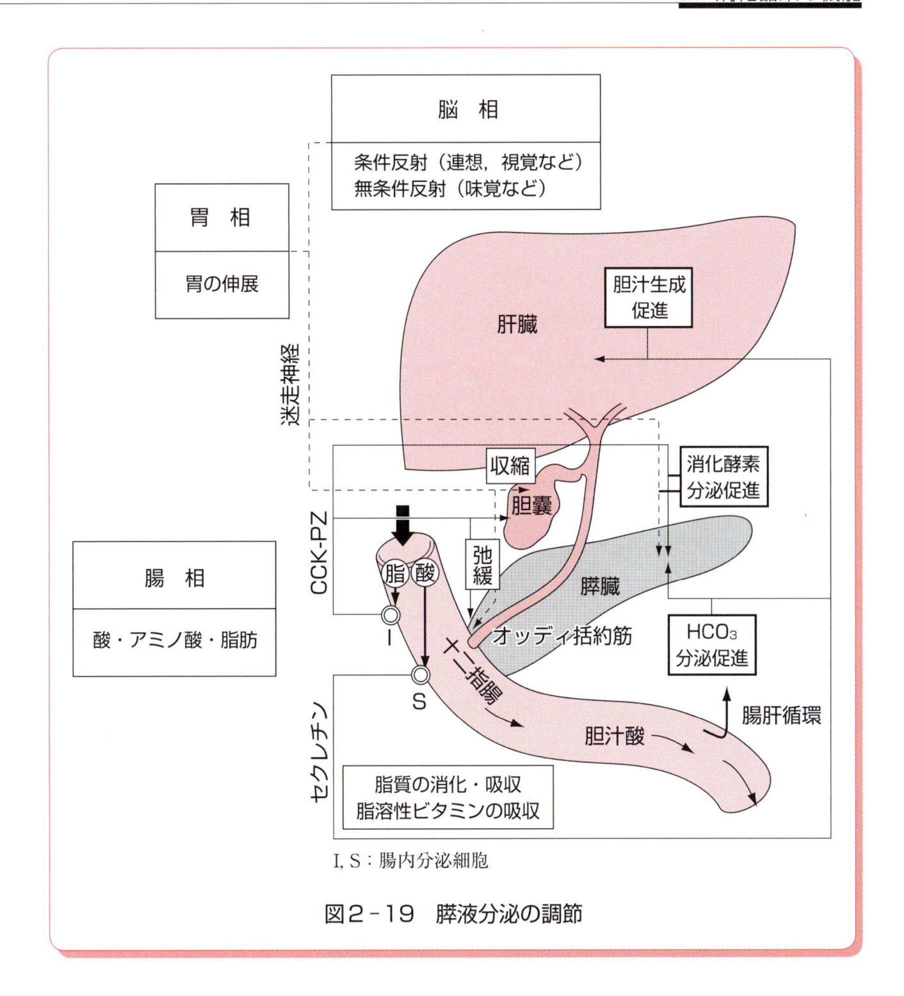

図2-19 膵液分泌の調節

激して，消化酵素を多く含む膵液分泌が亢進する。総分泌量の約20%を占める。

② **胃 相**　胃壁が食塊により伸展する際，迷走神経の局所反射により膵液が分泌される。また，食物中のペプチド，アミノ酸により胃のG細胞が刺激され，ガストリン分泌が亢進し，膵液分泌が促される。総分泌量の約10%を占める。

③ **腸 相**　酸性糜粥（びじゅく）が，十二指腸あるいは上部小腸粘膜の内分泌細胞（SおよびI細胞）に触れると，その刺激で**セクレチン**と**CCK-PZ**が産生・分泌される。これら2種類の消化管ホルモンは門脈・大循環系を経て膵臓に達し，膵外分泌を刺激して大量の膵液を分泌する。総分泌量の約20%を占める。また，迷走神経反射によりアセチルコリンが分泌され，消化酵素に富む膵液が分泌される。

セクレチンは，タンパク質の消化産物などによりpHが4.5以下に低下すると，十二指腸のS細胞から分泌され，膵導管細胞内のサイクリックAMP（cAMP）を高めることにより，大量の水や高濃度の重炭酸ナトリウム（$NaHCO_3$）を含む膵液を分泌する。セクレチンはガストリンや塩酸の分泌を抑制する。

CCK-PZは，ペプチド・アミノ酸，長鎖脂肪酸，糖質の分解産物，水素イオンなどが小腸のI細胞に触れるとホスホリパーゼCの活性化を介して腺房細胞から分泌され，迷走神経の刺激（アセチルコリン）による膵液と同様に，量は少ないが消化酵素に富む膵液が分泌される。

（3）肝臓の機能

肝臓は胆汁の生成，栄養素の代謝，有毒物質の解毒・排出，血液凝固関連因子の生成，細網内皮系細胞による生体防衛反応など多くの機能を果たしている。

1）胆汁の生成と分泌

① 胆汁の成分　胆汁は肝臓で1日に500～1,000 mL（平均700 mL）生成され，分泌された胆汁は総肝管を経て胆嚢に蓄えられ，濃縮されてから十二指腸に分泌される。

肝細胞と胆細管細胞から分泌される胆汁（肝胆汁）は比重1.008～1.016，アルカリ性で，主な成分は胆汁酸塩，リン脂質，コレステロール，胆汁色素である。その他，ムチン，電解質（Na，K，Cl，Ca，重炭酸などのイオン），タンパク質なども含まれる。

ⅰ 胆汁酸塩：胆汁酸塩は胆汁酸がグリシンやタウリンと抱合されてNa塩やK塩となったもので，胆汁固形成分の30～40%を占める。胆汁酸にはコレステロールから合成された一次胆汁酸（コール酸，ケノデオキシコール酸）と，それらが腸内細菌のはたらきで変化した二次胆汁酸（デオキシコール酸，リトコール酸）がある。十二指腸に排出された胆汁酸塩のほとんどは回腸で吸収され，肝臓に戻されて再利用される（腸肝循環）。

ⅱ 胆汁色素：胆汁色素の主要成分は，ビリルビンである。脾臓や肝臓で赤血球が破壊されると，ヘモグロビン由来のヘムからビリベルジンが生成され，その大部分はビリルビン（非抱合ビリルビン）となり，血液中をアルブミンと結合して肝臓に運ばれる。それが，肝臓酵素のはたらきでグルクロン酸と抱合し，水溶性のビリルビンジグルクロニド（bilirubin diglucuronide，抱合ビリルビン）となる。

② 肝臓からの胆汁分泌の調節　セクレチンが作用することにより胆汁の産生・分泌が増加する。迷走神経刺激，CCK-PZなどの作用で胆嚢が収縮し，オッディ括約筋が弛緩することにより胆汁分泌は促進される。

2）胆汁の生理機能

① 脂質の消化・吸収，脂溶性ビタミン（A，D，E，K）の吸収の促進　胆汁中の胆汁酸塩は水の表面張力を低下させるため脂肪は乳化され，膵リパーゼの作用を受け脂肪酸とモノグリセリドに分解される。さらに，胆汁酸塩のはたらきにより脂肪酸とモノグリセリドは，コレステロール，リン脂質と複合ミセル（micelle）を形成し，腸で吸収される。脂溶性ビタミンも同様に

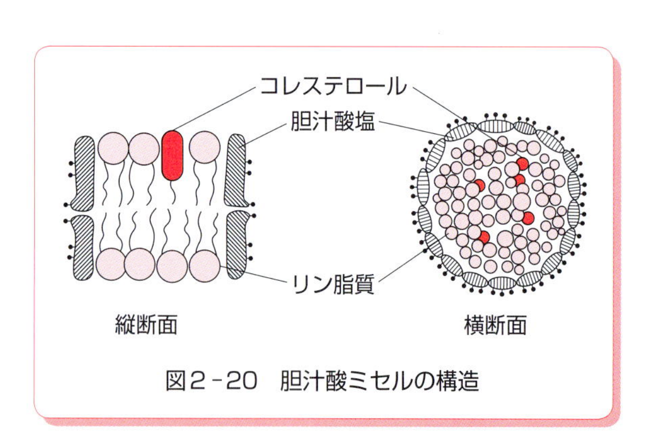

図2-20　胆汁酸ミセルの構造

ミセルを形成し，腸で吸収される（図2－20）。

② **排出作用**　胆汁は，胆汁色素，コレステロール，ホルモンなどの体内代謝物質，重金属，薬物など体外から入った物質を十二指腸に排出する。

③ **酸の中和作用**　胃から送り込まれる酸性乳糜（にゅうび）を中和する。

3）栄養素とビタミンの代謝

小腸において吸収されたアミノ酸，ジペプチド，トリペプチド，単糖類，胆汁酸塩，短鎖脂肪酸，中鎖脂肪酸（炭素鎖10～12以下），無機物質，水などは，毛細血管から門脈を経て肝臓に運び込まれる。

① 糖質の代謝

ⅰ **血糖値の維持**：**血糖値**を一定に維持し，脳，筋肉などグルコースの供給に依存する臓器に配分する。

ⅱ **糖質の貯蔵**

- 食物に由来する単糖類は門脈を介して肝臓に取り込まれ，過剰に吸収された単糖類から貯蔵可能なグリコーゲンが合成される。また，高血糖時には，インスリン存在下でグルコースを取り込み，肝グリコーゲンとして貯蔵する。
- アミノ酸，乳酸，グリセロールなどから糖質を合成する（糖新生）。
- 血糖値が低下するとグルカゴンの存在下でグリコーゲンを分解してグルコースを血中に放出する。
- グルコースを解糖反応で代謝して高エネルギー化合物を得る。

肝臓での糖質代謝は，インスリン，グルカゴン，カテコールアミン，副腎皮質ホルモン，成長ホルモンによる調節を受けている。

② タンパク質の代謝

ⅰ **血漿タンパク質・肝タンパク質の生成**：吸収されたアミノ酸からタンパク質を生成し，血液中に放出する。糖代謝の産物からアミノ酸を生成したり，アミノ酸の脱アミノにより新たなアミノ酸も生成される。生成される**血漿タンパク質**は，主にアルブミン，フィブリノーゲンや急性期タンパク質（acute-phase protein）であるが，ステロイド結合タンパク質，ほかのホルモン結合タンパク質，トランスフェリン，セルロプラスミンなどの運搬タンパク質も生成される。

ⅱ **血液凝固関連物質の生成**：血液凝固因子のうち第Ⅷ因子以外はすべて肝細胞で産生され，第Ⅷ因子も類洞内皮細胞で産生される。抗凝固因子であるヘパリン（ムコ多糖類），アンチトロンビンⅢ，プロテインCなども産生される。

③ 脂質の代謝

ⅰ **脂肪酸の酸化**：β-酸化によりアセチル-CoAとなり，多量のATP（アデノシン三リン酸）を産生する。

ⅱ **脂肪酸の合成**：過剰に摂取した糖，タンパク質から合成される。

ⅲ **トリアシルグリセロール，リン脂質，コレステロールの合成**：VLDL（超低比重リポタンパク）を血中に分泌する。

表2－4　消化液の分泌調整機序（まとめ）

消化液	分泌機序		
	神経性分泌		体液性分泌
	条件反射	無条件反射	
唾　液	脳相（精神相）：食物想像，視・聴・嗅覚	味覚相（中枢神経分泌相）：舌，口腔粘膜の機械的刺激胃腸相：胃・十二指腸からの反射による持続	
	視・聴・嗅覚中枢，大脳皮質連合野	顔面神経，舌咽神経，迷走神経	
	→延髄（上・下唾液核） →舌咽神経，顔面神経（漿液分泌刺激） 交感神経（粘液分泌刺激）		
胃　液	脳相（精神相）：食物想像，視・聴・嗅覚	脳相（中枢神経分泌相）：味覚・口腔・胃粘膜内の機械的・化学的刺激	胃相：胃幽門粘膜洞の機械的・化学的刺激，迷走神経刺激→ガストリン分泌→血流（塩酸分泌刺激） 腸相：十二指腸粘膜の化学的刺激→ ①タンパク質消化物→ガストロセクレチン分泌→血流→胃液分泌亢進 ②脂質乳糜→VIP，GIP（エンテロガストロン）分泌→血流→胃液分泌抑制
	視・聴・嗅覚中枢，大脳皮質連合野	顔面神経，舌咽神経，迷走神経	
	→延髄（迷走神経核） →迷走神経（酵素分泌刺激）		
胆　汁	脳相（精神相）：食物想像，視・聴・嗅覚	脳相（中枢神経分泌相）：味覚・口腔・胃粘膜内の機械的・化学的刺激	胃相：十二指腸粘膜の脂質消化物による刺激 →コレシストキニン分泌→血流→胆嚢収縮刺激
	視・聴・嗅覚中枢，大脳皮質連合野	迷走神経	
	→延髄（迷走神経核） →迷走神経（胆嚢収縮，胆汁分泌刺激）		
膵　液	脳相（精神相）：食物想像，視・聴・嗅覚	脳相（中枢神経分泌相）：味覚・口腔・胃粘膜内の機械的・化学的刺激	腸相：十二指腸粘膜の刺激 ①酸による刺激→セクレチン分泌→血流→水・重炭酸塩分泌亢進 ②糖質・脂質消化産物による刺激→コレシストキニン分泌→血流→膵酵素分泌刺激
	視・聴・嗅覚中枢，大脳皮質連合野	迷走神経	
	→延髄（迷走神経核） →迷走神経（酵素に富む膵液分泌刺激）		

ⅳ **血漿リポタンパク代謝**：アポリポタンパク質の合成ほか統括的役割を果たす。

ⅴ **アセトン体の生成**：脂肪酸をケトン体に変える。

④ **胆汁酸の代謝**　胆汁酸は，肝細胞でコレステロールから合成され，3α，7α，12α位に水酸基を持つコール酸と3α，7α位に水酸基を持つケノデオキシコール酸が生じる（一次胆汁酸）。律速酵素はコレステロール7α-水酸化酵素で胆汁酸による負のフィードバック調節（negative feedback control）を受けている。

1日の胆汁酸生合成量は約0.5 gで，ほぼ同量が糞便中に失われる。胆汁酸はカルボキシル基にグリシンあるいはタウリンの抱合を受け，毛細胆管内に排出される。このほか，水酸基に硫酸やグルクロン酸の抱合する場合もある。

大腸に入った一次胆汁酸は腸内細菌により，7α位の脱水酸化を受け，3α，12α位に水酸基を持つデオキシコール酸と3α位に水酸基を持つリトコール酸とが生成される（二次胆汁酸）。また，ケノデオキシコール酸の7α位が変化して，3α，7α位に水酸基を持つウルソデオキシコール酸が生成される。

ヒトの胆汁や血清中ではコール酸，ケノデオキシコール酸，デオキシコール酸が主成分であり，リトコール酸やウルソデオキシコール酸はわずか数%である。

⑤ ビタミン・ホルモンの代謝（活性化，貯蔵）

ⓘ **ビタミンの貯蔵**：脂溶性ビタミンとビタミンB_{12}，葉酸などの水溶性ビタミンを貯蔵する。

ⓘⓘ **ビタミンD_3の活性化**：肝臓ではビタミンD_3が酵素のはたらきにより25-ヒドロキシコレカルシフェロール（25-hydroxycholecalciferol）に変換される。

ⓘⓘⓘ **プロトロンビン合成**：ビタミンKを用いて凝固因子プロトロンビンが合成される（ビタミンKはCa^{2+}の結合箇所としてγ-カルボキシグルタミン酸残基を形成するために必要）。

ⓘⓥ **甲状腺ホルモンの変換**：血中のサイロキシン（T_4）の1/3は肝臓，その他の組織で，より活性の高い（T_3）に変換される。

ⓥ **インスリンなどの分解**：インスリン，サイロキシン，エストロゲンなどを分解して，排出する。

4）血液の貯蔵

体内を循環し，右心房に戻る血液の約30%が肝臓を通るので，血液の貯蔵組織となり，循環血液量の調節にはたらく。

5）造血・壊血作用

胎児期の肝臓には造血作用がある。また，生後はビタミンB_{12}を蓄え，それにより骨髄を刺激して赤血球の成熟を助け，血色素の材料となる鉄を貯蔵する。脾臓とともに，細網内皮系細胞のはたらきにより，老廃赤血球を破壊しビリルビンをつくる。

6）解毒排出機能 ― 生体外物質の代謝反応

① 異物の代謝　体内に入った有毒物質を酸化・還元・分解・合成など各種の反応により無毒化し，胆汁中に排出する。

② 薬物の代謝　薬物はシトクロムP450による酸化反応，加水分解反応，還元反応などにより代謝し，薬理活性を発現させる。

③ 不要となった生体内物質の代謝　アミノ酸酸化により生ずる窒素廃棄物を，腎臓や汗腺から排出できる尿素に変換する。また，ステロイドホルモン（エストロゲン），ペプチドホルモン（抗利尿ホルモン，インスリンなど）を分解する。甲状腺ホルモンはグルクロン酸抱合を受けた後に胆汁中へ排出される。

7）免　疫

クッパー細胞は肝類洞壁細胞に存在し，消化管を通過して門脈を経て侵入してくる細菌を貪食する。また，門脈域ではIgA（免疫グロブリンA）が産生される。

表２-５　肝胆汁と胆嚢胆汁の比較

	肝胆汁	胆嚢胆汁
水　分（%）	97.00	85.92
固形分（%）	2.52	14.08
胆汁酸（%）	1.93	9.14
ムチン・胆汁色素（%）	0.53	2.98
コレステロール（%）	0.06	0.26
pH	7.4 ～ 8.0	5.6 ～ 7.2

（４）胆嚢の機能

胆嚢の役割は胆汁の濃縮と 30 ～ 50 mL の胆汁を貯蔵することである。

空腹時に，肝臓から分泌される肝胆汁は総胆管を経て胆嚢へ流入する。十二指腸に開口する総胆管末端にはオッディ括約筋があり，空腹時には収縮しているので，肝胆汁は十二指腸内に流入することなく胆嚢に流入する。胆嚢粘膜はこの流入胆汁の電解質と水分を吸収し，胆汁酸，胆汁色素，リン脂質，コレステロールは５～ 50 倍濃縮され胆嚢胆汁となる（表２-５）。

１）胆嚢の収縮と十二指腸への胆汁排出

食後，十二指腸に入った食物，特に脂質の水解物である脂肪酸が，小腸のＩ細胞を刺激することにより CCK-PZ の分泌が促進される。CCK-PZ の刺激で胆嚢は収縮し，さらにオッディ括約筋が弛緩するので，胆嚢胆汁が胆嚢管から総胆管を通り，十二指腸内へ排出される。迷走神経の刺激により，胆汁生成が増加し，胆嚢は収縮し，オッディ括約筋は弛緩する。

３．消化器系の疾病

口内炎・舌炎：口腔粘膜（口蓋，頬粘膜，歯肉，舌）の炎症性変化で，機械的刺激，感染，薬剤，免疫力低下などが原因となる。ビタミン B_{12} 欠乏ではハンター舌炎がみられる。

胃食道逆流症（GERD）：酸性の胃内容物が食道内に逆流することにより，胸やけや呑酸などの症状がみられる。加齢，胃切除後，食道裂孔ヘルニアなどにより，下部食道括約筋圧が低下することが主な原因である。

胃・十二指腸潰瘍：ヘリコバクター・ピロリ菌感染，非ステロイド性抗炎症薬（NSAIDs），ストレス，喫煙などが原因で，酸やペプシンの作用によって，胃・十二指腸粘膜が粘膜下層より深く欠損した状態で，心窩部痛，悪心・嘔吐，腹部膨満感，吐下血などの症状を認める。

タンパク漏出性胃腸症：消化管粘膜の異常やリンパ管の拡張などが原因で，消化管粘膜より管腔内にタンパク質，特にアルブミンが漏出し，低タンパク血症（浮腫）をきたす。

クローン病：10 歳代後半から 20 歳代の若年者に好発する原因不明の肉芽腫性炎症性病変で，回盲部に好発し，非連続性で消化管壁の全層にわたって病巣を形成する。腹痛，下痢，体重減少，発熱などの症状を認める。

潰瘍性大腸炎：10 歳代後半から 30 歳代前半に好発する。直腸から連続性に広がり，大腸粘膜にびらんや潰瘍を形成する。粘血便，下痢，腹痛などの症状を認め，大腸癌を合併することがある。

過敏性腸症候群：器質的異常がないにもかかわらず，腹痛，腹部不快感，便通異常を長期にわたって繰り返す機能的疾患である。若年女性に多く，ストレスなど心理的要因が関与する。

肝　炎：ウイルス，薬剤，アルコール，自己免疫などが原因で起こる肝臓のびまん性炎症で，全身倦怠感，黄疸，発熱をきたす。ウイルスが原因となることが多く，わが国ではA型，B型，C型がほとんどである。A型肝炎は汚染された魚介類（生ガキなど）や水などから経口感染で発症し，慢性化することはない。B型肝炎は血液・体液感染（輸血や性交渉など）による成人感染と乳幼児感染があり，乳幼児感染は持続感染に移行しやすい。C型肝炎も血液を介して感染し，慢性化しやすく肝硬変や肝細胞癌に進展する。

肝硬変：肝臓の炎症が慢性化して，肝細胞の壊死と線維化が起こり，肝機能不全に至った状態である。ウイルス（特にC型）が原因のことが多く，肝機能障害が進行した非代償期には肝細胞障害症状（浮腫，出血傾向，黄疸，肝性脳症）と門脈圧亢進症状（食道静脈瘤，腹水，脾腫）が出現し，肝細胞癌を発症しやすくなる。

脂肪肝・NAFLD・NASH：**脂肪肝**とは，肝細胞に中性脂肪が沈着した状態である。アルコールが原因となるアルコール性脂肪肝と，肥満や糖尿病が原因となる**非アルコール性脂肪性肝疾患**（NAFLD）に分けられ，NAFLDの中で壊死，炎症，線維化を認めるものを**非アルコール性脂肪肝炎**（NASH）といい，肝硬変や肝細胞癌へ進展することがある。

胆石症・胆囊炎：**胆石症**は，胆囊あるいは胆管に結石を生じる疾患で，コレステロール系結石が多く，中年以降の肥満女性によくみられる。食後や夜間に激しい右季肋部痛を伴う。胆石により胆汁がうっ滞し，腸管からの細菌感染が加わると**胆囊炎**を発症する。

膵　炎：アルコールや胆石などが原因で，膵酵素による膵組織の自己消化を起こした状態で，激しい腹痛を伴い，急性膵炎の重症例では多臓器不全に至る。

消化器系の悪性腫瘍：**食道癌**は90%が扁平上皮癌で，アルコール，喫煙などが危険因子で50歳以上の男性に多い。**胃癌**は90%以上が腺癌で，ヘリコバクター・ピロリ菌感染，食塩過剰摂取，喫煙など危険因子である。癌の浸潤が粘膜下層までに留まる早期胃癌と，固有筋層まで浸潤した進行胃癌に分けられる。**大腸癌**は，直腸，S状結腸に好発し，組織型はほとんどが腺癌である。高脂肪，高タンパク（動物性），低繊維といった欧米型の食生活が危険因子と考えられ，近年増加傾向である。**原発性肝癌**は，肝細胞癌と肝内胆管癌に分けられ，ほとんどがウイルス感染による慢性肝炎や肝硬変を背景とした肝細胞癌である。また，他臓器の癌が血行性に転移する転移性肝癌もしばしば認められる。**膵癌**は，膵管上皮細胞由来で，糖尿病，喫煙，慢性膵炎の既往などが危険因子となり，高齢男性に好発する。症状が出にくいため早期発見が難しく予後が非常に悪い。

参考文献

・上代淑人監訳：『ハーパー生化学　第 23 版』，丸善，p.668（1993）
・大島泰郎ほか編：『生化学辞典　第 2 版』，東京化学同人，p.803（1990）
・林典夫，広野治子編：『シンプル生化学　改訂第 3 版』，南江堂，p.110（2000）
以下は各章最終節の「疾病」に共通の参考文献
・山本敏行，鈴木泰三，田崎京二：『新しい解剖生理学』，南江堂（2001）
・石倉浩監訳：『人体病理学』，南江堂（2002）
・高久史麿，尾形悦郎，ほか監修：『新臨床内科学　第 8 版』，医学書院（2002）
・伊藤正男，井村裕夫，高久文麿総編集：『医学大辞典』，医学書院（2003）
・高橋徹：『よくわかる専門基礎講座病理学』，金原出版（2008）
・日本臨床栄養学会監修：『臨床栄養学』，南山堂（2009）
・田中明，加藤昌彦編著：『N ブックス新版臨床栄養学』，建帛社（2010）
・鈴木利光，山川光徳，吉野正監修：『カラーダイナミック病理学』，西村書店（2010）
・板倉弘重監修，近藤和雄，市丸雄平，佐藤和人編著：『医科栄養学』，建帛社（2010））

■練習問題■

問題１　消化器系に関する記述である。正しいのはどれか。
(1)　小腸は空腸と回腸からなる。
(2)　膵臓の外分泌からペプシノーゲンが分泌される。
(3)　肝臓は薬物などの解毒を行う。
(4)　主細胞から H^+ と Cl^- が分泌される。
(5)　消化管の粘膜下層にアウエルバッハ神経叢，筋層間にマイスネル神経叢が存在する。

問題２　消化器系に関する記述である。誤っているのはどれか。
(1)　小腸は胃と大腸とを結ぶ部分で，全長 6 ～ 7 m である。
(2)　胃の壁細胞は内因子（キャッスル因子）を分泌する。
(3)　ファーター乳頭から胆汁と膵液が分泌される。
(4)　膵臓ランゲルハンス島から消化酵素が分泌される。
(5)　腸の運動は交感神経で抑制される。

問題３　消化器系に関する記述である。正しいのはどれか。
(1)　胃の幽門部は，胃底部より食道側にある。
(2)　肝臓は横隔膜直上部に存在する。
(3)　胆汁は脂肪分解酵素のリパーゼを含む。
(4)　膵管は回腸に開口する。
(5)　小腸粘膜表面には多数の絨毛があり，細胞表面には多数の微絨毛が存在する。

第3章

循環器系の構造と機能

循環器系は，心臓，動脈，毛細血管，静脈，リンパ管で構成されている。

心臓は血液を送るポンプとして作用し，心臓からでる血液を動脈が運び，毛細血管で物質交換を行った後，心臓に戻る血液を静脈が運ぶ。循環器系には，全身に血液を送る体循環（大循環）と肺に血液を送る肺循環（小循環）の2つの系がある。

リンパ系は，組織内の毛細リンパ管に始まり，細胞間質の組織液を集めて次第に太くなり，リンパ節を経て，静脈角に注ぐ。

1. 心臓の構造

1.1 心臓の位置と外景

心臓は，心膜に包まれ，胸郭内で左右を肺ではさまれた縦隔の中部（中縦隔）に位置する。心臓全体の1/3は正中線の右側に，2/3は正中線の左側に位置する。

心臓はほぼにぎり拳大で，重量は約200～300gである。形状は円錐形をなし，その底部の**心底**（**心基部**）と先端部の**心尖**に区別する。心底はほぼ第2肋間の高さの右後上部にあり，心尖は，左前下部の第5肋間と左鎖骨中線との交点あたりにある。

心臓は，心室と心房に分かれる。心房は心底部にあり，心耳が突出している。心室は心尖部にあり，左右の心室の間に室間溝がある。心房と心室の間には冠状溝がある。

1.2 心臓壁の構造（図3－1）

心臓は血管と同様に3層構造をなす。心内膜，心筋層，心外膜の3層である。

心内膜は，心臓の内腔に面する膜で，血管内皮と連続した単層扁平細胞（内皮）とそれを裏打ちする少量の結合組織からなる。心臓の弁はこの心内膜がヒダ状に突出したものである。

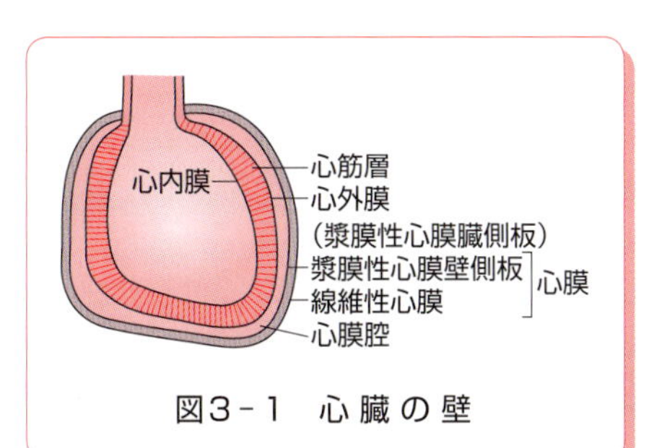

図3－1　心 臓 の 壁

心筋層は，厚い心筋組織からなる。心房の筋と心室の筋は4つの弁の周囲で，心臓の骨格をなす結合組織（線維輪）により電気的に絶縁されている。

心外膜は単層の扁平細胞からなる漿膜上皮（中皮）と，疎性結合組織からなる。漿膜下の結合組織には脂肪組織もあり，血管（冠状動脈や心臓静脈とその枝）および神経の通路となっている。

心臓は，**心膜**（心嚢膜）に包まれている。心膜は線維性心膜と漿膜性心膜壁側板からなる。漿膜性心膜壁側板は心基部で反転し漿膜性心膜臓側板（心外膜）となる。

1.3　心臓の内部構造（図３－２）

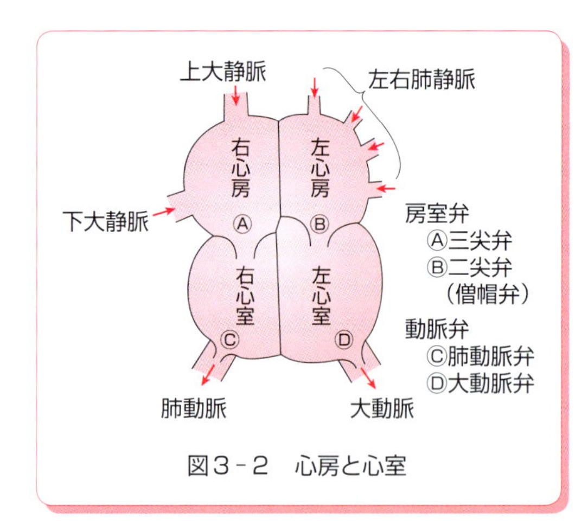

図３－２　心房と心室

４つの部屋と４つの弁からなる。心臓は右心房，右心室，左心房，左心室の４つの部屋に分かれている。左右の心房の間には心房中隔が，左右の心室の間には心室中隔がある。心房と心室の間は結合組織（線維輪）により隔てられている。右心房には上大静脈と下大静脈が注ぎ，左心房には左右の肺静脈（各２本，計４本）が注ぐ。心房と心室の間の房室口には房室弁がある。房室弁は帆状をなす尖弁からなり，腱索によって心室内の乳頭筋に固定されている。右房室弁を三尖弁，左房室弁を二尖弁（僧帽弁）という。

心室から動脈への出口には動脈弁がある。動脈弁は半月弁で３枚のポケット状の弁膜からなる。右心室からは１本の肺動脈が出て，左心室からは１本の大動脈が出る。右の肺動脈口には肺動脈弁が，左の大動脈口には大動脈弁がある。左右の大動脈弁のポケットの内側には左右の冠状動脈口が開いている。

1.4　支配神経と支配血管

心臓は交感神経と副交感神経の二重支配を受ける。交感神経は頸心臓神経と胸心臓神経からなり，副交感神経は迷走神経の枝の上下の心臓枝からなる。

動脈は上行大動脈基部に始まる左右の冠状動脈である。左冠状動脈は左大動脈弁のポケットの内側に始まり，前室間枝と回旋枝の２本に分かれる。前室間枝は前部の左右の心室の間（前室間溝）を下行し，回旋枝は左心房と左心室の間の冠状溝を左回りに走る。右冠状動脈は右大動脈弁のポケットの内側に始まり，右心房と右心室の間の冠状溝を右回りに走り，後面の左右心室の間（後室間溝）を下行する。

静脈は，前室間溝から左冠状溝を走る大心臓静脈，後室間溝を走る中心臓静脈，右冠状溝を走る小心臓静脈の３本がある。これらの静脈は冠状静脈洞を形成したのち右心房に注ぐ。

2. 血　管

2.1　血管の構造（図３－３）

（１）動脈の構造

動脈の壁は，内側から内膜，中膜，外膜の３層構造になっている。このうち中膜が一番厚く動脈の特徴をよく現わしている。

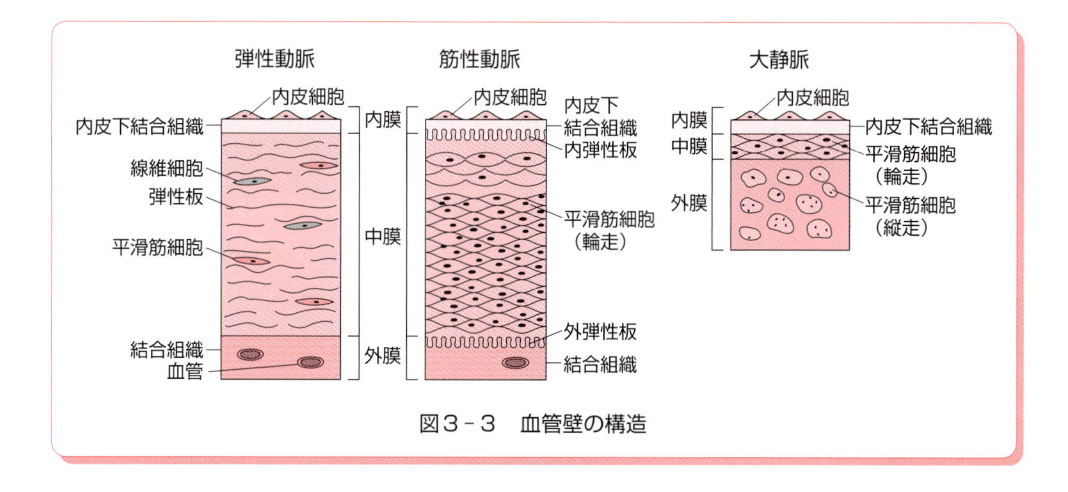

図３－３　血管壁の構造

① **内　膜**　血管の内腔に接する層で，1層の内皮細胞とそれを裏打ちする少量の結合組織からなる。

② **中　膜**　太い**弾性動脈**では，シート状の弾性線維層（弾性板）が何層にも重なっている。細い**筋性動脈**ではこの部位に平滑筋が輪状に走行している。内膜と中膜の間には明瞭な内弾性板が，また中膜と外膜の間には不明瞭な外弾性板がある。

③ **外　膜**　血管の最外層で疎性結合組織からなる。血管を養う血管や神経もこの部位に分布している。

（2）静脈の構造

静脈の構造は基本的に動脈と同じ3層構造であるが，内腔の大きさに比較して壁は非常に薄い。

① **内　膜**　1層の内皮細胞とそれを裏打ちする薄い結合組織からなる。四肢の細い静脈にある**静脈弁**はこの内膜がヒダ状になったものである。

② **中　膜**　平滑筋が輪状に走行する。動脈の中膜に比べて平滑筋がまばらで間に結合組織がある。

③ **外　膜**　弾性線維を含む結合組織である。太い静脈では縦走する平滑筋がある。

（3）毛細血管の構造

直径が5～10 μmほどで，1層の内皮細胞とそれを裏打ちする薄い結合組織からなる。肝臓，脾臓，内分泌腺などでは内腔が拡張した洞様毛細血管を形成する。部位によっては有窓性の内皮を持つ毛細血管もある。

（4）吻　合

血管が互いに連結し側副路（**側副循環**）を形成することを吻合という。

① **動脈吻合**　動脈間の吻合は，手掌，足底，脳，関節，腸などに見られる。もし，１つの血管が閉塞しても，動脈吻合のある血管では側副循環により閉塞した下流領域の血流が維持される。逆に動脈吻合の少ない動脈を**終動脈**という。心臓の冠状動脈や脳の大脳動脈に見られる。終動脈では１つの血管が閉塞すると，そこから下流領域の血液供給がとだえて壊死に至る（梗塞）。

② **毛細血管の吻合**　吻合はきわめて多く，毛細血管網を形成する。

③ **静脈吻合**　皮静脈などの比較的太い静脈でも見られる（**静脈網**）。また，細い静脈が立体的に吻合したものを**静脈叢**という。

④ **動静脈吻合**　毛細血管を経由せずに動脈と静脈が連絡するもの。特定の血流調節に関与するもので，耳，鼻，指先，胃・腸の粘膜，陰茎海綿体などに見られる。

2.2 動　脈　系

全身に血液を送る**体循環**（**大循環**）と肺に血液を送る**肺循環**（**小循環**）の２系統がある。

(1) 肺循環系

右心室から出た肺動脈は左右の肺動脈に分岐し肺に入る。肺静脈は左右の肺から２本ずつ出て左心房に入る。

(2) 体循環系（図３－４）

左心室の大動脈口から出た大動脈は，**上行大動脈**，**大動脈弓**，**下行大動脈**（**胸大動脈と腹大動脈**）となる。

1）上行大動脈

基部にある左右の半月弁のポケットの内側から左右の冠状動脈が出る。

2）大動脈弓

右から**腕頭動脈**，**左総頸動脈**，**左鎖骨下動脈**が出る。腕頭動脈はすぐに右総頸動脈と右鎖骨下動脈に分かれる。

① **総頸動脈**　総頸動脈は甲状軟骨の上縁で**内頸動脈**と**外頸動脈**に分かれる（図３－5）。

② **内頸動脈**　頭蓋腔内に入り眼球に枝を出した後，**ウィリスの大脳動脈輪**を形成する。

③ **外頸動脈**　顔面および後頭部に枝を出した後，顎動脈と浅側頭動脈となる。

④ **鎖骨下動脈**（図３－６）　鎖骨下動脈は，胸頸部と上肢帯および自由上肢へ血液を送る。

3）胸大動脈

胸壁に行く**肋間動脈**（第３～第11肋間），肋下動脈，上横隔動脈と，内臓に行く**気管支動脈**，**食道動脈**が出る。

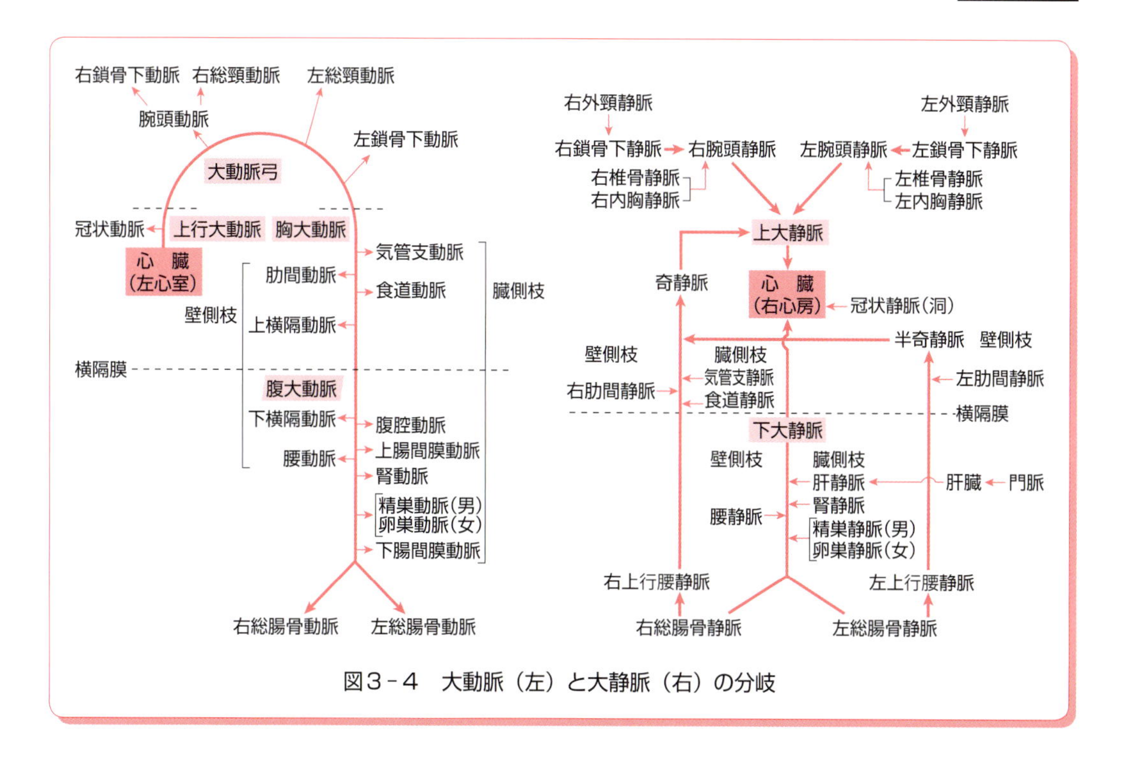

図3－4 大動脈（左）と大静脈（右）の分岐

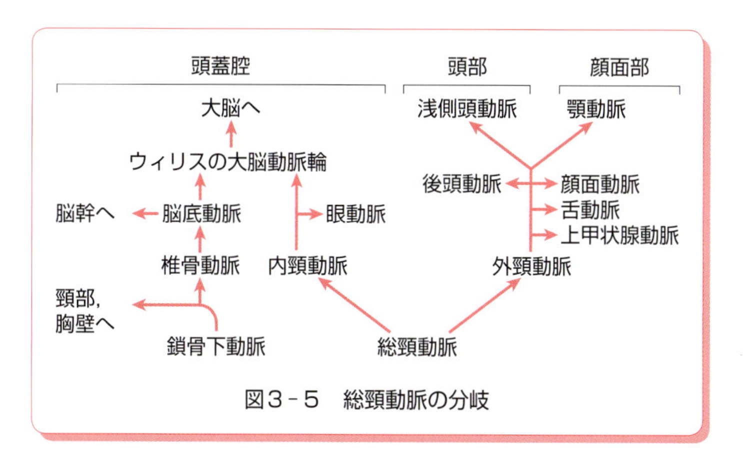

図3－5 総頸動脈の分岐

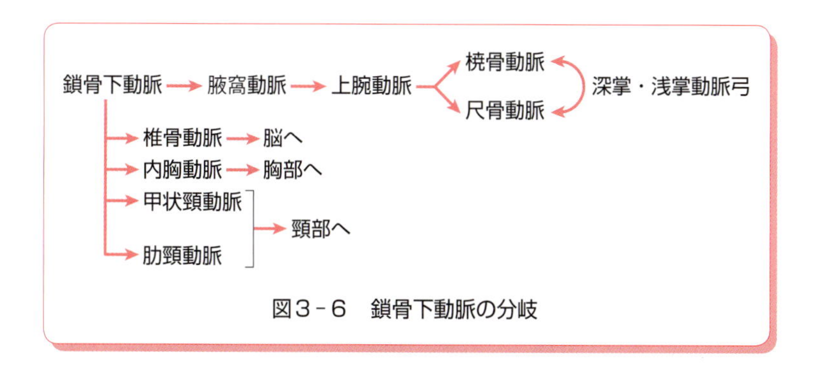

図3－6 鎖骨下動脈の分岐

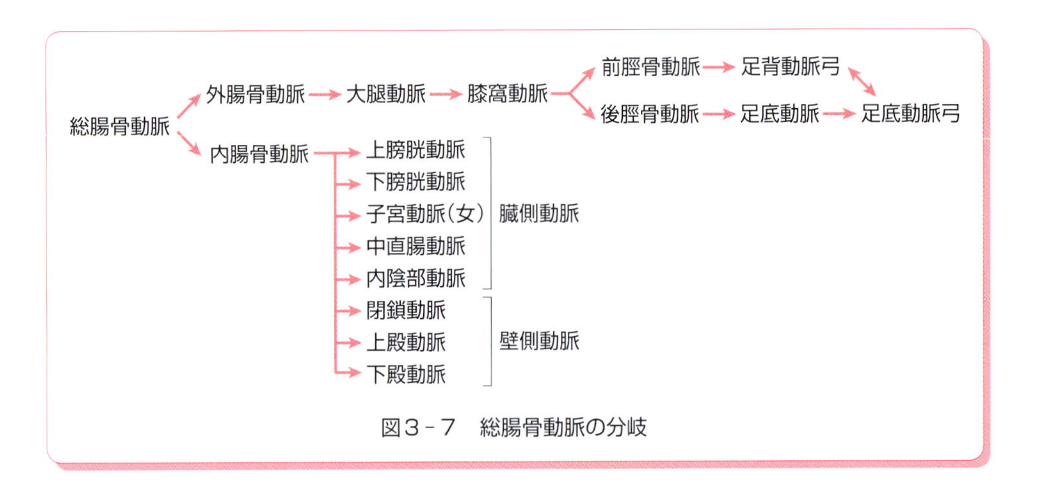

図３－７　総腸骨動脈の分岐

４）腹大動脈

腹壁に行く下横隔動脈，腰動脈と，内臓に行く**腹腔動脈**，**上腸間膜動脈**，**下腸間膜動脈**，**腎動脈**，**精巣動脈**（男性），**卵巣動脈**（女性）などが出た後，左右の**総腸骨動脈**に分かれる。腹腔動脈，上腸間膜動脈，下腸間膜動脈は不対性（1 本）である。

① **腹腔動脈**　肝臓，胆嚢，胃，十二指腸，膵臓，脾臓に血液を送る。

② **上腸間膜動脈**　膵臓，十二指腸，空腸，回腸，盲腸，虫垂，上行結腸，横行結腸の前 2/3 に血液を送る。

③ **下腸間膜動脈**　横行結腸の後 1/3，下行結腸，S 状結腸に血液を送る。

５）総腸骨動脈

内腸骨動脈と**外腸骨動脈**に分かれる（図３－７）。

① **内腸骨動脈**　骨盤内臓器，会陰部，殿部に血液を供給する。胎生期の**臍動脈**は出生後，上膀胱動脈となる。

② **外腸骨動脈**　下肢に血液を供給する。

2.3　静　脈　系

静脈系は**上大静脈**と**下大静脈**に分かれる。静脈系には表在性の**皮静脈**と深部を走る**深静脈**の２系統がある。

(1) 上大静脈（図３－４）

左右の**腕頭静脈**が合わさって上大静脈となる。上大静脈には**奇静脈**が注ぐ。腕頭静脈は**内頸静脈**と**鎖骨下静脈**が合流してできる。この２つの静脈の合流部を**静脈角**と呼び，右リンパ本幹や胸管が流入する。腕頭静脈には椎骨静脈，内胸静脈などの静脈血が直接注ぐ。

① **内頸静脈**　脳からの静脈血は硬膜静脈洞を介して内頸静脈に注ぐ。

② **鎖骨下静脈**　上肢，頭部，頸胸部からの静脈血が注ぐ（図３－８）。

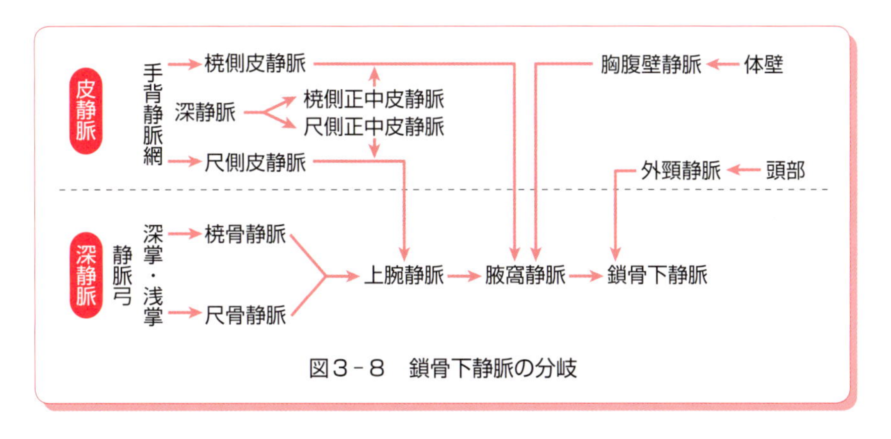

図3－8　鎖骨下静脈の分岐

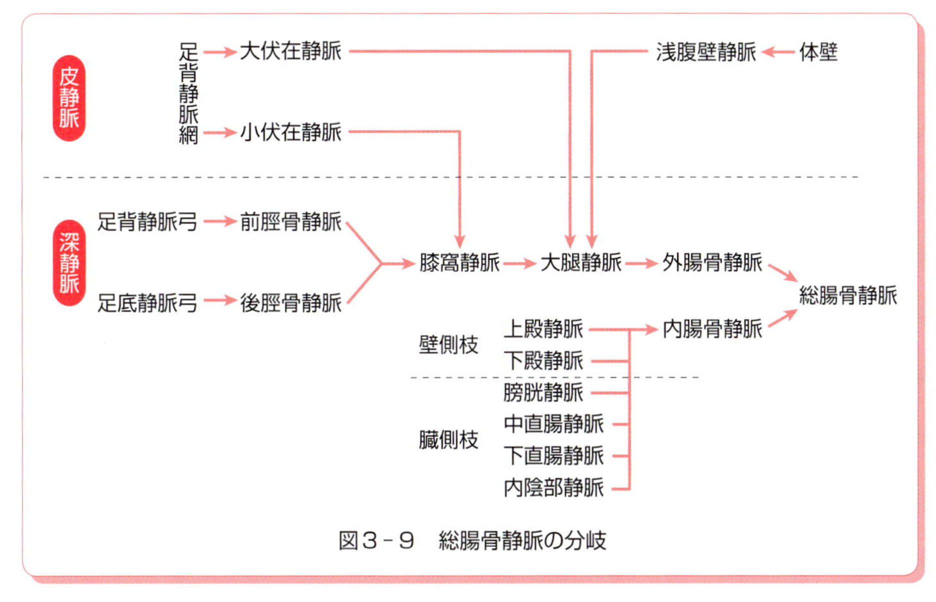

図3－9　総腸骨静脈の分岐

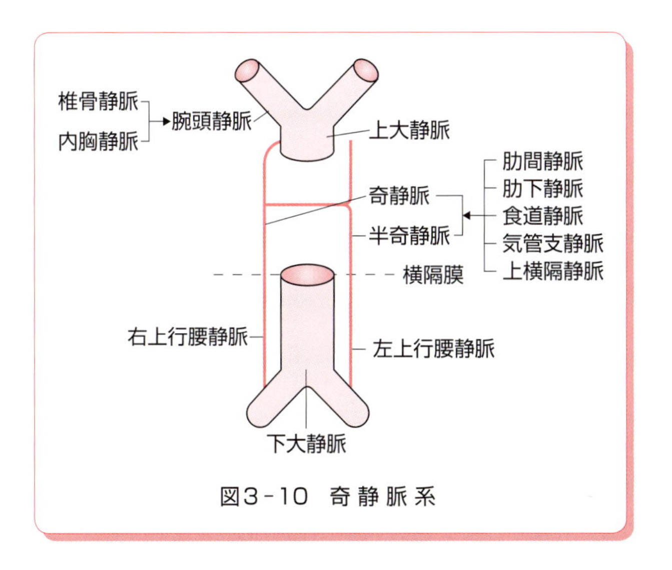

図3－10　奇 静 脈 系

(2) 下 大 静 脈 (図3－4)

左右の**総腸骨静脈**が合わさって下大静脈をつくる（図3－9）。下大静脈には，**肝静脈**，**腎静脈**，**精巣静脈**(男性)，**卵巣静脈**（女性），**腰静脈**などが注ぐ。

① **内腸骨静脈**　　殿部，会陰部，骨盤内臓器からの静脈血が注ぐ。

② **外腸骨静脈**　　下肢や下腹壁からの静脈血が注ぐ。

(3) 奇 静 脈 系

胸大動脈の分布領域からの静脈血を集める系である（図3－4，図3－10）。

(4) 門　脈

脾臓，胃・腸，膵臓，胆嚢からの静脈血を集めて肝臓に注ぐ血管系である。門脈系は食道下部，直腸上部，臍部の３か所で体循環静脈系と連絡している。

3. リンパ系

リンパ系は組織の間質液を集めて静脈に注ぐ系である。リンパ系はリンパ管とリンパ節からなる。

3.1 リンパ管（図３-21）

リンパ管は組織中の盲管として始まり，集合して左右の鎖骨下静脈・内頸静脈合流部（静脈角）に注ぐ。リンパ管の構造は，内皮細胞の細管（**毛細リンパ管**）である。リンパ管には末梢静脈よりはるかに多くの内皮の弁がある。これは末梢からのリンパを中心静脈へ送るためである。右上半身のリンパは最終的に**右リンパ本幹**に集まり**右静脈角**に注ぐ。下半身と左上半身のリンパは**胸管**を経て**左静脈角**に注ぐ。

右リンパ本幹は頭部からの右頸リンパ本幹，右上肢からの右鎖骨下リンパ本幹と胸部からの気管支縦隔リンパ本幹が合流してできる短いリンパ管である。

胸管は左右の腰リンパ本幹と腸リンパ本幹が合流してできる**乳糜槽**（にゅうび）から始まる。胸管は腹大動脈から食道の横を通って左静脈角に注ぐ。

3.2 リンパ節（図３-22）

リンパ管の間に介在するリンパ液の濾過装置である。結合組織性の被膜におおわれたそら豆型あるいは圧平された球状の器官である。数本の輸入リンパ管が入り，それよりも少ない数の輸出リンパ管が出る。実質は周辺部の皮質と中心部の髄質に分かれる。被膜と皮質のリンパ髄との間にはリンパ洞（**辺縁洞**）があり，リンパはこのリンパ洞を流れて髄質に至る。皮質のリンパ髄には明るい球形の**明中心**（**二次リンパ小節**）が多数存在する。髄質のリンパ髄は髄索を形成しその間にリンパ洞（**髄洞**）がある。

3.3 リンパ性器官

(1) 扁　桃

粘膜直下にあるリンパ性器官である。粘膜表面から陰窩を形成し，その陰窩の両側に多数のリンパ小節がならび，その外側を結合組織性の被膜がおおう。口蓋扁桃，舌扁桃，咽頭扁桃などがある。

(2) 胸　腺

胸腺は縦隔の上部で胸骨と心臓の間に位置する。幼児期で発達しているが，年齢とともに退化し，脂肪組織に置き換わる。胸腺の結合組織性の被膜は結合組織性の中隔を実質中に出し，胸腺を多数の小葉に分ける。小葉には細網細胞（胸腺上皮細胞）と細網線維の網工があり，その間に胸腺細胞，大リンパ球，形質細胞などが密集する。小葉は皮質と髄質に分かれる。髄質には扁平細胞が玉ねぎ状に配列した**胸腺小体**（**ハッサル小体**）ができる。

(3) 脾　臓

脾臓は左上腹部の背側（横隔膜の下）にある扁平な楕円形の実質臓器である。表面は腹膜と線維性被膜におおわれ，実質（**脾髄**）に中隔（**脾柱**）を出す。実質は脾索と静脈洞からなる**赤脾髄**とリンパ性組織の**白脾髄**に分かれる。白脾髄は一般のリンパ小節と同じ構造（**脾小節**）をなし，中央に明中心を持つ。脾臓の血管系は，脾動脈の枝が脾柱動脈となって脾柱内を走り，脾髄に出て**中心動脈**として脾小節を貫き，筆毛動脈，莢動脈を経て**脾洞**に注ぐ。脾洞は集まって脾柱静脈となって脾静脈に注ぐ。

4. 心臓の機能

4.1 洞房結節（ペースメーカー）と刺激伝導系

心臓は，体外に取り出したとしても生理的食塩水に浸しておけば自動的に拍動が一定時間続く。このことを**心臓の自動性**という。この規則正しい心臓の拍動のリズムは，大静脈と右心房の境界付近に存在する**洞房結節**（**キース・フラック**）の細胞で発生する現象である。洞房結節のことをペースメーカーともいう。洞房結節に現れた興奮は周囲の心房筋に伝達され，心房の収縮を起こすと同時に，右心房と右心室付近の心房中隔に位置する**房室結節**（**田原結節**）に伝達される。この興奮は心房中隔を走る**ヒス束**に伝播される。ヒス束に伝えられた興奮は，**右脚**と**左脚**（**田原脚**），さらに枝分かれして**プルキンエ線維**を通って心室筋全体に伝わる。その結果，心室は収縮する。この洞房結節，房室結節，ヒス束，右脚と左脚，プルキンエ線維をまとめて**刺激伝導系**という。刺激伝導系は特殊心筋から形成されている（図3－11，図3－12）。

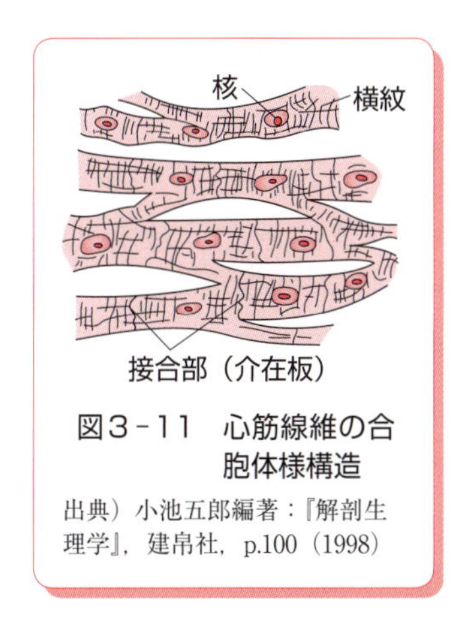

図3－11　心筋線維の合胞体様構造

出典）小池五郎編著：『解剖生理学』，建帛社，p.100（1998）

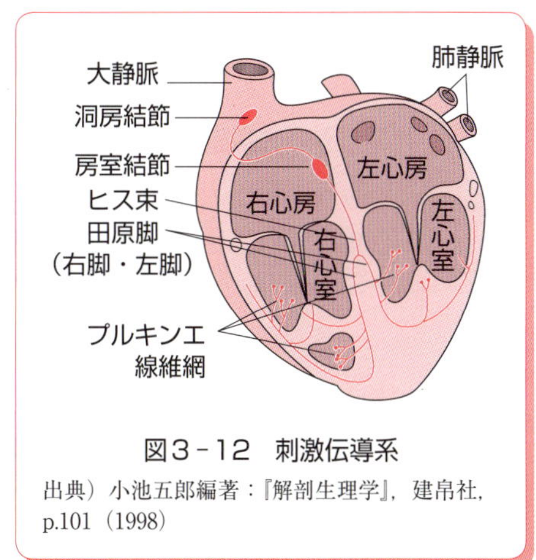

図3－12　刺激伝導系

出典）小池五郎編著：『解剖生理学』，建帛社，p.101（1998）

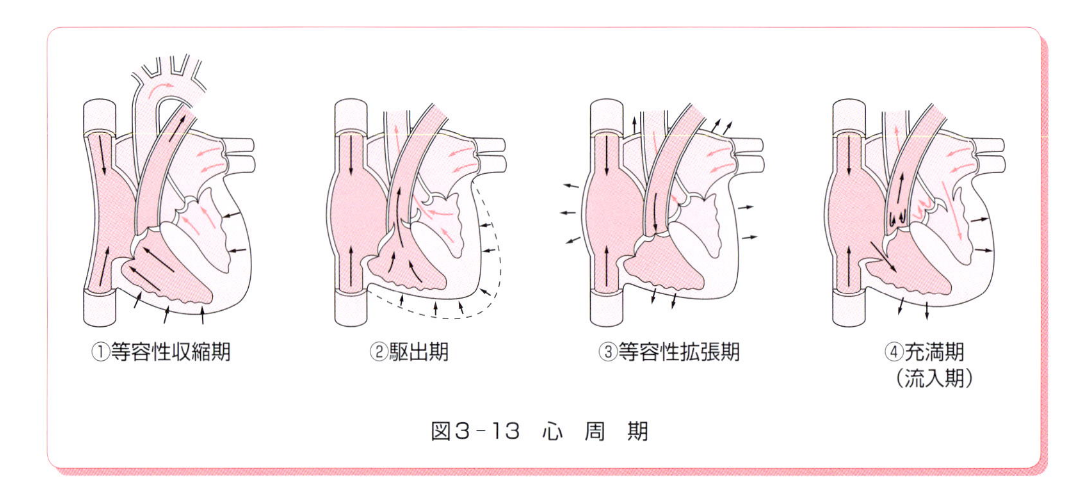

図３-13　心　周　期

4.2　心臓の拍動

心臓が周期的に収縮と弛緩（拡張）を繰り返すことを**心拍動**（**心臓の拍動**）という。心拍動の周期〔1 回の心房と心室の収縮と弛緩（拡張）の全周期〕を**心周期**といい，1 回の拍動には，約 0.8 秒を要して，通常 1 分間に 60 〜 80 回の拍動が認められる。心周期は心室の収縮と弛緩（拡張）によって，**収縮期**と**拡張期**（**弛緩期**）に分けられる。収縮期は**等容性収縮期**と**駆出期**に，拡張期（弛緩期）は**等容性拡張期**と**充満期**（**流入期**）に分けられる（図３ -13）。

① **等容性収縮期**　心室の収縮が始まってから，動脈弁（大動脈弁，肺動脈弁）が開くまでの期間。すべての弁が閉鎖している状態で心室が収縮する。心室内圧は上昇する。

② **駆出期**　心室内圧が動脈圧を超えて動脈弁が開き，血液が動脈に駆出される。

③ **等容性拡張期**　すべての弁が閉鎖した状態で心室が弛緩するため，心室容積は一定で，心室内圧が下降する。

④ **充満期（流入期）**　心室内圧が心房内圧より低下すると房室弁（僧帽弁，三尖弁）が開き，血液が心室に流入する。動脈弁は閉鎖しており，血液は充満している。

4.3　心筋の興奮−収縮連関

心筋の興奮−収縮連関については，カルシウムイオン（Ca^{2+}）が活動電位刺激による心筋収縮の開始機序の中心的役割を果たしている。心筋に興奮が起こると心筋細胞膜がナトリウムイオン（Na^{+}）に対して急速に透過性を増し（ナトリウムチャネルの開口），Na^{+}が細胞外から細胞内に急速に流入する。その結果，心筋細胞膜の電位は**静止電位**（約 − 90 mV）から急速に上昇し，**脱分極**（電位がマイナスからプラスに向かうこと）とオーバーシュート（電位が 0 mV を超えること）が生じる（第 1 相）。ついで，電位はしばらく正または 0 mV 付近にとどまりプラトー相（第 2 相）が形成される。これは心筋細胞膜の Ca^{2+}に対する透過性が増し（カルシウムチャネルの開口：これをス

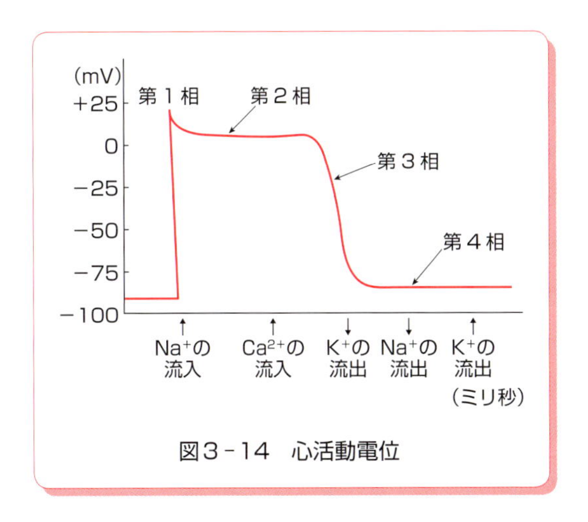

図３－14　心活動電位

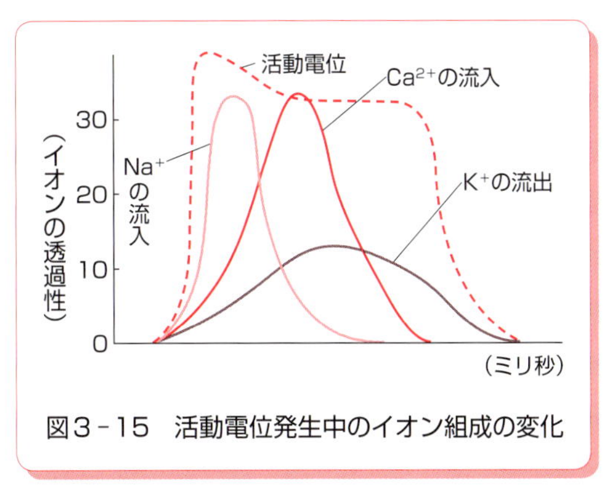

図３－15　活動電位発生中のイオン組成の変化

ローチャネルという），Ca^{2+}が細胞内に流入することによる。またCa^{2+}の流入が刺激となり，細胞膜の筋小胞体からも細胞内にCa^{2+}が放出され，細胞内Ca^{2+}濃度がさらに高まり，その結果アクチンフィラメントとミオシンフィラメントが結合し心筋の収縮が開始される（図３－14，図３－15）。その後，カリウムチャネルの開口によるカリウムイオン（K^+）の細胞内から細胞外への流出により，心筋細胞膜の電位は低下して静止電位に戻る（第３相，第４相）。このことを**再分極**という（電位がプラスからマイナスに向かうこと）（詳細は，第６章　神経系の構造と機能を参照）。

4.4　心臓の活動および検査

①　**心　音**　　心臓の収縮，弛緩（拡張）に伴って弁膜が開閉する際に聴診器で聴くことができる。**第Ⅰ音**は僧帽弁と三尖弁の閉じる音であり，**第Ⅱ音**は大動脈弁と肺動脈弁の閉じる音である。

②　**心拍数**　　１分間の心臓の拍動数を**心拍数**という。健常人の安静時における平均心拍数は約 60 ～ 80回/分である。心拍数が 100 回以上を頻脈といい，60 回以下を徐脈という。

③　**心拍出量**　　１回に心臓の拍動によって左心室からは拍出される血液量を**１回拍出量**といい，健常人の安静時で約 70 ～ 80 mL である。1 分間に拍出する血液量を**心拍出量**といい，心拍出量＝１回拍出量×心拍数で求められる。したがって，例えば１回拍出量が 70 mL で，心拍数が 70 回の場合，心拍出量は 70 mL × 70 回/分であるから約 5 L である。

④　**心電図**　　心筋も骨格筋や神経などと同様に，興奮すると活動電位を生じ，洞房結節から心尖への興奮の伝達に伴って活動電位は複雑な経過をたどる。これを体表面から導出して記録したものが**心電図**（図３－16）で，現在では **12 通りの誘導方法**が実施されている。**P 波**は**心房興奮**（脱分極），**QRS 波**は**心室興奮の開始**（脱分極），**T 波**は**心室興奮の消退過程**（再分極）を示している。

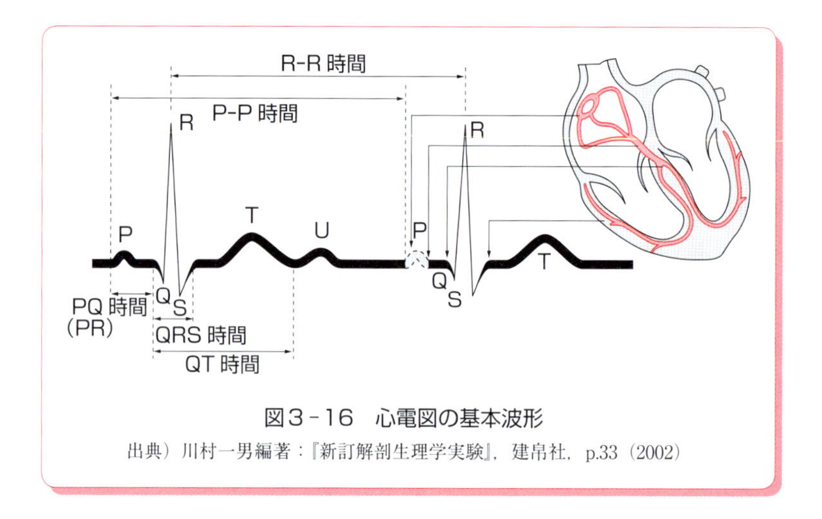

図３－16　心電図の基本波形

出典）川村一男編著：『新訂解剖生理学実験』，建帛社，p.33（2002）

5．体循環系，肺循環系の機能

5.1　血管の機能

(1) 動　脈

中膜の弾性線維や平滑筋が発達している。動脈の平滑筋が弛緩すると動脈は拡張し，その動脈が分布する領域の血液量が増加し，平滑筋が収縮すると血液量は減少する。

(2) 静　脈

静脈は動脈よりも径が大きく，壁が薄くしなやかである。容量が大きく，血液を貯蔵して心臓に戻る血液量を調節するために重要な役割を果たす。静脈圧は動脈圧と比較して低いため，ところどころに**弁**（**静脈弁**）が存在し，血液の逆流を防止している。

(3) 毛細血管

血管壁が内皮細胞の１層のみから形成されており，直径が約８μm の細い血管である。多くは，細動脈と細静脈との間に複雑な**毛細血管網**を形成する。毛細血管は血液と組織の間の物質交換を行う場所である。毛細血管網に至る前に動脈に吻合がない動脈を**終動脈**という（図３－17）。脳，網膜，心臓，肺，肝臓，脾臓，腎臓，甲状腺内の動脈は終動脈である。そのため，細動脈が血栓や塞栓によって閉塞すると，その終動脈で栄養を受けている組織の血行が停止して組織の壊死を招く。これを梗塞という。

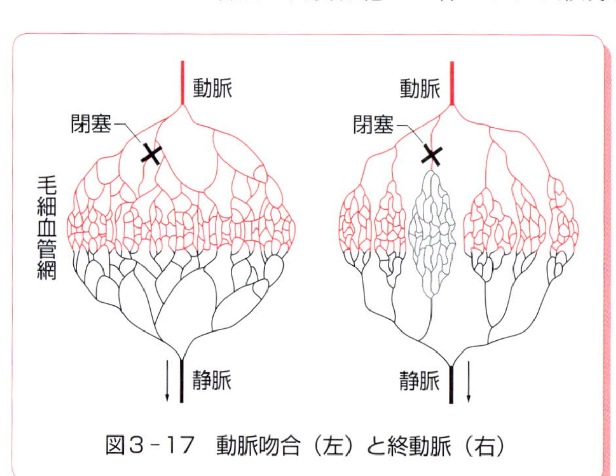

図３－17　動脈吻合（左）と終動脈（右）

5.2 特殊な部位の循環

(1) 冠状循環

心臓を構成する心筋自体は，心房や心室の中を流れる血液を直接利用することはできない。心筋は，大動脈の起始部から出て心臓を冠状に取り囲む左右2本の冠状動脈によって血液の供給を受ける。心臓を養った血液は，冠状静脈(洞)という太い静脈から直接右心房に戻る。

(2) 腹腔内循環

腹腔内臓器は，腹腔動脈（胃，肝臓，脾臓，十二指腸，膵臓），上腸間膜動脈（小腸，膵臓，大腸），下腸間膜動脈（大腸）から動脈血を供給される（図3－18）。肝臓以外の各臓器の毛細血管を通過した静脈血は，胃静脈，脾静脈，上腸間膜静脈，下腸間膜静脈を経て，門(静)脈で合流して肝臓に送られる（門脈は静脈であるが，内腔に弁はない）。

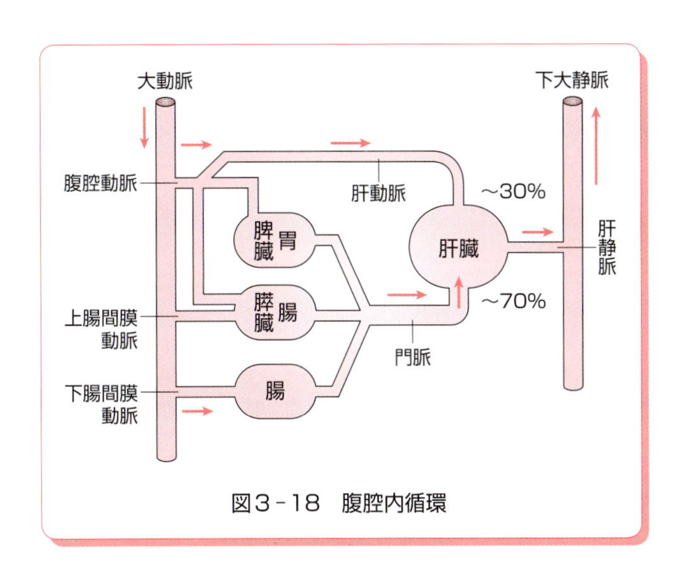

図3－18 腹腔内循環

肝臓は心拍出量の約25%の血液供給を受ける。そのうち約30%は肝動脈より，70%は門脈より流入する。肝動脈から肝臓に入った動脈血は小葉間動脈に，門脈を通る静脈血は小葉間静脈に入り，いずれも洞様毛細血管（類洞）を流れ肝静脈を経て下大静脈に入り，右心房に戻る。

(3) 胎児循環

胎児期には消化管と肺は機能しないため，栄養素と酸素は母体から血液を通して供給される。母体と胎児を結ぶ器官が胎盤である。胎児は出生後とは違う循環器系をもつ。胎盤から供給された血液は，臍静脈（1本）から静脈管（アランチウス管）を経て下大静脈と合流して右心房に入る。この血液の多くは心房中隔にある卵円孔を通って左心房に入り左心室から大動脈へ駆出される。一方，上半身から戻った静脈血の多くは右心房に入り，その一部は右心室を経て肺動脈に駆出されるが肺はまだ機能していないため，その血液の多くは動脈管（ボタロー管）を経て大動脈弓へと流れ出る。その血液は，動脈を介して胎児の全身へ運ばれるが，最終的に臍動脈（2本）から胎盤へ送られる。出生後，胎盤は子宮壁から剥離され母体からの栄養摂取が停止する。胎児が母体外に出ると肺呼吸が開始され，多量の血液が左右の肺に流入する。肺から心臓への酸素を含んだ血液が入り，心臓は卵円孔の閉鎖（卵円窩），大動脈弓部の拡張，動脈管の閉鎖（動脈管索）などの変化をする。一方，血液の流れがなくなった臍静脈は肝円索に，臍動脈は臍動脈索に，静脈管は静脈管索になる（図3－19）。

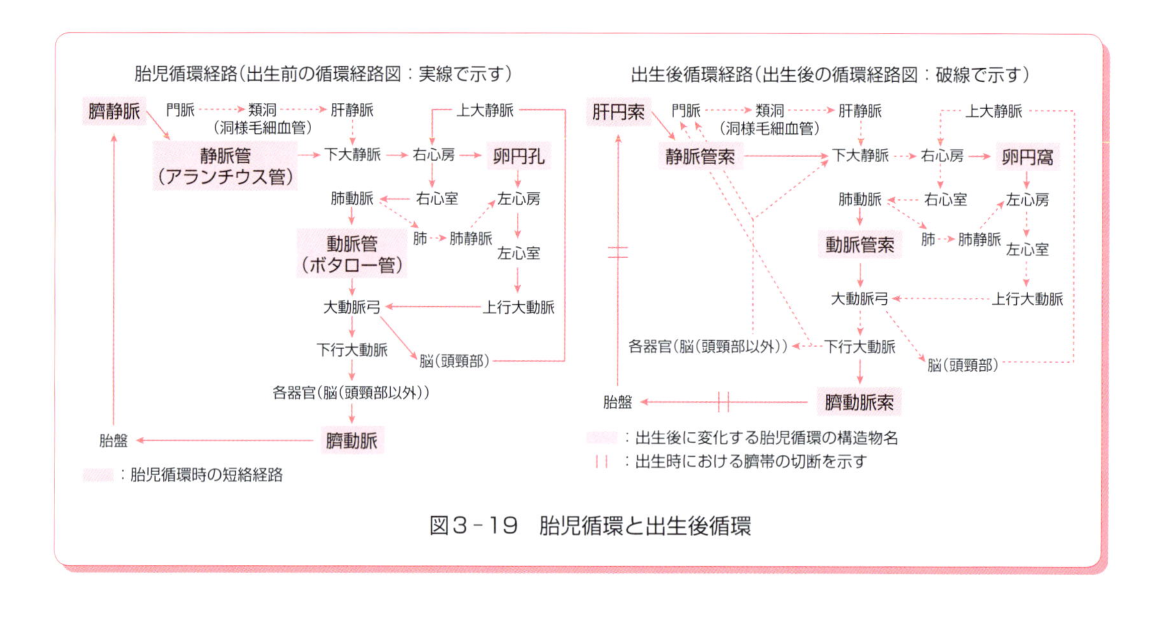

図3-19　胎児循環と出生後循環

6. リンパ管の機能

6.1　リンパの生成

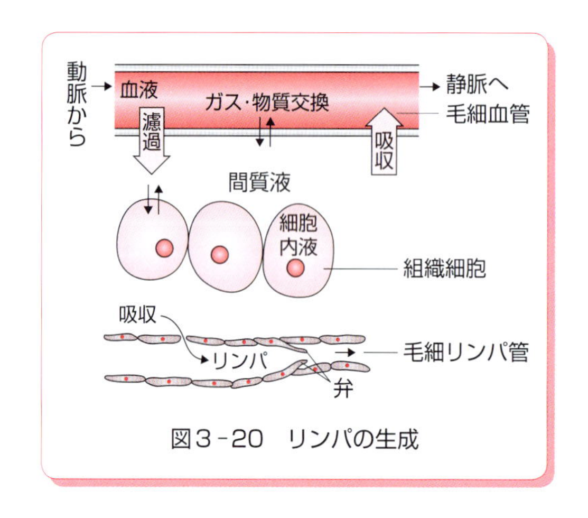

図3-20　リンパの生成

組織では，毛細血管において，間質液との間の物質交換が行われるが，血漿もわずかに濾過されて間質液として血管外に漏出する。この間質液の大部分は毛細血管から再び血液中に戻る（膠質浸透圧による脈管外通液路）が，残りは毛細リンパ管に吸収され，リンパとなる（p.64「5.1 血管の機能」参照）。リンパはリンパ管を通って，静脈系に戻る（図3-20）。毛細リンパ管は毛細血管に比べて比較的大きな間隙が存在するため，タンパク質や脂肪などの大きな分子をはじめ，体内に侵入した細菌などの異物を間質液から運び去ることができる。リンパのところどころには，リンパ節があり，リンパ中の細菌などの異物を濾し取り，これらが循環血液中に入るのを防ぐはたらきがある。

6.2　リンパの循環

リンパ系は毛細リンパ管に起始し，複数の毛細リンパ管が集まって集合リンパ管となり，左右2本の太いリンパ本幹（左側にある胸管と右側にある右リンパ本幹）に導かれ，最終的に左右の鎖骨下静脈に合流する。下肢，腹部，左上半身からのリンパ系はすべてからだの左側にある胸管に入る。右上半身からのリンパ系は，右リンパ本幹に入る（図3-21，図3-22）。

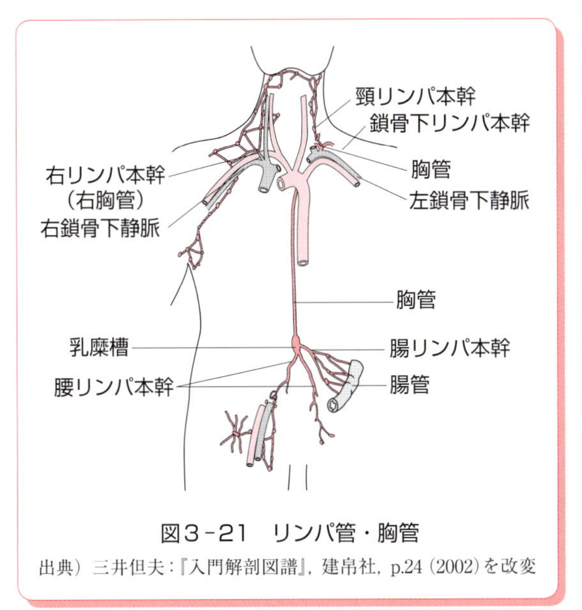

図3－21　リンパ管・胸管

出典）三井但夫：『入門解剖図譜』，建帛社，p.24（2002）を改変

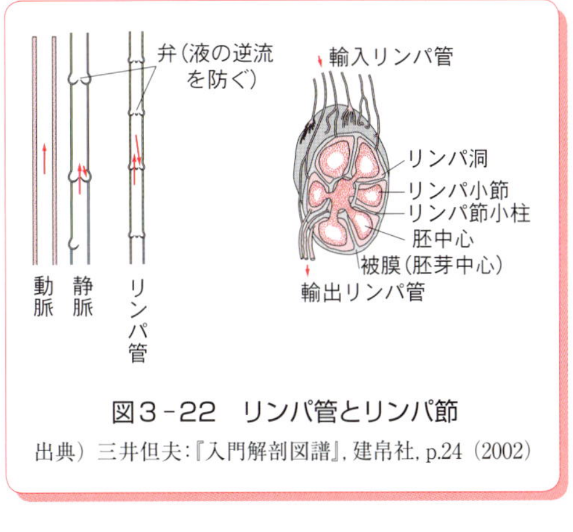

図3－22　リンパ管とリンパ節

出典）三井但夫：『入門解剖図譜』，建帛社，p.24（2002）

6.3　リンパ系の機能

リンパ系は，以下のような機能を備えている。

① 間質液中の水分の回収

② 間質液中のタンパク質の回収

③ 脂肪の吸収

④ 病気に対する防衛

（詳細は，第12章　免疫・アレルギーを参照）

7．血圧調節の機序

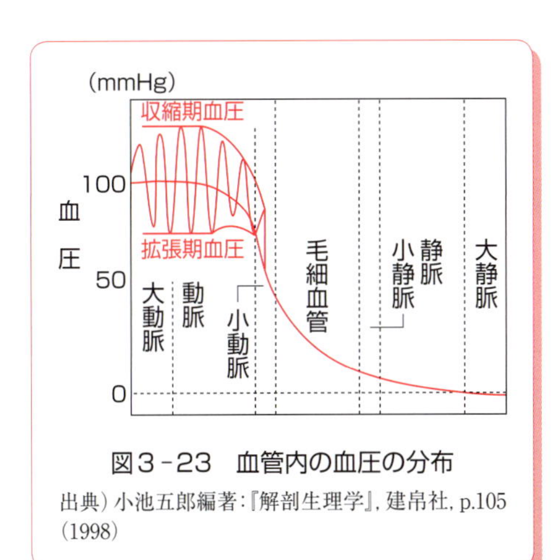

図3－23　血管内の血圧の分布

出典）小池五郎編著：『解剖生理学』，建帛社，p.105（1998）

7.1　血流，血圧および脈拍について

心臓のポンプ作用によって血管系に拍出された血液は，血圧の高い方から低い方へ向かって流れる。これを血流という。**血圧**とは，心収縮によって駆出された大動脈の血液が動脈壁を押す圧力をいう。この圧力は，大動脈基部で最も高く，それを遠ざかるにつれて次第に低くなり，毛細血管を経た大静脈で0になる（図3－23）。

血圧は，心拍出量（循環血液量・心収縮力）と末梢血管抵抗（血管壁の弾性・血管の収縮状態・血液の粘度）によって維持される。

血圧＝心拍出量×末梢血管抵抗

収縮期血圧（最大血圧，最高血圧）とは，心収縮期

表３-１　成人における血圧の分類（mmHg）

分　類	収縮期血圧　　拡張期血圧
至適血圧	＜ 120 かつ ＜ 80
正常血圧	120 ～ 129 かつ/または 80 ～ 84
正常高値血圧	130 ～ 139 かつ/または 85 ～ 89
Ⅰ度高血圧	140 ～ 159 かつ/または 90 ～ 99
Ⅱ度高血圧	160 ～ 179 かつ/または 100 ～ 109
Ⅲ度高血圧	≧ 180 かつ/または ≧ 110
（孤立性）収縮期高血圧	≧ 140 かつ ＜ 90

（「高血圧治療ガイドライン 2014」より）

の血圧をいい，**拡張期血圧**（最小血圧・最低血圧）とは，心拡張期の血圧をいう。収縮期血圧と拡張期血圧の差を**脈圧**という（40 mmHg 程度が望ましい）。また，平均血圧とは，心臓周期を通じての血圧の時間的平均をいい，拡張期血圧 ＋（脈圧/3）で算出する。脈圧が存在するため手首の付け根などで脈拍に触れることができる。

脈拍は心拍動の結果起こる現象である。すなわち，心収縮力とともに血液は大動脈へ押し出され，このことにより動脈に波動が伝わるが，この生じた波動を**脈拍**という。したがって，健康な場合には脈拍数は心拍数にほぼ一致する。安静時の脈拍数は，個人差があるが，成人は１分間に平均 70 回程度である。脈拍は体表面に近いところの動脈（浅側頭動脈，顔面動脈，総頸動脈，上腕動脈，橈骨（とうこつ）動脈，大腿動脈，足背動脈など）で触れることができるが，脈拍の測定には，一般に橈骨動脈を用いる。

血圧には，個人差があり，性別や年齢により異なる。さらに，同一人物でも身体的，精神的状態により変動する。正常成人男子の安静時血圧は，収縮期血圧 120（100 ～ 120）mmHg，拡張期血圧 80（60 ～ 90）mmHg である（表３-１）。血圧に影響を及ぼす因子（血圧を規定する因子）には心拍出量，末梢血管抵抗，循環血液量，血管壁の弾力性（弾性）および血液の粘度（粘性）などがある。

7.2　循環の調節

（１）神経性調節

① 血圧は自律神経系の支配を受ける。交感神経の緊張は，心機能を亢進させるともに，末梢血管を収縮させ，血圧を上昇させる。一方，副交感神経は拮抗的に作用し，血圧を低下させるようにはたらく。

② 動脈圧受容器反射が血液の調節を行っている。頸動脈洞と大動脈弓にある圧受容器が血圧をモニターし，延髄にある心臓血管中枢に血圧の変化を伝えて心臓反射によって心拍出量や心拍数を調整し，血圧を調整する。

（２）体液性調節

① 交感神経の興奮により，副腎髄質からアドレナリンとノルアドレナリンが分泌され，アドレナリンは心機能を促進させるとともに一部の末梢血管を収縮させ，ノルアドレナリンは全身の末梢血管を収縮させて血圧を上昇させる。

② 血圧が低下して腎血流量が減少すると，腎糸球体からの輸入細動脈付近に存在する傍糸球体細胞（JG 細胞）からレニン（酵素の１つ）が分泌される。レニンは肝臓から血中に分泌されるアンギオテンシノーゲン（レニン基質）に作用してアンギオテ

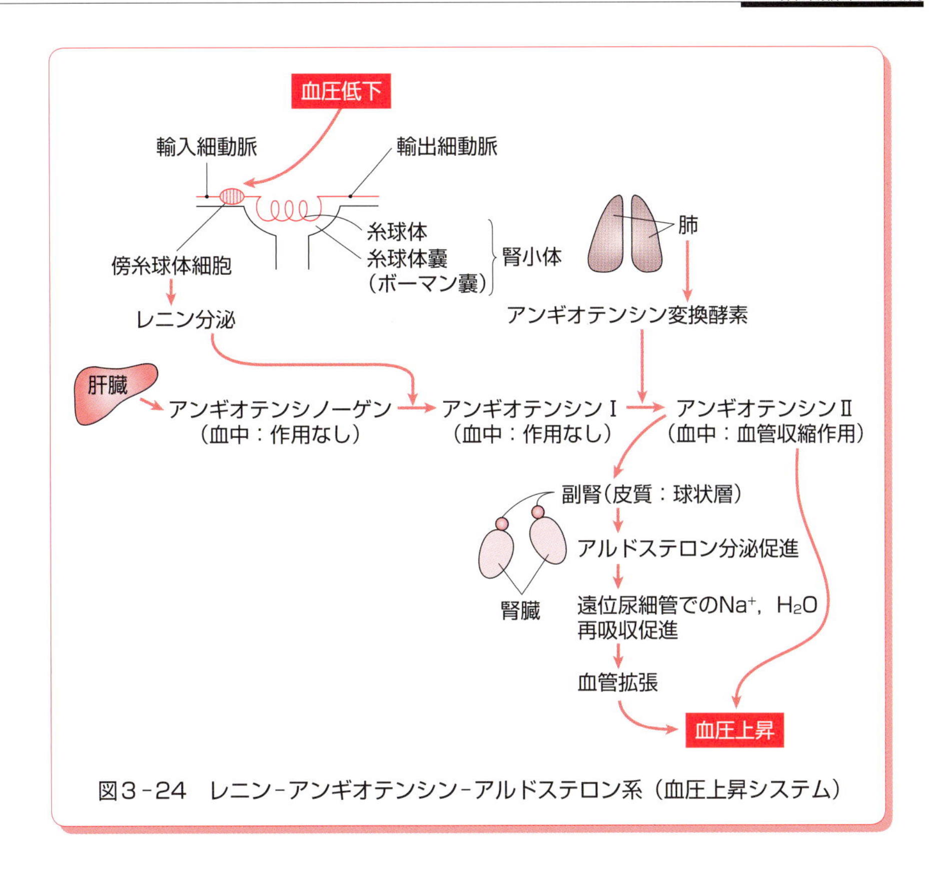

図3-24　レニン-アンギオテンシン-アルドステロン系（血圧上昇システム）

ンシンⅠに変化する。このアンギオテンシンⅠは，主に肺から血中に分泌されるアンギオテンシン変換酵素のはたらきによって，アンギオテンシンⅡに変化する。このアンギオテンシンⅡは直接血管を収縮させるのと同時に，副腎皮質（球状層または顆粒層）からのアルドステロン分泌を促して，腎尿細管（主に遠位尿細管）からのナトリウムおよび水の再吸収を促進して循環血液量が増加する（このときカリウムと水素は分泌される）。このようにして強力な血圧上昇作用が起きる（レニン-アンギオテンシン-アルドステロン系，図3-24）。

また，下垂体後葉からバソプレシンが分泌され，腎集合管での水再吸収を促進して循環血液量を増加させ，血圧を高める。

8．循環器系の疾病

動脈硬化：加齢，高血圧，糖尿病，脂質異常症，喫煙などが原因で，動脈壁が硬化することに加えて，血管内皮細胞が障害されて，動脈の内膜にコレステロールなどが沈着し，動脈壁の肥厚，線維化，石灰化が起こった状態を粥状硬化（アテローム硬化）という。このようにしてできた動脈壁の隆起性病変を粥腫（アテローム，プラーク）といい，粥腫は内腔を閉塞したり，破綻して末梢の血管を塞いだりして，心筋梗塞，脳梗塞，大動脈瘤などの原因になる。

高血圧：食塩の過剰摂取や肥満が血圧を高める。高血圧は，脳卒中，心筋梗塞，腎臓病，大血管疾患などの強力な原因疾患である。血圧が高くなっても，ほとんど症状を伴わないため，気づかないうちに動脈硬化が進行し，さまざまな臓器障害を引き起こす結果になる。最近では，診察室で測定する血圧よりも，家庭血圧が重要視されている。

虚血性心疾患：心筋が必要とする酸素需要に見合うだけの冠動脈血流量が確保できず，心機能が障害される状態をいう。**狭心症**は，心筋に一時的な酸素不足が生じると発症し，症状としては胸骨中央部に数分程度続く圧迫感，絞扼感を自覚する。狭心症には，労作時に引き起こされる労作性狭心症や冠動脈の攣縮によって起こる冠攣縮性狭心症などがある。**心筋梗塞**は，冠動脈の閉塞により血流が途絶えて心筋が壊死した状態で，30 分以上続く激しい胸痛がみられる。心筋梗塞は，冠動脈の内膜にコレステロールなどが沈着してできた粥状硬化病変が破綻して血栓を形成し，冠動脈が閉塞することによって発症することが多い。

不整脈：正常では，洞房結節（ペースメーカー）から発せられた興奮が，刺激伝導系に伝わり，心筋を規則正しく収縮させるが，興奮の発生や伝導の異常によって，心臓のリズムに異常をきたした状態を不整脈という。不整脈には，心房内の無秩序な興奮によって起こる**心房細動**，心室が痙攣して心臓のポンプ機能が失われる**心室細動**，心室で異所性の刺激が連続して発生する**心室頻拍**，心房から心室への伝導に障害が起こる**房室ブロック**などがある。

心不全：心臓が必要な血液量を送り出せなくなった状態をいい，主な原因としては，心筋梗塞などの虚血性心疾患，心臓弁膜症，高血圧，心筋症などがある。左心不全では肺水腫から呼吸困難をきたし，右心不全では静脈系の血流障害によって下肢の浮腫，腹水などを生じる。

肺塞栓：主に下肢や骨盤内に形成された静脈血栓が遊離して血流に乗り肺動脈を閉塞する。突然の呼吸困難，胸痛を認める。エコノミークラス症候群とも呼ばれる。

参考文献

・荒木英爾編著：『Nブックス解剖生理学』，建帛社（2010）
・小池五郎編著：『新栄養士課程講座解剖生理学』，建帛社（1998）
・佐藤昭夫，佐伯由香編集：『人体の構造と機能　第２版』，医歯薬出版（2006）

■練習問題■

問題1　心臓に関する記述である。誤っているのはどれか。

(1)　胎生期において心室中隔には卵円孔が開存している。

(2)　第5肋間で左乳頭線のやや内側に心尖が位置する。

(3)　僧帽弁は左房室弁のことである。

(4)　心臓は上行大動脈の基部から出る左右の冠状動脈によって養われる。

(5)　心臓には刺激伝導系と呼ばれる特殊な神経線維がある。

問題2　循環に関する記述である。正しいのはどれか。

(1)　心臓の拍動はホルモンの影響を受けない。

(2)　左心室から体循環の上行大動脈が出る。

(3)　心臓の拍動は副交感神経の緊張により速くなる。

(4)　動脈と静脈の内壁には，血液の逆流を防ぐための弁がある。

(5)　ヒス束は洞房結節と房室結節（田原結節）の間に存在する。

問題3　循環器系に関する記述である。正しいのはどれか。

(1)　血管の中膜に含まれる筋組織は横紋を持つ。

(2)　リンパ管は左鎖骨下動脈に合流する。

(3)　心臓壁の静脈は冠状静脈洞に流れ込み，左心房に至る。

(4)　血圧は大動脈で最も高い。

(5)　心音の第Ⅱ音は僧帽弁の閉鎖音である。

第4章

腎・尿路系の構造と機能

1. 腎・尿路系の構造

1.1 腎臓の構造

腎臓は，そら豆状の形をしており，腹腔後壁の第11胸椎から第3腰椎の高さに左右1対ある。左右対称の位置ではなく，右の腎臓は肝臓に押されて左の腎臓よりも1～2 cm下方のやや低い位置にある（図4－1）。

大きさは，長さ11 cm，幅5 cm，厚さ3 cmほどで，重さは約130 g，色は暗赤色をしている。外側縁は凸状で，内側縁は凹状をしている（図4－2）。

腎臓の周囲は脂肪組織で包まれていることによって，外からの衝撃を防いでいる。表面は，線維性の被膜でおおわれ，断面を見ると，腎臓の実質は表層に近い**皮質**と内部の**髄質**に区別される。髄質はさらに外層と内層に分けられる構造をなしている。

腎臓の内側の凹部が見られるところを**腎門**といい，**腎動脈**・**腎静脈**などの太い血管や尿を送り出すところの**尿管**，さらには神経などが出入りしている。皮質には，数多くの**腎小体**が存在し毛細血管の球状の集まりである**糸球体**とこれを包む**糸球体嚢**（**ボーマン嚢**）からなる（図4－3）。

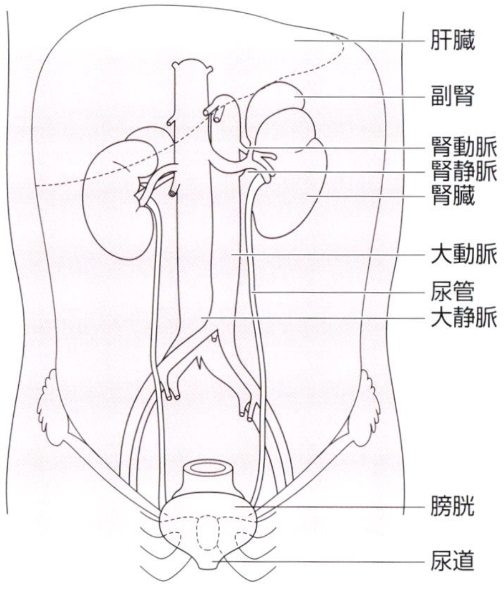

糸球体嚢（ボーマン嚢）の一端は，髄質に存在する尿細管につながり，尿細管が集まり集合管となって腎乳頭部に開口している。

腎臓は血液中の老廃物を濾過するところであるが，血液は糸球体で濾過され，糸球体嚢（ボーマン嚢）にためられ，**近位尿細管**，**ヘンレ係蹄**，**遠位尿細管**を経て集合管に入り，腎臓に10個ほどある腎乳頭のふくらみの先端部に開口する（図4－4）。

腎小体と尿細管を合わせたものを**ネフロン**（**腎単位**）という。1つの腎臓に100万個ほどのネフロンがあり，それを集める数千本の集合管が腎臓には存在する（表4－1）。

図4－1　腎・尿路系

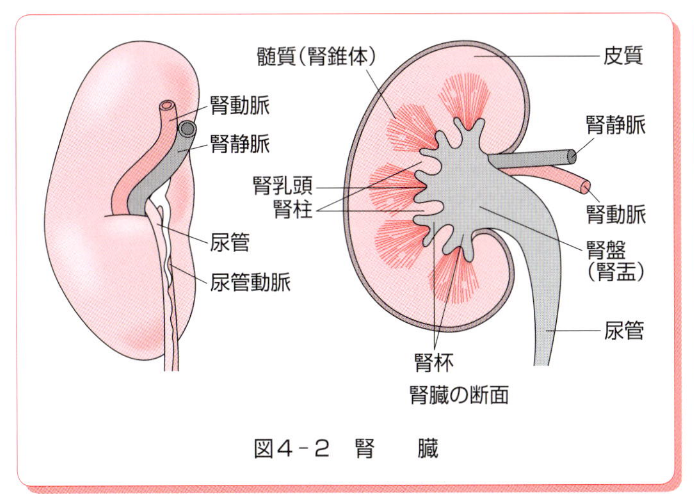

図4-2 腎　臓

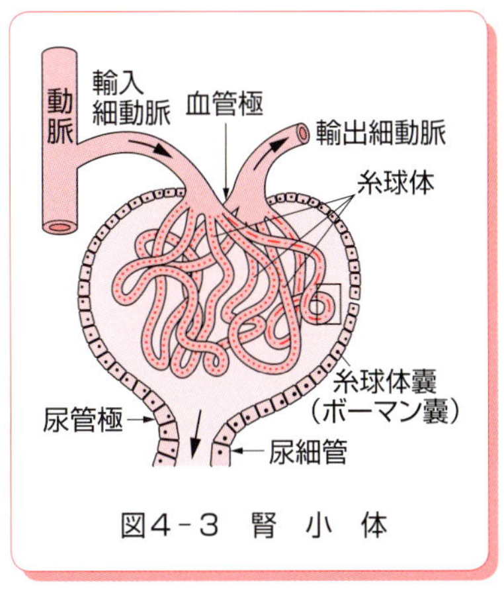

図4-3 腎　小　体

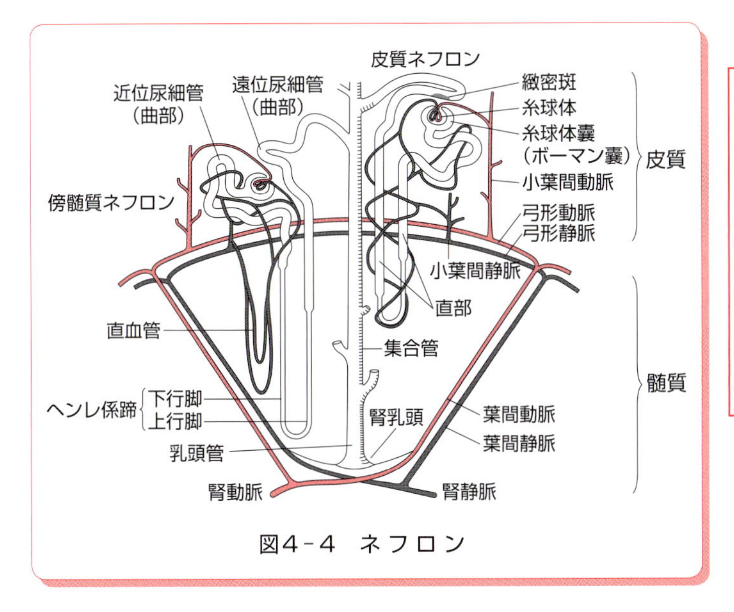

図4-4 ネフロン

表4-1 ネフロン

腎単位ともいい，腎小体と尿細管を合わせたもの （ネフロン＝腎小体 ＋ 尿細管） **腎小体** ・**糸球体** ・**糸球体嚢**（ボーマン嚢） **尿細管**は軟骨基質に多量の弾性線維を含み，弾性に富む。 ・近位尿細管 ・ヘンレ係蹄 ・遠位尿細管

① **腎小体**　腎小体は，腎臓の皮質に散在する直径が 200 μm ほどの球形の小体である。1 つの腎臓に 100 万個ほどあり，毛細血管が数多く集まった糸球体とこれを包む糸球体嚢（ボーマン嚢）からなる。

② **尿細管**　尿細管は，糸球体嚢（ボーマン嚢）につながる単層上皮で，長さが 4 cm ほどの細い管である。尿細管は集合管へと続き，部位により，近位尿細管，ヘンレ係蹄，遠位尿細管に区分される。皮質から出た尿細管は，ふたたび皮質に戻り腎小体に接して尿細管腔内の状態を細動脈に伝える。この密接した尿細管の部位を緻密斑といい特殊な細胞で成り立っている。

③ **集合管**　集合管は，遠位尿細管が集まったもので，腎乳頭につながり腎杯に開口する。集合管は腎乳頭に向き合い，そこから出る尿を受けるように腎杯が形成され，さらにこれらが集まり腎盤を形成する。

④ **腎杯・腎盤（腎盂）**　排出されてくる尿を集めるところの腎杯が腎門で集まり１つの腎盤（腎盂）をなし尿管へ行く。粘膜は移行上皮でおおわれている。

1.2　尿路系の構造

尿管，膀胱，尿道を合わせて尿路系という（図４－１）。

（1）尿　　管

尿管は腎臓から膀胱に尿を運ぶ細い管で，長さが 30 cm，直径が 5 mm ほどで膀胱の壁を斜めに貫いている。左右に１対存在し，壁は平滑筋に富んでいる。内腔の粘膜は移行上皮からなる。尿管は，蠕動運動により尿を膀胱へと導く。

（2）膀　　胱

膀胱は左右の尿管から送られてきた尿を一時的に貯留しておく袋状の臓器である。膀胱の粘膜も尿管と同じように移行上皮からなる。膀胱は骨盤の中央前方にあり，恥骨のすぐ後方に位置する。膀胱の後ろには男性では直腸，女性では子宮がある。膀胱の容量は，平均 500 mL，最大で 900 mL にもなる。膀胱は収縮することにより排尿するため，排尿筋ともいわれる。また，粘膜面には多くのヒダが見られる。膀胱の後面にはヒダがなく平滑な逆三角形の部位があり，膀胱三角といわれる。膀胱三角には尿管に続く筋層があり，尿道口のまわりに束ねられており，尿の漏れるのを自律的に防いでいる膀胱括約筋がある。

（3）尿　　道

尿道は膀胱にたまった尿を体外へ導く管であり，男女で長さと構造が異なる。

① **男性尿道**　男性の尿道は，膀胱を出てから前立腺および尿生殖隔膜を貫き，その後，尿道海綿体を通り外尿道口として開口する。全体としてＳ字状の形をしている。隔膜を貫くところに尿道括約筋があり意識的に尿道を閉めることができる。男性の尿道の長さは，15 ～ 20 cm ほどである。

② **女性尿道**　女性の尿道は，長さが 3 ～ 4 cm ほどと男性に比べきわめて短く，直線的で尿道壁は伸縮性に富む。膀胱を出た後，尿生殖隔膜を貫き，膣の前壁を下がり外尿道口より陰核の後部で膣前庭に開口する。女性の尿道は長さが短く広がりやすいために膀胱炎などの尿路感染症にかかりやすい。男性同様，尿道括約筋が存在する。

2. 尿の生成

腎臓の機能は，大きく①排泄機能（尿の生成）と，②代謝機能（レニン，エリスロポエチンなどのホルモン産生，ビタミンＤの活性化，エネルギー代謝など）に分けられる。中でも重要なのは，尿の生成・排泄機能で，腎臓は，尿を介して代謝産物など生体にとって不要なものを排泄し，それと同時に体液の量・組成・浸透圧の調節を行ってい

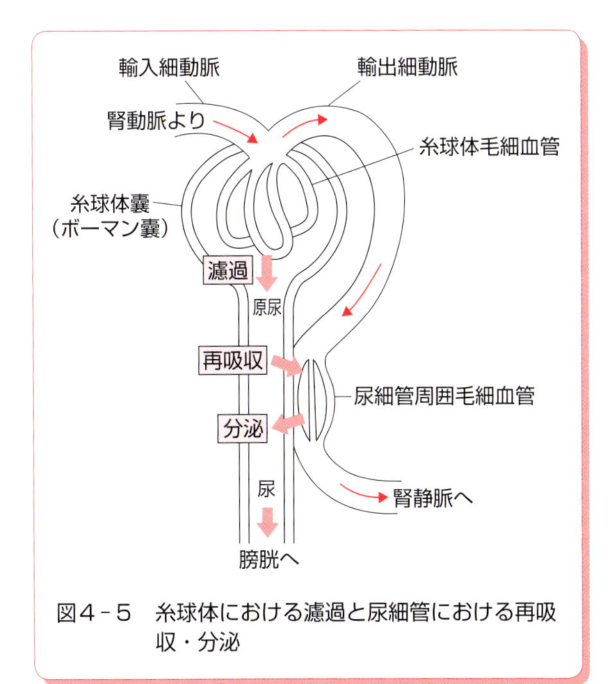

図4－5　糸球体における濾過と尿細管における再吸収・分泌

る。尿の生成は，①糸球体における血漿の濾過と，②尿細管・集合管における再吸収および分泌の2段階で行われる（図4－5）。

2.1　糸球体濾過

尿の生成の最初のステップは，腎小体において，糸球体毛細血管から血漿が濾過され，糸球体嚢（ボーマン嚢）に原尿が濾し出される過程で，これを**糸球体濾過**という（図4－5）。腎臓を流れる血液量（腎血流量）は，安静時心拍出量の1/5～1/4（900～1,100 mL/分）を占め，血漿量（腎血漿流量）は500～600 mL/分となる。このうち100～130 mL/分の血漿成分が糸球体で濾過される。この毎分あたりの濾過量を**糸球体濾過量**（glomerular filtration rate：GFR）といい，腎臓の尿生成能を示す重要な検査値として用いられている。GFRから換算される原尿の量は，1日あたり180 Lにもなり，全血漿量を2.5 Lとすると，1日約70回もの割合で全血漿が浄化されていることになる。

糸球体における濾過は，毛細血管圧（P_c），糸球体嚢（ボーマン嚢）内圧（P_b），毛細血管膠質（こうしつ）浸透圧（タンパク質による浸透圧）（π_c），糸球体嚢（ボーマン嚢）膠質浸透圧（≃0），糸球体濾過係数（糸球体膜の通りやすさ）（K）に依存し，

$$GFR = K(P_c - P_b - \pi_c)$$

で表される。糸球体膜は，4 nmほどの穴のあいたフィルターのような構造をしており，分子量の大きいタンパク質や血球成分，細菌などは通過できないが，それ以外の物質（水，電解質，グルコース，アミノ酸，尿素など）は，膜内外の圧力差により，ほとんど無選択的に透過する（限外濾過）。

腎臓が血漿からある物質を除去する機能は，

$$\text{クリアランス（mL/分）} = \frac{\text{物質の尿中濃度（mg/mL）} \times \text{尿量（mL/分）}}{\text{物質の血漿中濃度（mg/mL）}}$$

で表される。イヌリンは，糸球体で濾過された後，尿細管で再吸収も分泌もされず，そのクリアランス（イヌリンクリアランス）はGFRと等しくなる。臨床的には，体内にもともと存在する**クレアチニン**のクリアランス（**クレアチニンクリアランス**）からGFRを算出する。パラアミノ馬尿酸は，糸球体からの濾過と尿細管からの分泌によって血中からほぼ完全に除去され，そのクリアランスは腎血漿流量を表すのに用いられる。

2.2　尿細管・集合管における再吸収および分泌

糸球体で濾過された原尿は，尿細管，集合管を流れる間に，水をはじめとするさまざまな物質が再吸収され，最終的には 180 L もの原尿が 1 ～ 1.5 L の尿になる。また再吸収と同時に，体内で不要な物質が分泌される（図４－５）。

近位尿細管では，水や Na^+，Cl^-，K^+，Ca^{2+}，HCO_3^-などの電解質の 70 ～ 80%が再吸収され，グルコース，アミノ酸，わずかに漏出したタンパク質は，ほぼ 100%再吸収される。尿酸は，近位尿細管でほとんどが再吸収されるが，一方で濾過量と同程度の量が分泌されており，結果として濾過量の 10%程度の尿酸が尿中に排泄される。H^+，アンモニア（NH_3），ペニシリン・サルファ剤などの薬物，パラアミノ馬尿酸などは，近位尿細管で分泌される。

遠位尿細管，集合管では，水，Na^+，Cl^-，Ca^{2+}，HCO_3^-の再吸収，K^+，NH_3，H^+の分泌が行われており，尿の濃縮，組成の最終調整が行われる。

3. 体液の量・組成・浸透圧

体内の総水分量は，男性で体重の約 60%，女性で体重の約 55%を占める。この違いは，女性の身体の脂肪量が多いためで，除脂肪体重で比べれば，男女とも 72 ～ 73%が体内総水分量となる。体液の 2/3（体重の約 40%）は細胞の中（細胞内液），体液の 1/3（体重の約 20%）は細胞の外（細胞外液）にあり，細胞外液は，さらに管内細胞外液（血漿：体重の約 5%），管外細胞外液（組織液あるいは間質液，リンパ液：体重の約 15%），その他（消化液や脳脊髄液など）に分けられる。体内総水分量は年齢によって異なり，新生児では体重の 70 ～ 80%，高齢者では約 50%となる。

体外からは，水や食物として 1 日に 2,000 mL を超える水分が体内に入り，また代謝水として約 300 mL の水が生じているが，それと同じ量の水分が尿（約 1,500 mL），便（約 100 mL），不感蒸泄（皮膚，気道からの水の蒸発：約 900 mL）として体外に排泄されるため，水分出納のバランスが保たれ，体液量は常に一定に維持されている。

体液の電解質組成は，細胞外液はナトリウムが多く，細胞内液はカリウムが多い。これは，細胞膜にある Na^+-K^+ポンプのはたらきによる。

体液の浸透圧は，細胞の内外で差がなく，浸透圧濃度で表すと 280 ～ 290 mOsm/kgH_2O である。これは，0.9% NaCl 液（生理食塩水），5%グルコース溶液の浸透圧濃度とほぼ等しい。体液と同じ浸透圧の液を等張液，より高い浸透圧の液を高張液，より低い浸透圧の液を低張液という。細胞外液の浸透圧が変化すると，細胞内外の浸透圧のアンバランスを是正しようとして，細胞外液が高張になった場合には細胞内から細胞外へ，細胞外液が低張になった場合には細胞外から細胞内へ，水が移動する。

4. 腎に作用するホルモン・血管作動性物質

腎臓は，尿中への水分排泄量と Na^+排泄量を増減させることにより，体液の量と浸透圧を調節している。体液の浸透圧は，主として抗利尿ホルモン（バソプレシン）

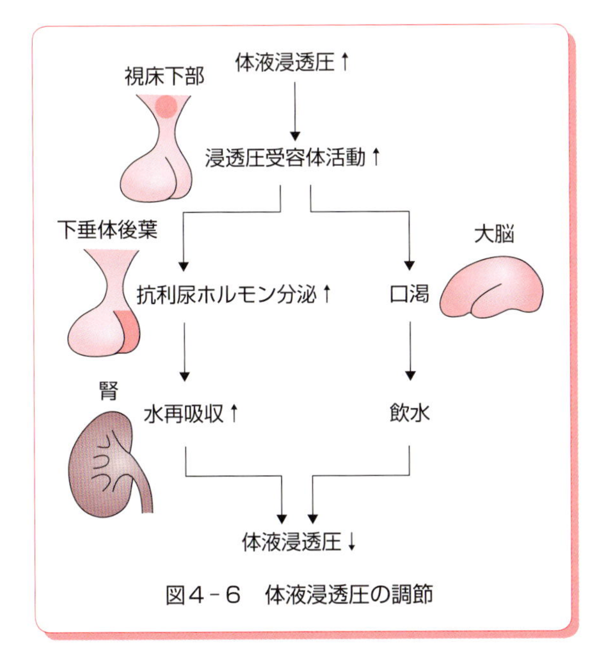

図4－6　体液浸透圧の調節

による腎集合管からの水分再吸収により調節されている（図4－6）。体液の量の調節は，抗利尿ホルモンによる水分再吸収に加えて，**レニン-アンギオテンシン-アルドステロン系**（p.68，第3章「7.2 循環の調節」参照）や**心房性ナトリウム利尿ペプチド**による Na^+ 再吸収量の調節が関与している（図4－7）。

4.1　抗利尿ホルモン（antidiuretic hormone：ADH，バソプレシン）

血漿浸透圧が高値になると，間脳視床下部にある浸透圧受容体が感知し，口渇感を生じて飲水を起こさせると同時に，下垂体後葉から抗利尿ホルモン（ADH）を分泌させる（図4－6）。ADHは，腎集合管のADH受容体（バソプレシン受容体，V_2 受容体）を介して水の再吸収を促進し，体液の浸透圧をもとに戻すようにはたらく。また，血管平滑筋の受容体（V_1 受容体）を介して血管を収縮させるが，この作用は生理的濃度では弱い。

4.2　心房性ナトリウム利尿ペプチド（atrial natriuretic peptide：ANP）

細胞外液量が増大すると，心房にある容量受容体がこれを感知し，心房筋からナトリウム利尿ペプチド（ANP）が分泌される。ANPは，血管拡張作用を有し，血圧を低下させるとともに，腎臓にはたらいてナトリウム再吸収を抑制し，ナトリウムの排泄とそれに伴う利尿を促進する。また，視床下部に作用し，ADHの分泌を抑制する。

5.　電解質調節

5.1　ナトリウムの調節

Na^+ は細胞外液中の主要な陽イオンであり，その含有量（血中濃度135～149 mEq/L）により，体液の量・浸透圧が規定される。糸球体で濾過された Na^+ の99%以上が，近位尿細管，ヘンレ係蹄上行脚，遠位尿細管，集合管で再吸収され，尿へは経口摂取量とほぼ等しい量の Na^+ が排泄される。体液の状況に応じた Na^+ 再吸収量の増減は，遠位尿細管の一部や集合管における最終的な再吸収量に依存しており，主としてアルドステロンにより調節されている。

5.2　カリウムの調節

K^+ は細胞内液中の主要な陽イオンであり，細胞の興奮性と密接に関連している。K^+ の血中濃度（3.5～4.9 mEq/L）は，尿中への排泄のほか，インスリンやアルカロー

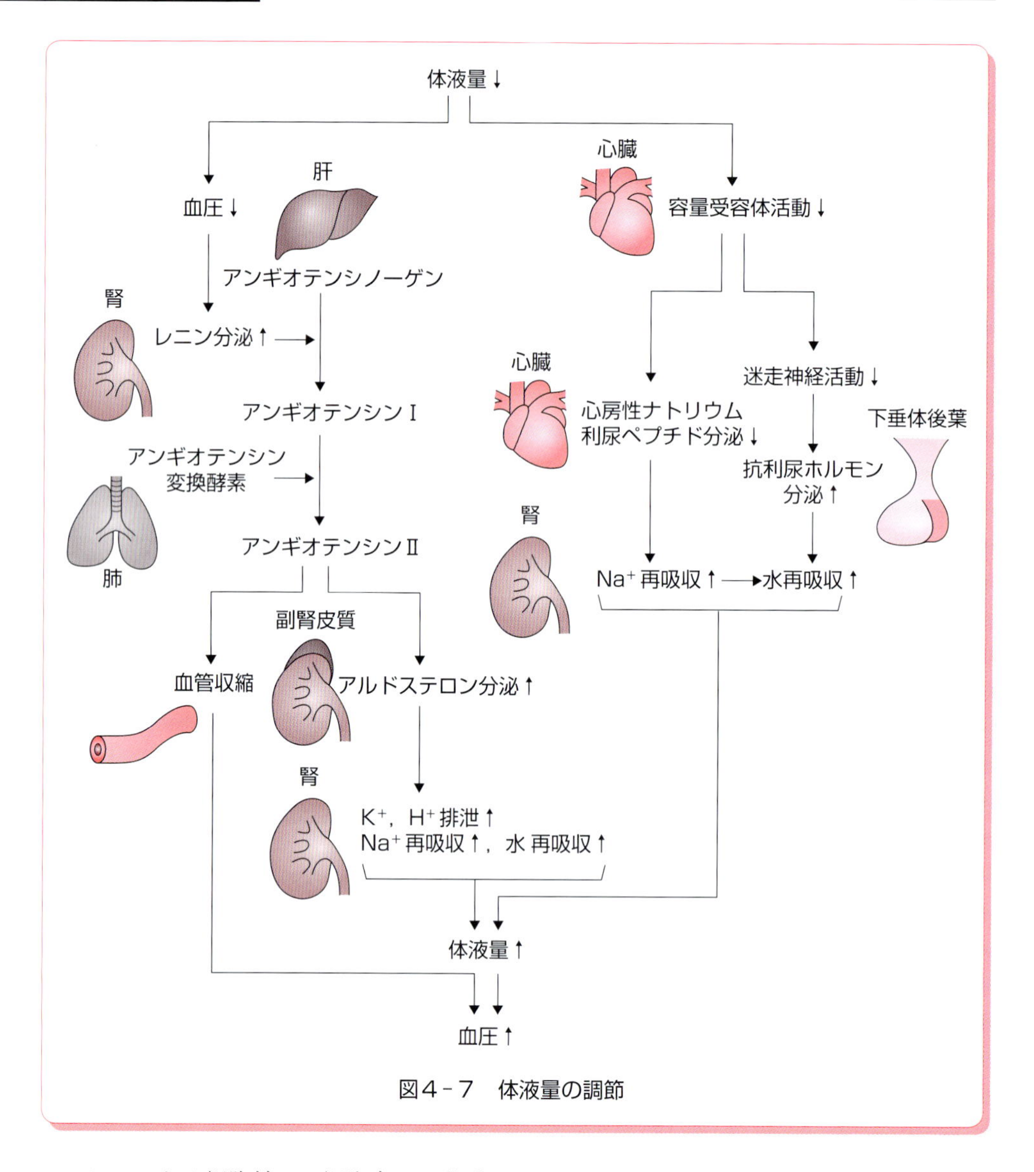

図４-７　体液量の調節

シスによる細胞外 → 細胞内への移動，アシドーシスによる細胞内 → 細胞外への移動などにより調節されている。腎臓では，糸球体で濾過された K^{+} の 70 ～ 80%が近位尿細管で再吸収され，遠位尿細管・集合管では分泌される。

5.3　カルシウムの調節

体内の Ca^{2+} の 99%は骨に存在し，血液中のカルシウムは 8.5 ～ 10.5 mg/dL である。Ca^{2+} は，近位尿細管，ヘンレ係蹄上行脚，遠位尿細管，集合管で 95%以上が再吸収される。Ca^{2+} の調節には，副甲状腺ホルモン（パラソルモン），カルシトニン，活性型ビタミン D が関与しているが，副甲状腺ホルモンは，遠位尿細管での Ca^{2+} の再吸収を促進する。また，副甲状腺ホルモンは，腎臓でのビタミン D 活性化を促進し，活性型ビタミン D が腸管からの Ca^{2+} 吸収を増進させることにより，血中 Ca^{2+} 濃度が上昇する。骨代謝においては，副甲状腺ホルモンは骨吸収促進，カルシトニンは骨吸収抑制にはたらき，それぞれ血中 Ca^{2+} を上昇，低下させる。

6. 代謝性アシドーシス・アルカローシス

体液の pH は，常に一定の範囲内（正常値：pH 7.35 ～ 7.45）に保たれている。これを酸塩基平衡という。体内では，代謝に伴って日々多量の酸が産生されているが，これらの酸は，一部は二酸化炭素（CO_2）の形で肺から，残りは非揮発性酸として腎臓から排泄され，酸塩基平衡が保たれている。

腎臓から排泄される酸の量は，尿細管から分泌される H^+ に依存する。分泌された H^+ は，①糸球体で濾過された重炭酸イオン（HCO_3^-）と結合し，その再吸収にあずかるもの，②リン酸塩などと結合し，滴定酸として尿中に排泄されるもの，③アンモニア（NH_3）と結合し，アンモニウムイオン（NH_4^+）を形成して尿中に排泄されるものなどがあり，尿中に排泄される H^+ の量は，② ＋ ③ － ① で表される。①の系で，HCO_3^- と H^+ の結合により生じた炭酸（H_2CO_3）は，二酸化炭素（CO_2）と水（H_2O）に分解され，CO_2 は近位尿細管で再吸収されて重炭酸緩衝系に再利用される。

血液の pH が正常より低下した状態をアシドーシス，正常より上昇した状態をアルカローシスといい，腎臓の障害や代謝異常によって生じる場合を，呼吸に起因するものと区別して（p.141，第 7 章「4. 呼吸性アシドーシス・アルカローシス」参照），代謝性アシドーシス・アルカローシスと呼ぶ（表 4 － 2）。代謝性アシドーシスは，腎不全や糖尿病ケトアシドーシス，乳酸アシドーシスなどで生じ，代謝性アルカローシスは，嘔吐による塩酸の喪失，低カリウム血症に伴う H^+ の細胞内移動などで生じる。いずれの場合も呼吸による代償作用がはたらき，アシドーシスでは換気の促進による CO_2 排出亢進，アルカローシスでは換気の抑制による CO_2 排出低下が起こり，pH を正常範囲に戻そうとする。

表4－2　アシドーシス・アルカローシスの病態

	病　態	pH の異常	代償性変化
代謝性アシドーシス	HCO_3^- ↓	pH ↓	Pco_2 ↓
代謝性アルカローシス	HCO_3^- ↑	pH ↑	Pco_2 ↑
呼吸性アシドーシス	Pco_2 ↑	pH ↓	HCO_3^- ↑
呼吸性アルカローシス	Pco_2 ↓	pH ↑	HCO_3^- ↓

7. 腎・尿路系の疾病

急性・慢性糸球体腎炎：**急性糸球体腎炎**は，主に A 群 β 溶血性連鎖球菌（溶連菌）などによる上気道感染後，約 2 週間で発症する。溶連菌の抗原と，それに対する抗体が免疫複合体を形成し，糸球体に沈着することで，糸球体が障害される。血尿，タンパク尿，浮腫などを認め，3 ～ 10 歳くらいの学童期に好発する疾病である。急性糸球体腎炎は比較的予後がよいが，中には 1 年以上にわたってタンパク尿や血尿が認められ慢性糸球体腎炎に移行する例もある。**慢性糸球体腎炎**は，急性糸球体腎炎から移行する場合もあるが，IgA 腎症など無症状で経過するものが多い。

ネフローゼ症候群：高度のタンパク尿と低タンパク（アルブミン）血症をきたす症

候群であり，浮腫や高コレステロール血症を認める。原因は多岐にわたり，腎疾患による一次性と，糖尿病や膠原病などの全身疾患に伴う二次性に分類される。治療は，安静，減塩，タンパク質制限，高エネルギー食とし，薬物療法は副腎皮質ステロイドが中心になる。

急性・慢性腎不全：腎臓の機能が低下し，体液の恒常性が維持できなくなった状態を腎不全といい，急性と慢性がある。**急性腎不全**では，数時間または数日という短期間で急激な腎機能低下が起こる。原因からは，脱水やショックなどに伴う腎血流低下で起こる腎前性腎不全，血管障害や腎毒性物質などによる腎実質の障害で起こる腎性腎不全，結石や腫瘍などによる尿路の閉塞で起こる腎後性腎不全に分けられる。**慢性腎不全**は，原因疾患は問わず，残存ネフロン数が低下し，数か月以上にわたって腎機能が不可逆的に障害された状態をいう。

糖尿病腎症：糖尿病が進行し，5年以上の長期にわたって高血糖の状態が続くと，細小血管病変による糸球体の硬化が起こる。初期には微量アルブミン尿を認め，進行すると持続性タンパク尿を認めるようになり，腎不全に至る。わが国の透析導入原因疾患の第1位を占める。

慢性腎臓病（chronic kidney disease：**CKD**）：腎障害を，予防から早期発見，そして治療まで一貫して扱えるように提唱された概念で，腎障害の所見（尿異常（特にタンパク尿），画像診断，血液所見，病理所見）と糸球体濾過量（GFR）の低下（60mL以下/分/1.73 m^2）とのいずれかまたは両方が，3か月以上持続する状態である。CKDの重症度は，GFRの低下とタンパク尿（アルブミン尿）の組み合わせによって分類され，その重症度に応じた診療計画が定められている。

血液透析，腹膜透析：腎不全で，腎臓本来のはたらきができなくなり尿毒症症状を呈すると，老廃物を除去するために透析療法を行う必要がある。透析には，血液透析と腹膜透析があり，毎年約3万人が新たに透析に導入されているが，その約97％は血液透析を行っている。**血液透析**は，血液を体外に取り出し透析膜を通して，血液から不要な老廃物や過剰な水を除去し，ブドウ糖など必要なものを取り入れる方法である。**腹膜透析**は，自己の腹腔内に透析液を入れて，腹膜を透析膜として体内で透析を行う方法である。

参考文献

・佐伯由香，細谷安彦，高橋研一，桑木共之編訳：『トートラ人体解剖生理学』，丸善出版（2011）
・内山安男，相磯貞和監訳：『Ross 組織学』，南江堂（2010）
・松村讓兒：『人体解剖ビジュアル』，医学芸術社（2005）
・伊藤隆：『解剖学講義』，南山堂（2001）
・河田光博，樋口隆：『シンプル解剖生理学』，南江堂（2004）
・Thomas H. McConnell & Kerry L. Hull：Human Form, Human Function，Lippincott Williams & Wilkins，Philadelphia（2011）
・Barbara Herlihy：The Human Body in Health and Illness, ELSEVIER, Missouri（2011）
・Harold Ellis & Vishy Mahadevan：Clinical Anatomy, Wiley-Blackwell, Oxford（2007）
・本郷利憲ほか監修，小澤瀞司ほか編集：『標準生理学』，医学書院（2005）
・大地陸男：『生理学テキスト』，文光堂（2010）
・問田直幹ほか編集：『新生理学』，医学書院（1982）
・猪狩淳，中原一彦編集：『標準臨床検査医学』，医学書院（2009）
・T. C. Ruch and H. D. Patton：Physiology and Biophysics II：Circulation, Respiration and Fluid Balance，W. B. Saunders Company，Philadelphia（1974）

■練習問題■

問題１　泌尿器系に関する記述である。正しいのはどれか。

(1)　左右の腎臓は同じ高さにある。
(2)　腎臓は皮質と髄質とに分けられる。
(3)　腎小体は片側の髄質中に約 50 万個存在する。
(4)　腎小体は糸球体と尿細管からなる。
(5)　アルドステロンはカリウムの再吸収を促進する。

問題２　泌尿器系に関する記述である。正しいのはどれか。

(1)　アミノ酸は糸球体濾過膜を通過しない。
(2)　ヘンレ係蹄は遠位尿細管と集合管の間に位置する。
(3)　１本の集合管には複数の尿細管が合流する。
(4)　健常成人の糸球体では 1 日に約 20 L の原尿がつくられる。
(5)　水の再吸収は集合管では行われない。

問題３　腎臓の機能に関する記述である。誤っているのはどれか。

(1)　体液の浸透圧と酸塩基平衡を維持する。
(2)　レニンを分泌する。
(3)　尿生成の最小単位であるニューロンを形成している。
(4)　ビタミン D の活性化に関与している。
(5)　バソプレシンにより，水の再吸収を行う。

第5章

内分泌器官と分泌ホルモン

内分泌系は，体内受容器，内分泌腺（細胞），生物活性物質（ホルモン），血液循環，標的器官（受容体）などからなり，神経系とともに生体機能を調節している。

1. 内分泌系の概要

1.1 内分泌腺

特定の生理作用を持つ物質を合成・放出する細胞の群集を腺という。その物質が導

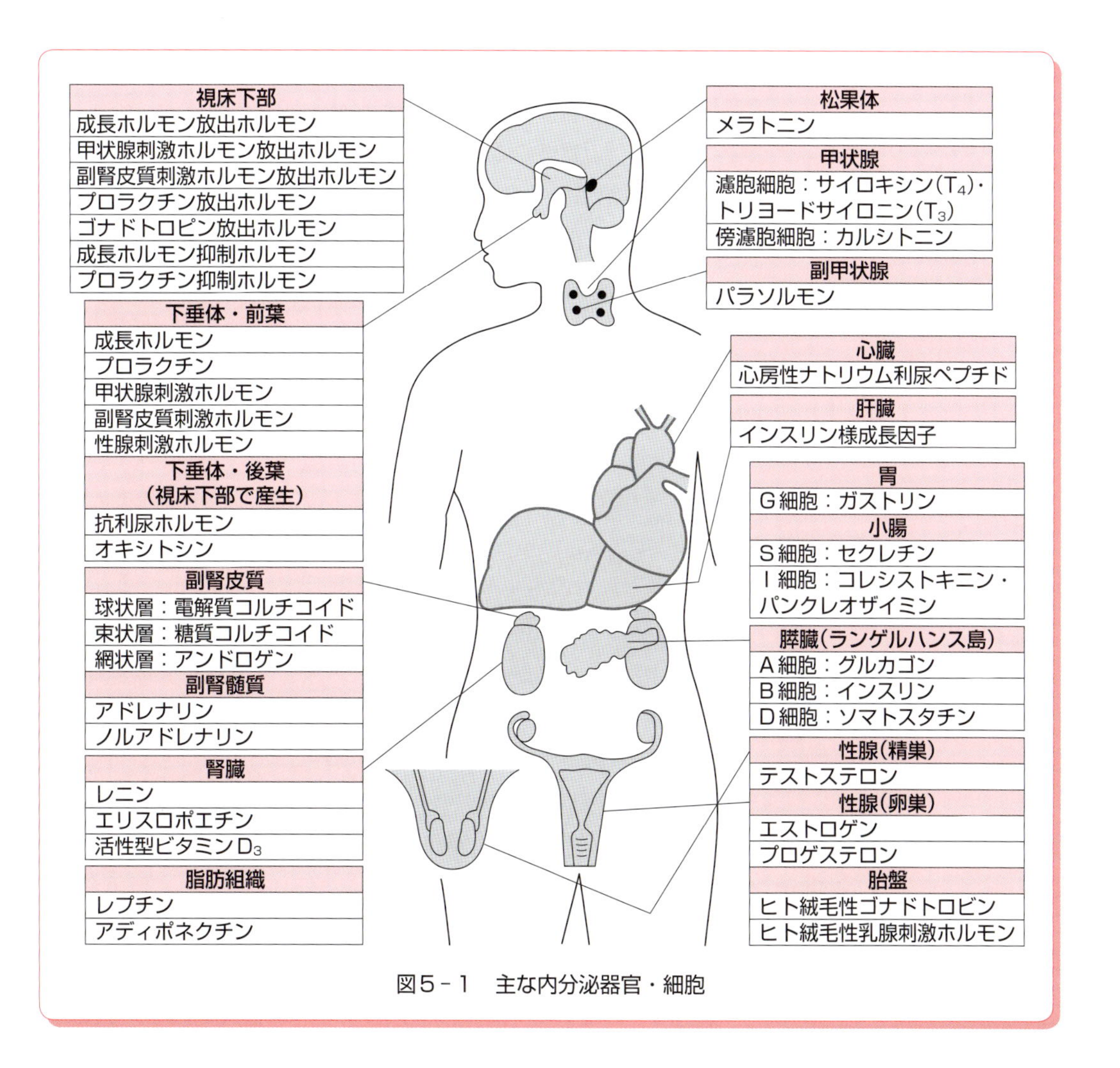

図5－1　主な内分泌器官・細胞

管を介して体外（消化管，気道，皮膚・粘膜表面など）に分泌される場合，それを外分泌腺，導管を介さずに血管系を介して体内に分泌される場合，それを内分泌腺という。内分泌器は，分泌細胞と毛細血管とから構成される。内分泌腺には，独立した器官を形成するものと，他の器官内に混在するものがある。独立した内分泌腺としては，下垂体・松果体・甲状腺・副甲状腺・副腎があり，器官内の一部に内分泌細胞が群集して存在するものとしては，膵蔵のランゲルハンス島や性腺の細胞がある。その他，内分泌細胞が組織内に散在するものとしては，消化管，腎臓，心臓および脂肪組織の内分泌細胞，視床下部ホルモン分泌細胞などがある。下垂体と膵臓では，分泌物（ホルモン，後述）を輸送する専用の血管系である門脈を有する。

主要な内分泌腺の体内の分布を図５－１に示す。

1.2　内分泌系調節の特徴

生体を構成する各組織・器官が調整のとれたはたらきをするには個々の細胞の機能を目的のために統制・調節する必要があり，神経系と内分泌系という二大調節系が協調的に機能している。内分泌とは，体内の特異的な細胞（内分泌腺）で生成・貯蔵される物質（ホルモン）が，刺激に応じて血管内に直接分泌され，血液循環で運ばれて特異的受容体を持つ標的器官（細胞）に結合して，特定の応答を誘起する液性の調節系である。内分泌系は神経系と比べて情報伝達速度は遅いが，血流により遠隔部位にホルモンを到達させ，持続的で広範囲の調節を果たすので，生体機能のうち①内部環境の恒常性維持，②エネルギー代謝，③発育・成長，④性の分化・生殖などの調節を行う。

1.3　ホルモンの分類

ホルモンは化学構造から，①ペプチドホルモン（水溶性ホルモン），②ステロイドホルモン（脂溶性ホルモン），③アミノ酸誘導体ホルモン（水溶性，脂溶性ホルモンが混在）の３群に分類される。

①ペプチドホルモンは，最大のホルモン群で，視床下部ホルモン，下垂体ホルモン，副甲状腺ホルモン，膵島ホルモン，消化管ホルモンが含まれる。②ステロイドホルモンは，コレステロールから合成されるホルモンで，副腎皮質ホルモンや卵巣ホルモン・精巣ホルモンなどの性ホルモンがこれに属する。③アミノ酸誘導体ホルモンには，副腎髄質ホルモン，甲状腺ホルモンなどが含まれる。

2.　内分泌系の構造と機能

2.1　ホルモンの作用機序

（1）標的細胞でのホルモンの作用機序

①　ペプチドホルモン（水溶性ホルモン）　細胞膜に存在する受容体と結合して作用を発揮するが，細胞内へのホルモン情報伝達系には４つの様式がある。すなわち，

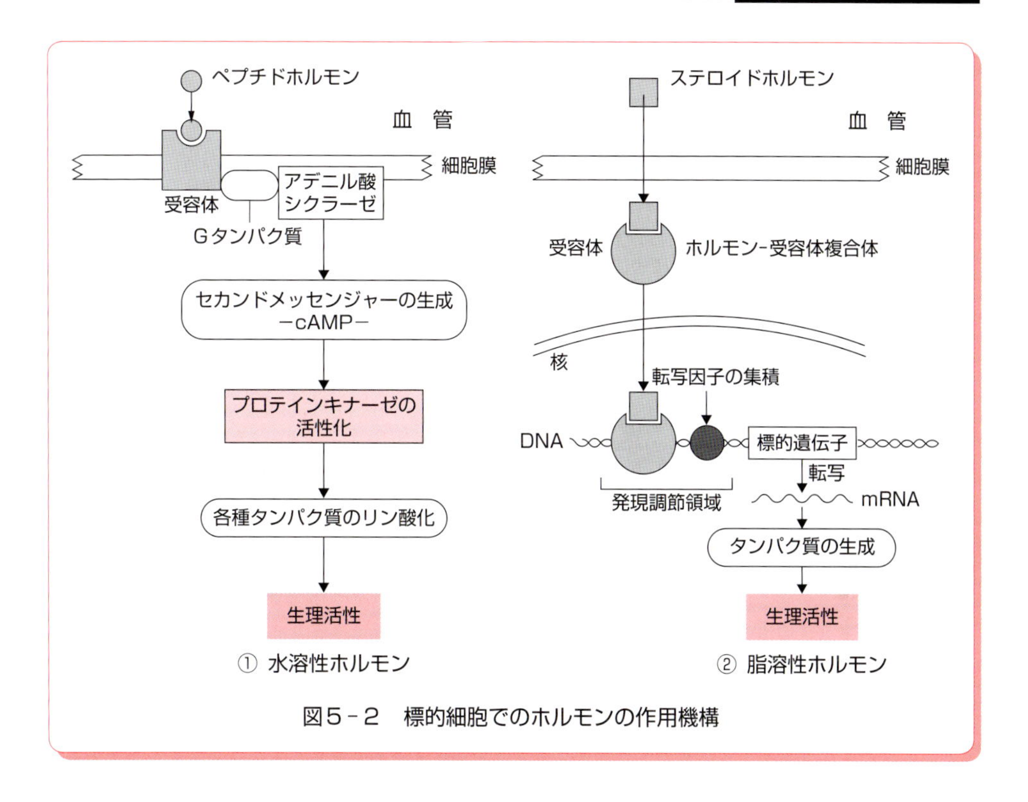

図5－2 標的細胞でのホルモンの作用機構

①アデニル酸シクラーゼ系，②イノシトールリン脂質系，③チロシンキナーゼ系，④グアニル酸シクラーゼ系である。それらのうち アデニル酸シクラーゼ系では，ホルモン（第１メッセンジャー）の情報伝達に膜結合性のアデニル酸シクラーゼが関与し，この酵素活性が上昇するとサイクリック AMP（cAMP）（第２メッセンジャー）の細胞内濃度が上昇し，cAMP 依存性タンパク質キナーゼが活性化され，細胞内代謝が進行し生理作用を表す（図５－２－①）。

② ステロイドホルモン（脂溶性ホルモン）　細胞膜を通過し細胞内に入り，標的遺伝子の転写を制御する核受容体（グルココルチコイドでは細胞質内受容体）に結合する。受容体は，転写制御因子でもあるので，特定の遺伝子の転写を促進することとなる（図５－２－②）。

③ アミノ酸誘導体ホルモン　構造により異なり，甲状腺ホルモン（脂溶性）は細胞核内の受容体に作用し，副腎髄質ホルモン（水溶性）は細胞膜の受容体に作用する。

（2）ホルモン分泌調節の機序

① 階層的調節　内分泌には上位の器官と，それに支配される下位器官の関係がある。例えば，副腎皮質ホルモンの分泌は，下垂体前葉からの副腎皮質刺激ホルモン（ACTH）により調節される一方で，ACTH の分泌は視床下部から分泌される ACTH 放出ホルモン（CRH）によって制御されている（図５－３）。

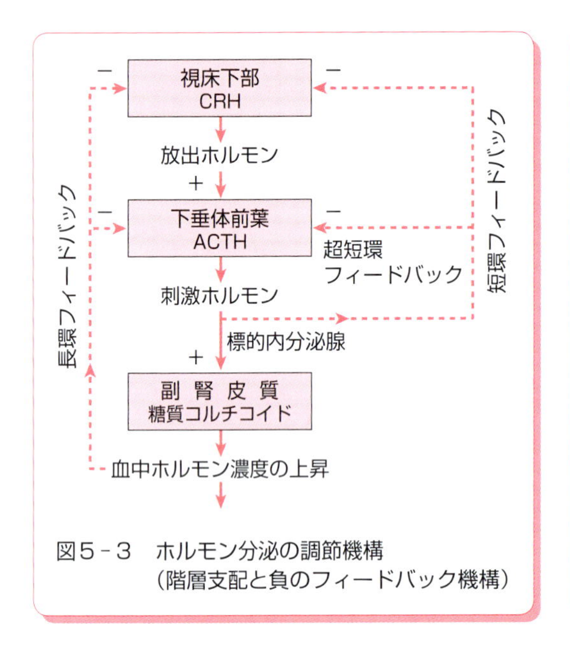

図５－３　ホルモン分泌の調節機構
（階層支配と負のフィードバック機構）

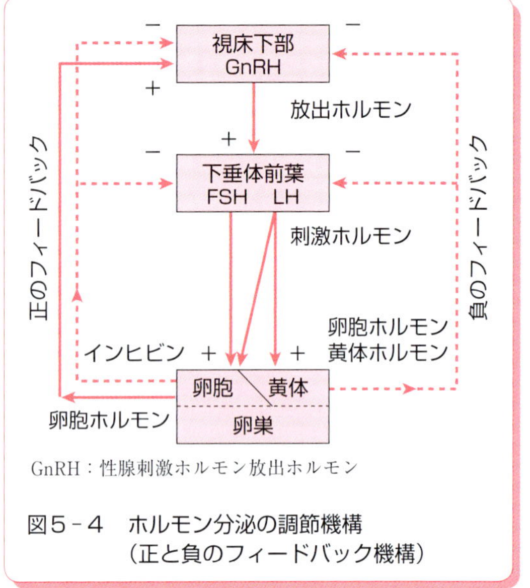

図５－４　ホルモン分泌の調節機構
（正と負のフィードバック機構）

② フィードバック機構による調節

ⅰ 負のフィードバック調節：上位の内分泌腺からの刺激ホルモンが下位の内分泌腺のはたらきを促進し，その結果下位内分泌腺ホルモンの血中濃度が過度に増加した場合には，その情報が上位内分泌腺に抑制的にはたらく。例として，下垂体から分泌される ACTH の血中濃度が高まると，副腎皮質ホルモンの分泌が促進するが，血中の副腎皮質ホルモン濃度が過剰になると，ACTH 分泌は抑制され，さらには上位の視床下部から分泌される CRH の合成・分泌までも抑制される。負のフィードバック調節には，長い経路を持つ長環フィードバックと短い経路を持つ短環フィードバックがある（図５－３）。

ⅱ 正のフィードバック調節：下位ホルモンの分泌増加が上位ホルモンを刺激して分泌増加を促す調節機構である。例として，卵胞期後半に卵巣から卵胞ホルモンが大量に分泌され，その刺激により下垂体からの黄体形成ホルモン（LH）分泌が急激に上昇（LH サージ）して排卵が引き起こされる（図５－４）。

③ **視床下部による調節**　視床下部は自律神経の最高中枢であるとともに内分泌機能を調節する中枢でもある。視床下部ホルモンは下垂体を直接支配し，間接的にほかの内分泌腺に影響を及ぼすので，これにより神経系と内分泌系が統合され，相互に連絡を維持する。

④ **自律神経による調節**　副腎髄質，膵臓，消化管などの内分泌は自律神経による調節を受ける。例えば，インスリン分泌は迷走神経の影響を受けている。

⑤ **血液成分の濃度変化による調節**　血液成分の変化が直接に内分泌腺に作用する場合がある。例えば，血中 Ca イオン濃度減少は副甲状腺ホルモン（PTH）分泌を増加させる。

⑥ 生体リズム　内分泌には時刻，季節などによる変動が認められる場合がある。例えば，成長ホルモンの分泌は夜間の睡眠に強く影響される。

2.2 視床下部–下垂体ホルモン

(1) 視床下部–下垂体の構造

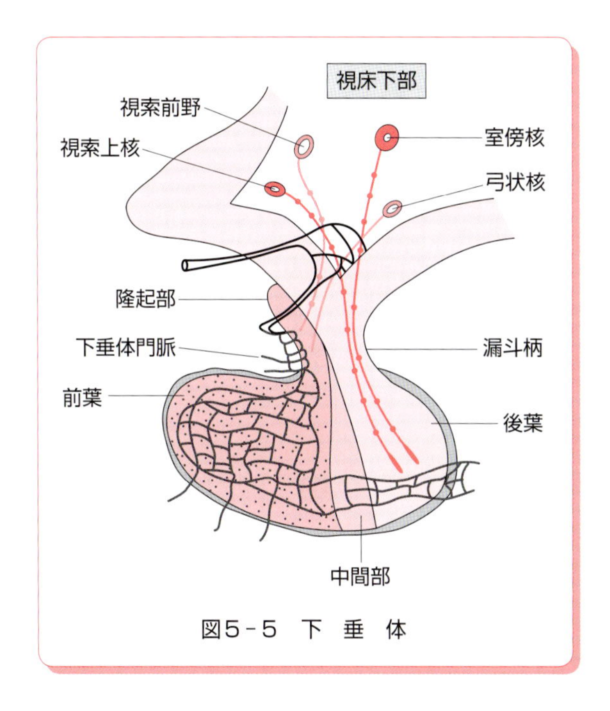

図5-5　下　垂　体

下垂体は頭蓋底にあるトルコ鞍の内部に位置するそら豆状の構造物である（図5－5）。視床下部の下方に位置する下垂体は腺下垂体と神経下垂体とからなる。腺下垂体は視床下部と下垂体門脈によって連絡しており，神経下垂体は視床下部から直接神経線維を受けている。腺下垂体は**下垂体前葉**，神経下垂体は**下垂体後葉**と呼ばれる（図5－5）。

視床下部ホルモンは，下垂体前葉ホルモンの分泌を調節し，**放出ホルモン**（releasing hormone，RH），と**抑制ホルモン**（release-inhibiting hormone，RIH）とがある（下垂体前葉ホルモンの分泌の促進と抑制）。下垂体前葉ホルモンには，成長ホルモン（GH），プロラクチン（乳腺刺激ホルモン；PRL），甲状腺刺激ホルモン（TSH），副腎皮質刺激ホルモン（ACTH），卵胞刺激ホルモン（FSH），黄体形成ホルモン（LH）がある。FSH と LH を合わせて性腺刺激ホルモン（ゴナドトロピン；GnH）という。下垂体後葉ホルモンは，視床下部の室傍核および視索上核で合成された神経分泌性ホルモンである。下垂体後葉ホルモンにはバソプレシン（抗利尿ホルモン；ADH）とオキシトシンがある。下垂体前葉ホルモンは合成および分泌ともに下垂体前葉で行われるが，下垂体後葉ホルモンは分泌のみ下垂体後葉で行われる。

(2) 視床下部ホルモン

下垂体前葉放出ホルモンと抑制ホルモンは下垂体門脈系に分泌され，下垂体前葉に送られる（**視床下部－下垂体系**）。下垂体後葉ホルモンは，視床下部の神経細胞で合成され，軸索輸送により神経細胞の末端に運ばれて血中に放出される（**神経分泌**）。

(3) 下垂体ホルモン

下垂体は前葉，中葉と後葉からなり，それぞれが異なるホルモンを分泌している。

1) 下垂体前葉ホルモン

他の内分泌腺の機能を刺激する上位ホルモンが多いが，標的器官に直接作用するホルモンも分泌される。視床下部からの促進ホルモン・抑制ホルモンにより制御されている。いずれもペプチドホルモンである。

① **成長ホルモン（growth hormone；GH）**　標的器官に直接作用する場合と間接的に肝臓にはたらきかけ，ソマトメジンC（インスリン様成長因子−1；IGF−1）を分泌させ，それが標的器官に作用する場合がある。

ⅰ 成長に関する作用：幼児期に長骨の骨端軟骨部に作用し骨成長を促進する。

ⅱ 代謝調節に関する作用：糖質，タンパク質，脂質の代謝を促進する。a. タンパク質合成を促進し，体タンパク質を増加，脂質含量を減少させるので，身長を伸ばし，臓器や筋肉の体積を増し，身体の発育を促す。b. 肝臓のグリコーゲン分解を促進し，血糖値を上昇させる抗インスリン作用がある。c. 貯蔵脂肪の分解を促し，血漿遊離脂肪酸を増加させ，ケトン体を産生させる。

■調節：GH放出ホルモン（GHRH）により分泌を促され，GH抑制ホルモン（GIH）は分泌を抑制する（GHRHと相反性調節）。GH自身も，IGF−1も負のフィードバック調節により，GHの分泌を抑制する。

② **甲状腺刺激ホルモン（thyroid stimulating hormone；TSH）**　甲状腺を刺激し，甲状腺ホルモン（T_3とT_4，p.89参照）の合成・分泌を促す。

■調節　TSH放出ホルモン（TRH）により分泌を促され，甲状腺ホルモンにより負のフィードバック調節を受ける。

③ **副腎皮質刺激ホルモン（adrenocorticotropic hormone；ACTH）**　副腎皮質を刺激し，特に糖質コルチコイドの生成や分泌を促す。個体が侵襲を受けるときに分泌が増加する。

■調節　CRHにより分泌を促され，副腎皮質ホルモンにより負のフィードバック調節を受ける。

④ **性腺刺激ホルモン（gonadotropic hormone, gonadotropin；Gn）**　卵胞刺激ホルモンと黄体形成ホルモンがあり（性腺刺激ホルモン，ゴナドトロピンと総称），ともに男女性腺の発育と機能維持の作用をもつ。

ⅰ 卵胞刺激ホルモン（follicle stimulating hormone；FSH）：女性では卵巣の卵胞を発育・成熟させ，黄体形成ホルモンと協調して卵胞ホルモンの合成・分泌を促し，男性では精巣に作用して精細管の発育を促し，精子の形成・発育を刺激する。

ⅱ 黄体形成ホルモン（luteinizing hormone；LH）：間質細胞刺激ホルモン（interstitial cell stimulating hormone；ICSH）ともいう。女性では卵胞を刺激して排卵，黄体形成，黄体での黄体ホルモンの合成・分泌を促進する。男性では精巣の精細管間細胞を刺激して男性ホルモン（テストステロン）の産生を促し，FSHとともに精子形成に役割を果たす。

■調節　Gn放出ホルモン（GnRH）により分泌が促される。卵巣から分泌される卵胞ホルモン（特にエストラジオール）と黄体ホルモンの負のフィードバック調節で分泌が抑制される。月経開始から14日頃に，卵胞ホルモンの分泌が最大になり，卵胞ホルモンが視床下部にはたらきかけると，視床下部は下垂体前葉に指令して，LHを急激に大量に分泌させる（p.171，図９－８）。

⑤ 乳汁分泌刺激ホルモン（lactogenic hormone，プロラクチン（prolactin；PRL））　分泌は妊娠10週頃から上昇を開始，出産で急激に増加する。作用としては，a. 乳腺形成，乳児の吸乳刺激と相まって，乳汁生成・分泌（射乳反射）を刺激する。b. 卵巣，精巣に対するゴナドトロピン作用の抑制により妊娠中や授乳期の排卵抑制，授乳期の無月経に関与する。

■調節　吸乳刺激と相まって，プロラクチン放出ホルモン（PRH）により分泌を促される。プロラクチン抑制ホルモン（PIH）により抑制される。

２）下垂体中葉ホルモン

メラニン細胞刺激ホルモン（melanocyte stimulating hormone, MSH）が分泌される。皮膚組織中のメラニン細胞に作用して，メラニン顆粒を細胞内に拡散して体色を濃くする。

■調節　MSHの分泌は，MSH放出ホルモン（MRH）とMSH抑制ホルモン（MIH）により調節されている。

３）下垂体後葉ホルモン

① バソプレシン（vasopressin）（抗利尿ホルモン antidiuretic hormone；ADH）　a. **腎臓の遠位尿細管・集合管で水分の再吸収を促進**して尿量を減少させる。また，b. 末梢血管を収縮させて血圧を上昇させる。

■調節　血漿浸透圧上昇は分泌を促し，循環血液量減少（出血）は分泌を抑制する。

② オキシトシン（oxytocin）　a. 分娩に際して，子宮平滑筋に作用して収縮を促進する。b. 分娩後には乳腺の筋上皮を収縮させ，乳汁を射出させる（射乳反射）。

■調節　分泌は胎児が産道に入る刺激や射乳反射（皮膚・内分泌反射）で促される。

2.3　甲状腺ホルモン

（1）甲状腺の構造

甲状腺は，甲状軟骨の下で，喉頭下部から気管上部の両側面に位置する扁平な器官である（図５－６）。甲状腺は，組織学的に多数の球状の濾胞が認められ，濾胞は１層の**濾胞細胞**（甲状腺ホルモン（T_3，T_4）の分泌）とその内腔にはコロイド（甲状腺ホルモン前駆物質）で充満した濾胞腔が認められる。濾胞の外側にある**傍濾胞細胞**（C細胞）からは**カルシトニン**が分泌される（図５－７）。

（2）甲状腺ホルモンの作用機序

甲状腺ホルモンには，**サイロキシン**（thyroxine；T_4）と**トリヨードサイロニン**（triiodothyronine，T_3）とがあり，ともに分子内にヨウ素を含む。

作用としては，①基礎代謝亢進（熱産生・体温上昇が起こる），②タンパク質代謝の促進（骨格筋，肝臓，腎臓でのタンパク質合成を亢進させる），骨組織の代謝を亢進させる。③糖代謝では，腸管からのグルコース吸収，糖新生，肝グリコーゲン分解を促進

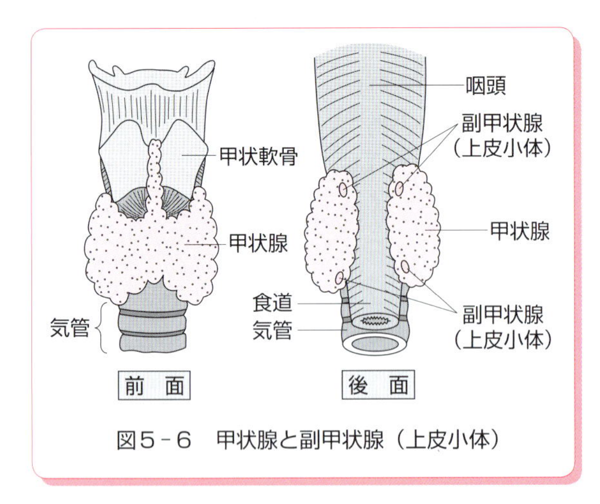

図５－６　甲状腺と副甲状腺（上皮小体）

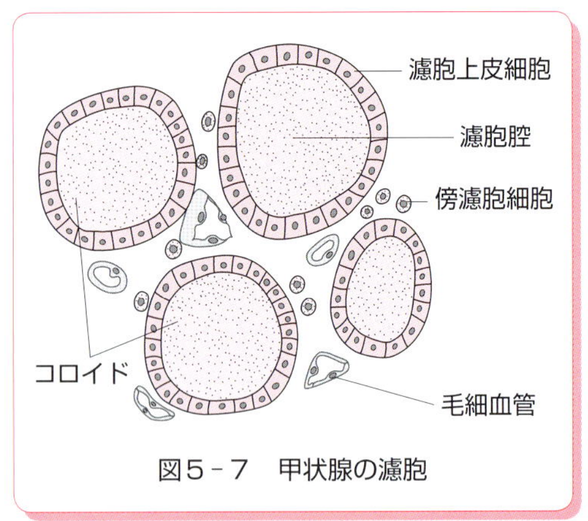

図５－７　甲状腺の濾胞

（血糖値上昇），組織の糖利用の促進にはたらく。④脂質分解増加（血中遊離脂肪酸の増加，脂肪酸の合成・酸化の亢進，全身のコレステロール低下），⑤発育促進（成長ホルモンの作用増強：許容作用），さらに，精神機能をも刺激する。T_4 と T_3 の作用には大きな差はないが，生理活性は T_3 のほうが T_4 よりも強い。血中の T_4 は肝臓，腎臓，その他の組織で T_3 に転換される。

▦調節　甲状腺ホルモンの合成，分泌は甲状腺刺激ホルモン（TSH）により促進され，逆に，TSH の分泌は甲状腺ホルモン濃度により負のフィードバック調節を受ける。寒冷刺激は，TRH－TSH 系（TRH：TSH 放出ホルモン）を介して甲状腺ホルモンの分泌を促す。

2.4　カルシウム代謝調節ホルモン

カルシウム代謝調節ホルモンには，甲状腺の傍濾胞細胞から分泌されるカルシトニンと甲状腺の背側に左右対称的に２個（計４個）ある米粒大の内分泌腺である副甲状腺（上皮小体）から分泌される副甲状腺ホルモン（パラソルモン；PTH）がある（図５－６）。

（1）副甲状腺（上皮小体）ホルモン：パラソルモン（parathormone；PTH）

副甲状腺主細胞で合成・分泌されるペプチドホルモンである。

作用としては，①血中の Ca イオン濃度が低下すると分泌され，骨芽細胞による Ca イオンの細胞外液への輸送を活性化し，破骨細胞による骨カルシウムの血中放出（骨吸収）を促進する。さらに，②腎臓の遠位尿細管から Ca イオンの再吸収を促進，リン酸塩の再吸収を抑制する。③ビタミン D 活性化（1, 25－ジヒドロキシコレカルシフェロール生成）を促進し，間接的に消化管からの Ca イオン吸収を促進する。

▦血中の Ca イオン濃度の調節：血中の Ca イオン濃度が上昇するとカルシトニンが分泌され，Ca イオン濃度が低下すると PTH 分泌が増加する〔骨の新陳代謝（骨のリモデリング）に関与する〕。

(2) カルシトニン (calcitonin)

甲状腺傍濾胞細胞で合成・分泌されるペプチドホルモンである。

作用は，①血中のCaイオン濃度が上昇すると分泌され，破骨細胞に直接作用して骨吸収機能を抑制し，また骨芽細胞に作用して骨形成を促すので，骨Caイオンの血中放出を抑制する。また，②腎尿細管にはたらきCaイオン排出を促進する。それらの結果，血中のCaイオン濃度を低下させる。

■調節　血中のCaイオン濃度が上昇すると分泌される。

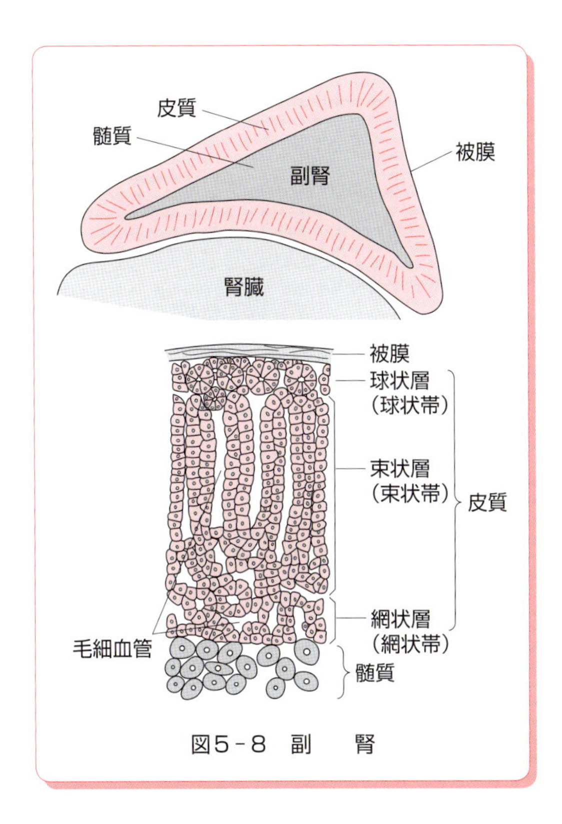

図5-8　副　　腎

2.5　副腎皮質・髄質ホルモン

(1) 副腎の構造

副腎は，左右腎臓の上端に位置する三角状の扁平な内分泌器官である。内側には**外胚葉由来の髄質**と，それを取り囲む**中胚葉由来の皮質**から形成されている。皮質は表面から**球状層**（**球状帯**），**束状層**（**束状帯**），**網状層**（**網状帯**）に分けられる。皮質からは下垂体からのACTHの刺激を受けて，コレステロール由来のステロイドホルモン（球状層から**電解質コルチコイド**（**アルドステロン**），束状層から**糖質コルチコイド**（**コルチゾール，コルチコステロン**），網状層から**副腎アンドロゲン**）が分泌される。髄質からは，**カテコールアミン**類が分泌される（図5－8）。

(2) 副腎皮質ホルモン

1) 電解質コルチコイド (mineral corticoid)

アルドステロン（aldosterone；ALD）とデオキシコルチコステロン（deoxycorticosterone）が分泌されるが，そのほとんどは強い生理活性をもつALDである。ALDは，腎臓の遠位尿細管・集合管，汗腺，唾液腺，消化管腺に作用して，Naイオン再吸収とKイオン排出を促進して細胞外液量と体液浸透圧の調節をする。

■調節　ALDの分泌は，①血中のNaイオン濃度低下，あるいはKイオン濃度上昇による直接作用を介して促進されるか，②間接的に，循環血液量減少，交感神経の興奮，血中のNaイオン濃度低下やKイオン濃度上昇などを介して分泌されるレニン－アンギオテンシン－アルドステロン系のアンギオテンシンⅡに基づく場合がある（血圧低下時の血圧上昇作用）。心臓から分泌される**心房性ナトリウム利尿ペプチド**（atrial natriuretic peptide）は，ALD分泌を抑制し，血液量を減少させ，血圧を低下させる。

2）糖質コルチコイド（glucocorticoid）

代表的なホルモンは，コルチコステロン（corticosterone），コルチゾール（cortisol）である。糖質だけでなく，タンパク質や脂質の代謝などにもはたらく。①糖質代謝：血糖値を上昇させる。肝臓での糖新生促進のために，筋肉など末梢組織でのアミノ酸，グルコースの取り込みを抑制，可能な限り多くのアミノ酸が糖新生の基質として利用できるようにする。②脂質代謝：脂肪細胞に作用して，グルコースの取り込みを抑制し，トリグリセリド（中性脂肪）合成を抑制し，大量のグリセロールと遊離脂肪酸を血中に放出する。グリセロールは肝臓に取り込まれ糖新生の基質となる。③抗炎症作用：免疫反応抑制にはたらく。また，ヒスタミン抑制，血管拡張抑制などのはたらきもする。④抗ショック作用：血液量維持，血圧低下抑制などの作用による。⑤カテコールアミン，グルカゴンなどの作用発現を助ける（許容作用）。

■調節　ACTHにより調節されている。血中コルチゾール濃度が高くなると負のフィードバック調節によりCRH，ACTHの合成・分泌は抑制される。

3）副腎アンドロゲン（adrenal androgen）

男性ホルモンは精巣から分泌されるが，副腎皮質から分泌される男性ホルモンは女性でも分泌されている。代表的な物質はデヒドロエピアンドロステロン（dehydroepiandrosterone；DHEA）である。副腎アンドロゲンは分泌後に末梢組織でアンドロステンジオン（androstenedione），テストステロン（testosterone），エストロゲン（エストラジオール；estrogens, estradiol）と変化することにより性ホルモンとして作用する。男性や閉経後の女性では重要なエストロゲンの源となる。

（3）副腎髄質ホルモン

1）アドレナリン（adrenaline）とノルアドレナリン（noradrenaline）

副腎髄質は，アドレナリン（エピネフリン；epinephrine，80%），ノルアドレナリン

表5-1　アドレナリンとノルアドレナリンの生理作用　赤字は特に重要な作用を示す。

生理作用		アドレナリン	ノルアドレナリン
循環機能	心拍出量	著しく増加	減少（反射性徐脈による）
	冠血流量	上昇	上昇
	末梢循環抵抗	減少	著しく上昇
	収縮期血圧	上昇	非常に上昇
	拡張期血圧	減少／不変	上昇
平滑筋	気管支拡張	強く拡張(弛緩)	やや拡張
	消化管運動	抑制（弛緩）	やや抑制
	瞳孔散大筋	強く収縮(散瞳)	収縮
代謝	血糖値上昇，インスリン分泌抑制	著しい	軽くあり
	基礎代謝	上昇	不変
	熱産生	著しく増大	あり
	遊離脂肪酸の放出	増加	著しく増加
中枢神経の刺激		強い	強い

（ノルエピネフリン；norepinephrine，20%）（これらをカテコールアミンと総称）を合成・分泌し，交感神経により調節されている。アドレナリンとノルアドレナリンはアドレナリン受容体（α-，β-）に作用するが，各受容体との親和性の相違により作用に差が認められる。すなわち，アドレナリンは糖質代謝促進と心機能促進作用が顕著で，ノルアドレナリンは末梢血管収縮と血圧上昇作用が顕著である（表５－１）。

2.6 膵島ホルモン

（1）膵臓の構造

膵臓には，３大栄養素のすべての消化酵素を含む膵液を分泌する外分泌組織と，血糖値調節作用を担うホルモンを産生する内分泌組織とがある。内分泌組織はランゲルハンス（Langerhans）島（膵島）といい，A（α）細胞（グルカゴン分泌），B（β）細胞（インスリン分泌），D（δ）細胞（ソマトスタチン分泌）が存在する（図５－９）。

（2）インスリン（insulin）

ランゲルハンス島のＢ細胞から分泌されるペプチドホルモンである。血中では，プロインスリンのＡ鎖とＢ鎖の連結部分であるCペプチドも測定されるが，インスリンとは抗原性が異なるので，インスリン注射を受けた患者では体外性のインスリンと内因性インスリンを区別する指標として測定される。

血糖値を下げるはたらきは，主にインスリンが骨格筋，脂肪組織，肝臓に作用し，糖質，タンパク質，脂質の合成を促進し，エネルギーの貯蔵を促進する同化促進・異化抑制の作用に基づいている。人体が分泌するホルモンの中で，血糖値を下げるはたらきを持つホルモンはインスリンのみである。①糖質代謝：グルコースの細胞内取り込みを促進（筋肉，脂肪組織など），グリコーゲン合成の促進（肝臓，筋肉など）や解糖を促進し，糖新生を抑制する（肝臓）。②脂質代謝：グルコースの脂質への変換を促し，脂肪酸・脂質の合成を促進，脂質の脂肪酸への分解を抑制する（肝臓や脂肪組織）。ケトン体の利用を増加させる（筋肉）。③タンパク質代謝：アミノ酸の細胞内取り込みを促進，タンパク質の合成を増加，分解を低下させる（肝臓）。

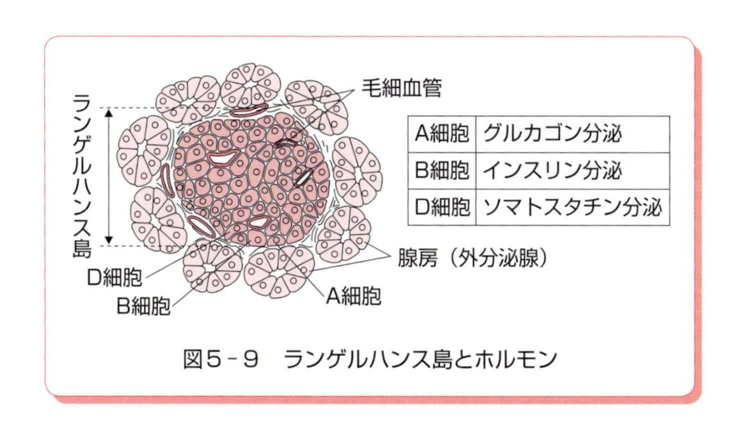

図５－９　ランゲルハンス島とホルモン

■調節　インスリンの合成・分泌を刺激する血中の生化学的調節因子としては，糖質（グルコース，マンノース），アミノ酸（特にアルギニン，ロイシン）などがある。分泌を刺激するホルモンとしてはグルカゴン，CCK-PZ，インクレチン（消化管ホルモン）などがあり，放出を抑制するホルモンとしてソマトスタチン，グレリンがあげられる。神経性調節としては，迷走神経が放出を刺激，交感神経が放出を抑制する。インスリンの不活化は肝臓と腎臓で行われる。

（3）グルカゴン（glucagon）

ランゲルハンス島のA細胞から分泌されるペプチドホルモンである。

①糖質代謝：肝臓での糖質代謝にはたらき，特に，グリコーゲン分解・糖新生を促し，血糖値を上昇させる。②脂質代謝：脂肪細胞での脂肪分解を促進し，血中遊離脂肪酸濃度を増加させる。その結果，肝臓でのケトン体生成が高まる。③タンパク質代謝：肝臓でのタンパク質分解を亢進し，遊離したアミノ酸は糖新生の材料となる。

■調節　分泌は低血糖により促進され，高血糖により抑制される。アミノ酸（特に糖原性アミノ酸）が刺激，遊離脂肪酸やケトンは抑制する。分泌を刺激するホルモンとしては，糖質コルチコイド，ガストリン　CCK-PZ，分泌を抑制するホルモンとしては，インスリン，ソマトスタチン，セクレチンがあげられる。膵臓支配の交感神経（β-受容体を介する）と副交感神経（迷走神経）の刺激により，ともにグルカゴン分泌は増大する。血糖値を上げるはたらきを持つホルモンには，グルカゴンのほかにも成長ホルモン，サイロキシン，糖質コルチコイド，アドレナリンなどがある。

（4）ソマトスタチン（somatostatin）

ランゲルハンス島のD細胞から分泌されるペプチドホルモンである。A細胞とB細胞に作用して，グルカゴンやインスリンの分泌をともに抑制する局所ホルモン（傍分泌作用）である。

2.7　性腺ホルモン

（1）性腺の構造

①**精　巣**　多くの精細管が束状になって認められる。精細管を埋める間質には**間質細胞（ライディッヒ細胞）**が存在し**テストステロン**を生成し分泌する。精細管内には分裂増殖過程の精細胞（精祖細胞，精母細胞，精子細胞）と精子と精細胞に栄養を与える**セルトリ細胞**が認められる（第9章　生殖器系の構造と機能参照）。

②**卵　巣**　外側の**皮質**と内側の**髄質**に分けられる。**皮質には成熟段階の卵胞（原始卵胞，成熟卵胞），黄体などが存在する**。卵胞から卵胞ホルモン（エストロゲン）が，黄体からは黄体ホルモン（プロゲステロン）が分泌される。髄質は血管組織で占められている（第9章　生殖器系の構造と機能参照）。

(2) 精　巣

1) テストステロン (testosterone)

精巣（間質細胞）から分泌される主なアンドロゲンは**テストステロン**で，標的細胞内でジヒドロテストステロンに変換される。

①思春期に男性性器を発育させ，②男性の第二次性徴の発現，精細管のセルトリ細胞に作用して精子の形成や成熟を促す。③基礎代謝を高め，タンパク質合成・同化を盛んにして骨格や筋を発達させ男性らしい骨格をつくる。女性ではエストロゲンがこの作用を持つ。また，エリスロポエチンの作用を増強して，骨髄での赤血球産生を刺激する。③胎児では精巣の陰嚢内への下降に必要である。

■調節：下垂体前葉の間質細胞刺激ホルモン（ICHS）により調節されている。

2) エストロゲン (estrogen)

精細管のセルトリ細胞から，少量の**エストロゲン**が分泌され精子の発育に関与する。

(3) 卵　巣

卵巣から分泌されるステロイドホルモンは，卵胞ホルモン（エストロゲン）と黄体ホルモン（プロゲステロン）で，少量のアンドロゲンも分泌される（p.171，図9－8）。

1) 卵胞ホルモン (エストロゲン，estrogen)

17β-エストラジオール，エストロン，エストリオールを**エストロゲン**と総称する。

①女性性器の発達促進：思春期女性の第二次性徴の発現，骨端軟骨板の閉鎖，乳管（乳腺）成長，卵胞の発育，子宮粘膜の増殖などの性器発育を促進する。②成熟女性では，卵胞期には子宮内膜に対して増殖期を誘起し，子宮筋の肥大，子宮粘膜の増殖，頸管の分泌増加，乳腺の発育などにより生殖機能の維持にはたらく。視床下部の性中枢を刺激し，発情運動を起こす。

■調節　FSH の分泌を抑制する。エストロゲンが多いと LH 分泌を抑制するが，非常に多いと分泌を促進する（p.171，図9－8）。

(4) 黄体ホルモン (プロゲステロン，progesterone)

①排卵に続いて分泌され，子宮粘膜に作用してエストロゲンとの協同の状態で分泌期をもたらし，受精卵の着床に備える。また，乳腺の発達を促す。②妊娠期においては妊卵（受精後8～9日間の受精卵）の発育，妊娠の維持にはたらく。体内で代謝されてプレグナンジオール（pregnanediol）に変化して尿に排出されるので，排出量から黄体機能を推測することができる。③中枢作用：呼吸中枢を刺激するので，黄体期，妊娠中では肺胞中の二酸化炭素分圧が低下する。また，体温調節中枢への作用により**基礎体温**をわずかに上昇させるので（0.5℃），基礎体温を測ることで排卵日を知ることができる。

■調節：下垂体前葉からの LH により分泌が促進される（p.171，図9－8）。

2.8　その他のホルモン

1）消化管ホルモン

消化管の粘膜上皮に散在する特定の内分泌細胞（基底顆粒細胞）で産生・分泌されるペプチドホルモンで，血液循環を介して消化液の分泌・運動などを調節する。このホルモンは消化物の化学的刺激，消化管の伸展収縮の機械的刺激により分泌される。消化管ホルモンの一部は中枢神経系や壁内神経叢にも見出され，神経伝達物質としての作用も考えられている。なお，消化管ホルモンの分泌には，近傍の細胞に直接作用するパラクリン型もある（例：ソマトスタチン）。

① ガストリン　胃幽門腺・十二指腸腺のガストリン分泌細胞（G 細胞）で産生され，胃粘膜の伸展，タンパク質分解物，迷走神経の刺激などにより分泌され，胃の塩酸とペプシン分泌促進や胃の運動促進にはたらく。膵液の分泌促進，胆嚢収縮のはたらきもある。

② セクレチン　十二指腸に酸性胃内容物が入ると，その刺激で十二指腸粘膜 S 細胞からの分泌が亢進し，水分・$NaHCO_3$ に富む膵液の分泌を促進し，胃酸分泌を抑制する。胆嚢収縮，胃運動抑制のはたらきもある。

③ コレシストキニン・パンクレオザイミン（CCK-PZ）　小腸内の脂質・タンパク質分解物の接触刺激により十二指腸粘膜 M 細胞から分泌され，消化酵素に富む膵液の分泌を促進する。さらに，胆嚢平滑筋の収縮を促進，十二指腸乳頭部括約筋を弛緩させる。

④ ソマトスタチン　消化管では，胃粘膜 D 細胞から分泌され，ガストリン，セクレチン，インスリン，グルカゴン等の分泌を抑制する。

その他，胃抑制ペプチド（GIP）や血管作用性小腸ペプチド（VIP），モチリン，エンテログルカンなど多くのホルモンも消化管の機能調節に関与する。

2）松　果　体

メラトニン（melatonin）を分泌する。メラトニンがメラトニン受容体に結合すると，睡眠誘発作用，生体時計調節作用（サーカディアンリズム）を起こす。

3）脂 肪 組 織

脂肪組織は，エネルギー貯蔵組織であるが，数多くの生理活性タンパク質（アディポサイトカイン）を産生分泌する組織であることが明らかにされている。

① レプチン　脂肪細胞から分泌されるペプチドホルモンで，その受容体は視床下部をはじめとする中枢神経，脂肪組織，卵巣，精巣，副腎，骨格筋などにも存在する。レプチンは視床下部で摂食抑制的にはたらく。さらに，視床下部で交感神経系を活性化して，エネルギー消費を亢進させ，体脂肪量の調節，飢餓への適応にはたらく。

② アディポネクチン　脂肪組織で産生される分泌性タンパク質（30 kDa）で，エネルギー消費と脂肪酸酸化の増大，インスリン感受性の改善などにはたらき，骨格筋と肝臓に受容体が分布している。ヒトの血中濃度は $5 \sim 10\,\mu g/mL$ に達する。メタボ

リックシンドローム（内臓脂肪症候群）の際，分泌が低下する

4）腎臓組織

① **レニン**　腎臓の傍糸球体組織から分泌される（ホルモン様）酵素である。血中の Na イオン濃度が低下する（血圧が低下する）と分泌され，アンギオテンシノーゲンをアンギオテンシンⅠに変換する酵素である。

② **エリスロポエチン**　低酸素状態（赤血球減少時）で，骨髄に作用して造血幹細胞の赤血球への分化・成熟を促し，血中の赤血球数を増加させる。

③ **活性型ビタミン D_3**　皮内で 7-デヒドロコレステロールが紫外線を受けてコレカルシフェロールが生成される。ビタミン D_3 は，まず肝臓で 25-ヒドロキシビタミン D_3($25OH$-D_3) になり，さらに腎臓で 1α 位が水酸化されて活性型の $1,25(OH)_2$-D_3 となる。活性型の $1,25(OH)_2$-D_3 は小腸からのカルシウムの吸収を高め，血中濃度を高める。また，腎臓に作用してカルシウムの血中から尿への移動を抑制する。骨から血中へのカルシウム放出を高める。

表5-2　内分泌器官とホルモン（まとめ）

ホルモンの化学構造　*P*：ペプチドホルモン，*S*：ステロイドホルモン，*A*：アミノ酸誘導体ホルモン

内分泌器官	ホルモン（略号）	標的器官（細胞）	生理作用
松果体	メラトニン　*A*	視交叉上核	サーカディアンリズムを調節
視床下部	成長ホルモン放出ホルモン（GHRH）　*P*	下垂体前葉	GH の合成・分泌促進
	プロラクチン放出ホルモン（PRH）　*P*		PRL の合成・分泌促進
	甲状腺刺激ホルモン放出ホルモン（TRH）　*P*		TSH・PRL の合成・分泌促進
	副腎皮質刺激ホルモン放出ホルモン（CRH）　*P*		ACTH の合成・分泌促進
	性腺刺激ホルモン放出ホルモン（GnRH）/（LHRH，FSHRH）　*P*		LH，FSH の合成・分泌促進
	成長ホルモン抑制ホルモン（GIH），〔ソマトスタチン（SS）〕*P*		GH の分泌抑制
	プロラクチン抑制ホルモン（PIH），ドパミン（DA）　*P*		PRL の分泌抑制
下垂体 前葉	成長ホルモン（GH）　*P*	体組織一般・骨端軟骨，筋肉／肝細胞	①骨の成長促進，②タンパク質合成促進，③血糖値上昇，④体脂肪動員，⑤肝 IGF-1 産生・分泌促進
	プロラクチン（乳汁分泌刺激ホルモン）（PRL）*P*	乳腺（分娩時），卵巣，中枢神経	①乳汁産生・分泌促進，②排卵抑制，③母性行動の促進
	甲状腺刺激ホルモン（TSH）　*P*	甲状腺濾胞細胞	甲状腺ホルモン（T_3，T_4）の産生・分泌促進
	副腎皮質刺激ホルモン（ACTH）*P*	副腎皮質細胞	副腎皮質ホルモン，特に糖質コルチコイドの産生・分泌促進

表5-2　内分泌器官とホルモン（まとめ）　（つづき）

内分泌器官	部位	ホルモン（略号）	標的器官（細胞）	生理作用
下垂体	前葉	性腺刺激ホルモン（ゴナドトロピン）：卵胞刺激ホルモン（FSH）　*P*	女性：卵胞 男性：精巣	初期卵胞発育・排卵誘発，エストロゲン分泌促進 精子形成促進
下垂体	前葉	性腺刺激ホルモン（ゴナドトロピン）：黄体形成ホルモン（LH）　*P*	女性：黄体	①卵母細胞の成熟，②排卵誘起，③黄体形成促進，④プロゲステロン分泌促進
下垂体	前葉	性腺刺激ホルモン（ゴナドトロピン）：間質細胞刺激ホルモン（ICSH）　*P*	男性：間質細胞（精巣）	アンドロゲン分泌促進
下垂体	中葉	メラニン細胞刺激ホルモン（α-MSH，β-MSH）　*P*	メラニン保有細胞	皮膚メラニン細胞のメラニン合成促進
下垂体	後葉	バソプレシン（VP）〔抗利尿ホルモン（ADH）〕　*P*	腎臓（集合管上皮細胞），血管	①水再吸収の促進（水分保持） ②血管収縮作用（血圧上昇）
下垂体	後葉	オキシトシン（OXY）　*P*	子宮平滑筋 乳腺	①子宮筋収縮，②乳汁排出促進，③射乳促進（授乳時）
甲状腺	濾胞細胞	サイロキシン（T_4）　*A* トリヨードサイロニン（T_3）　*A*	体組織一般	①基礎代謝亢進（熱産生・体温維持），②タンパク質合成促進，③グリコーゲン分解促進（血糖値上昇），脂肪分解促進（血中遊離脂肪酸増加），④健常な発育促進（GH の補助）
甲状腺	傍濾胞細胞	カルシトニン（CT）　*P*	骨・腎臓・腸管	血中カルシウム（Ca）値低下作用，①骨 Ca の血中放出抑制，②破骨細胞機能抑制，③腎からの Ca 排出促進
副甲状腺		パラソルモン（PTH）〔上皮小体ホルモン〕　*P*	骨・腎臓・腸管	①骨 Ca を血中に遊離，②腎からの Ca 再吸収促進，③ビタミン D 活性化促進，小腸から血液への Ca 取り込み促進→血漿 Ca 値増加，血漿リン酸値減少
消化管	胃	ガストリン　*P*	胃，膵臓，胆嚢	胃酸・胃液分泌促進，胃の運動促進，膵液分泌・インスリン分泌促進
消化管	小腸	セクレチン　*P*	膵臓外分泌腺	膵液（重炭酸）分泌促進，胃液分泌抑制
消化管	小腸	コレシストキニン・パンクレオザイミン（CCK-PZ）　*P*	膵臓，胆嚢，中枢神経系	膵酵素液分泌促進 / 胆嚢収縮オッディ括約筋弛緩，中枢作用
膵ランゲルハンス島	A細胞	グルカゴン　*P*	肝臓，膵臓，脂肪組織	①血糖上昇，肝グリコーゲン分解，糖新生，②脂肪分解（血中遊離脂肪酸値上昇），③インスリン分泌促進
膵ランゲルハンス島	B細胞	インスリン　*P*	肝臓，筋肉，脂肪組織，多くの組織	①血糖降下，②グルコース・脂肪酸・アミノ酸の取り込み，グリコーゲン・タンパク質・脂質合成促進
膵ランゲルハンス島	D細胞	ソマトスタチン（SS）　*P*	膵ランゲルハンス島内分泌細胞	グルカゴン・インスリン・消化管ホルモンの分泌抑制，消化管運動抑制
肝臓		インスリン様成長因子（IGF-I）〔ソマトメジン C〕　*P*	骨端軟骨・筋肉	成長促進，分化促進，インスリン様の同化作用
心臓		心房性ナトリウム利尿ペプチド（ANP）	腎糸球体輸入動脈	腎遠位尿細管のナトリウム（Na）再吸収の抑制，血管拡張
副腎	皮質	電解質コルチコイド（アルドステロン）　*S*	腎臓，膵液腺，乳腺，汗腺	① Na・水の保持，カリウム（K）の排出促進，細胞外液量の増加，血圧上昇

表5－2　内分泌器官とホルモン（まとめ）　（つづき）

内分泌器官	ホルモン（略号）	標的器官（細胞）	生理作用
副腎 皮質	糖質コルチコイド（コルチゾル，コルチコステロン） S	体組織一般，肝臓，筋肉，脂肪組織	①肝の糖新生促進，血糖上昇，タンパク・脂肪異化，②抗炎症作用，③抗ストレス作用，④カテコールアミン（血圧上昇作用）を補助，⑤グルカゴン（血糖値上昇作用）を補助
副腎 皮質	副腎アンドロゲン S	女性（男性）性腺，皮膚	女性（男性）性腺の発育，二次性徴発現
副腎 髄質	アドレナリン A	心・血管系，筋肉，肝臓，多くの組織	①心機能亢進，②血糖値上昇，③血中遊離脂肪酸値上昇，④代謝亢進／熱産生
副腎 髄質	ノルアドレナリン A	心・血管系，筋肉，肝臓，多くの組織	①末梢血管収縮による血圧上昇，②血中遊離脂肪酸値上昇，③熱産生
腎臓	レニン P	アンギオテンシノーゲン	タンパク分解酵素，アンギオテンシンⅠを生成，アルドステロン分泌促進，血圧上昇
腎臓	エリスロポエチン P	骨髄赤芽球	骨髄の赤血球系の分化・増殖促進
腎臓	活性型ビタミン D_3 S	腸管，腎遠位尿細管	腸管からのCa吸収促進，腎遠位尿細管でのCa再吸収促進
脂肪組織	レプチン P	視床下部	食欲の抑制，エネルギー代謝の亢進，体脂肪量の調節
脂肪組織	アディポネクチン P	肝臓，筋肉，脂肪組織	インスリン感受性の亢進，動脈硬化抑制作用
性腺 卵巣	卵胞ホルモン〔エストロゲン：エストラジオール，エストリオール，エストロンなど〕 S	卵巣，子宮，乳腺	①女性二次性徴の発現，卵胞の発育，②子宮内膜の増殖，乳腺の発育
性腺 卵巣	黄体ホルモン〔プロゲスチン（プロゲステロンなど）〕 S	子宮粘膜，乳腺多くの組織	①受精卵の着床，②妊娠の成立・維持，③排卵の抑制，④乳腺腺房細胞の発育，⑤基礎体温の上昇
性腺 卵巣	リラキシン P	子宮，恥骨結合	子宮弛緩，恥骨結合弛緩
性腺 卵巣	アンドロゲン（微量） S		
性腺 精巣	男性ホルモン（テストステロン） S	精巣，多くの組織	①男性二次性徴の発現，②男性副生殖器の発達促進・機能維持，精子形成，③同化作用促進，筋肉の発育
性腺 精巣	卵胞ホルモン・黄体ホルモン（微量） S		
胎盤	ヒト絨毛性ゴナドトロピン（hCG） P	妊娠黄体	黄体プロゲステロン合成促進 妊娠黄体の生成
胎盤	ヒト絨毛性乳腺刺激ホルモン（hCS） P	乳腺	妊娠時の乳腺発育，泌乳作用
胎盤	卵胞ホルモン・黄体ホルモン（多量） S レニン，リラキシン，アンドロゲン		

3. 内分泌系の疾病

甲状腺機能亢進症・低下症：**甲状腺機能亢進症**は，甲状腺ホルモンの合成・分泌が亢進した状態で，原因としてはバセドウ病が最も多い。バセドウ病は若年女性に多くみられ，甲状腺刺激ホルモン（TSH）の受容体に対する自己抗体によって，甲状腺ホルモンが過剰に分泌され，びまん性甲状腺腫大，頻脈，動悸，発汗過多，手指振戦，食欲亢進，下痢，体重減少，眼球突出などの症状を認めるようになる。**甲状腺機能低下症**は，甲状腺ホルモンの作用不足によるもので，原因としては慢性甲状腺炎（橋本病）が大半を占める。慢性甲状腺炎は，甲状腺に対する自己抗体による甲状腺の破壊が原因で，成人女性に多くみられる。甲状腺機能が低下すると，倦怠感，四肢や顔面の浮腫，無気力，寒がり，便秘，皮膚乾燥，嗄声などの症状が認められる。先天性の甲状腺機能低下症はクレチン症と呼ばれ，知能低下と発達障害をきたす。新生児のマススクリーニングの対象疾患で，早期発見して甲状腺ホルモンを補充することが重要である。

原発性アルドステロン症：副腎皮質由来の腺腫あるいは過形成からのアルドステロンの過剰分泌によって，高血圧，低カリウム血症，低レニン血症をきたす疾患である。アルドステロンの作用により，腎臓でのナトリウムの再吸収が促進され，ナトリウムと水が貯留し循環血液量が増加して高血圧をきたす。全高血圧患者の5～10%が原発性アルドステロン症と推定されている。

クッシング症候群：副腎皮質で産生される糖質コルチコイド（コルチゾール）の過剰分泌によってさまざまな全身症候を呈する疾患である。原因としては，副腎腫瘍（腺腫が多い）からのコルチゾール過剰分泌によるものが多く，それ以外には，下垂体腺腫からの副腎皮質刺激ホルモン（ACTH）過剰分泌によるもの（**クッシング病**），下垂体以外の臓器の腫瘍（肺小細胞癌が多い）から異所性にACTHが分泌されるもの，そして治療などで長期に副腎皮質ステロイドの投与を受けたものなどがある。満月様顔貌，中心性肥満，水牛様脂肪沈着，皮膚菲薄化，赤紫色皮膚線条などの特徴的な身体所見（クッシング徴候）に加えて，高血圧，耐糖能異常，骨粗鬆症，月経異常などを合併する。

褐色細胞腫：副腎髄質あるいは傍神経節細胞から発生するカテコールアミン（アドレナリン，ノルアドレナリン）産生腫瘍で，高血圧，高血糖，頭痛，発汗過多，体重減少をきたす。

副甲状腺機能亢進症：主に副甲状腺の良性腫瘍（腺腫）からの副甲状腺ホルモン（PTH）の過剰分泌によって発症する。PTHによる骨吸収促進作用，腎臓でのカルシウム再吸収促進作用およびリンの排泄促進作用により，高カルシウム血症，低リン血症，骨粗鬆症，尿路結石をきたす。

先端巨大症：下垂体腺腫からの成長ホルモンの分泌過剰によって起こり，手足の容積増大，特徴的な顔貌，発汗過多，高血圧，糖尿病，睡眠時無呼吸症候群などをきたす。

尿崩症：下垂体後葉からのバソプレシン（ADH）の分泌低下によって尿の濃縮力が障害され，口渇，多飲，多尿をきたす。

糖尿病：インスリンの作用不足による慢性の高血糖状態が持続することにより，さまざまな合併症をきたす疾患である。膵臓からのインスリン分泌の絶対的不足による1型糖尿病と，肥満などによるインスリン抵抗性（インスリンの効果が減弱した状態）が前面に出る2型糖尿病に分類される。無症状のことが多いが，著しい高血糖状態では，口渇，多飲，多尿，体重減少などの症状を認める。

参考文献

・荒木英爾編著：『N ブックス解剖生理学』，建帛社（2010）
・小池五郎編著：『新栄養士課程講座解剖生理学』，建帛社（1998）
・佐藤昭夫，佐伯由香編集：『人体の構造と機能　第2版』，医歯薬出版（2006）

■練習問題■

問題1　内分泌器官とホルモンの組み合わせである。誤っているのはどれか。
(1)　下垂体前葉―プロラクチン　(2)　甲状腺―カルシトニン
(3)　ランゲルハンス島―インスリン　(4)　副腎皮質―アドレナリン
(5)　松果体―メラトニン

問題2　ホルモンに関する記述である。誤っているのはどれか。
(1)　成長ホルモンは糖代謝にも関与し，血糖を上昇させる。
(2)　パラソルモン（PTH）は血中カルシウム濃度を上昇させる。
(3)　バソプレシン（ADH）は水分の再吸収を行う。
(4)　糖質コルチコイドは糖新生をさかんにする。
(5)　サイロキシンは基礎代謝を低下させる。

問題3　ホルモンと主な標的臓器の組み合わせである。正しいのはどれか。
(1)　アドレナリン―心臓　(2)　黄体ホルモン―胃　(3)　プロラクチン―腎臓
(4)　バソプレシン―子宮　(5)　グルカゴン―骨

第6章

神経系の構造と機能

神経系は生体が全体として調和のとれたはたらきができるように，各器官のはたらきを素早く調節する役割を担う。神経系は中枢神経系と末梢神経系から構成される（図6－1）。

中枢神経系は脳頭蓋内にある脳と脊柱管内にある脊髄よりなる（図6－2）。末梢神経系は解剖学的には脳から出る12対の脳神経と脊髄から出る31対の脊髄神経よりなり，機能的には骨格筋を支配してからだの運動を司る体性神経系と血管や内臓器官を支配している自律神経系（交感神経，副交感神経）に分類される。

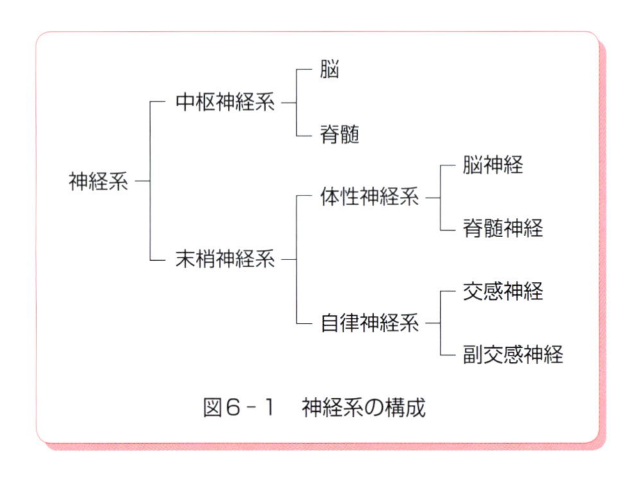

図6－1　神経系の構成

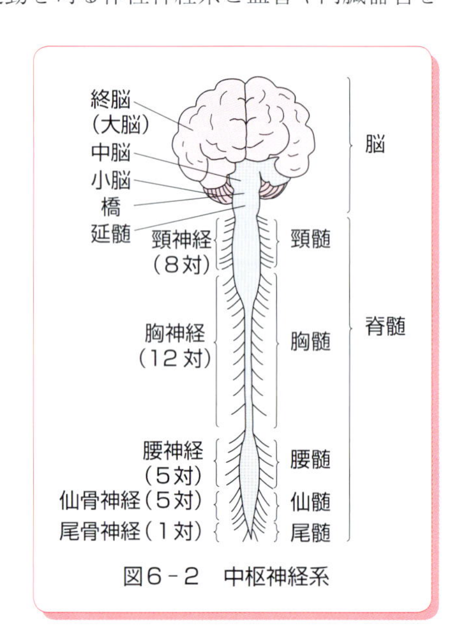

図6－2　中枢神経系

1．神経系の構造

1.1　神経細胞

ニューロン（神経単位）を形成する。神経細胞体，樹状突起，軸索（神経突起）からなる。神経細胞体は核小体の明瞭な細胞核を1つ持ち，細胞質には虎斑物質（ニッスル小体）がある。一般的な神経細胞は木の枝のように分岐した多数の樹状突起と，非常に長い1本の軸索（神経突起）という突起を持つ。軸索の先端にはシナプスがあり，シナプス小胞内の神経伝達物質により神経細胞の興奮を次の神経細胞に伝える（p.13，図1－7参照）。

1.2　神経膠細胞（グリア細胞）

神経系には，神経を支持するための神経膠（こう）細胞（グリア細胞）が多く存在する。代表的な神経膠細胞であるシュワン細胞は，神経細胞が周囲の他の組織と直接接触しないように，軸索を絶縁する。シュワン細胞が軸索を何重にも同心円状に取り巻いて，髄鞘を形成する。これを有髄線維という。有髄線維にはところどころに一定のくびれが存在する。これをランビエの絞輪という。髄鞘を持たない神経線維を無髄線維という（p.13，図1－7参照）。

・星状膠細胞：中枢神経系で血管と神経細胞の間に介在し，物質交換を調節している細胞
・希突起膠細胞：中枢神経系で髄鞘を形成する細胞
・小膠細胞：中枢神経系で貪食能を持つ細胞
・上衣細胞：脳室表面をおおっている
・外套細胞（衛星細胞）：末梢神経系で，神経節内の神経細胞をおおっている。中枢神経系の星状膠細胞と同じ役割をしている
・シュワン細胞：末梢神経系で髄鞘を形成する細胞

1.3　中枢神経系の構造

中枢神経系では，神経細胞体が存在する灰白質と神経線維でつくられる白質がある。また，灰白質と白質が混在する領域を網様体という。

中枢神経系は脊髄と脳に分かれ，脳は延髄，橋，中脳，小脳，間脳，終脳に区分する。また，延髄，橋，中脳を脳幹と呼ぶ（図6－3）。

（1）脊髄の構造

脊髄は太さ0.8～1.4 cm，長さ約40～45 cmの細長い円柱形をなし，脊柱管に入っている。上端は錐体交叉，下端は第1～第2腰椎の高さで終わる。脊髄には上肢と下肢に神経を出す部分が太くなり，その部分をそれぞれ頸膨大と腰膨大という。脊髄は31の髄節が連なったもので，頸髄（8髄節），胸髄（12髄節），腰髄（5髄節），仙髄（5髄節），尾髄（1髄節）からなる。

脊髄の腹側には深い溝の前正中裂，背側には浅い溝の後正中溝がある。前正中裂の両側には前根が出る前外側溝が，また，後正中溝の両側には後根が出る後外側溝がある。

脊髄の皮質は白質で，髄質は灰白質である。白質は前外側溝と後外側溝により前索，側索，後索に分けられる。この脊髄皮質の白質には上行性（感覚性）および下行性（運動性）の伝導路がある。灰白質は前角（柱），側角（柱），後角（柱）からなる。前角および側角には運動性ニューロンの細胞質や介在ニューロンが存在する。後角には感覚性ニューロンが存在する。灰白質の中央には中心管がある。中心管は脳脊髄液で満たされており，周囲は上衣細胞におおわれている（図6－4）。

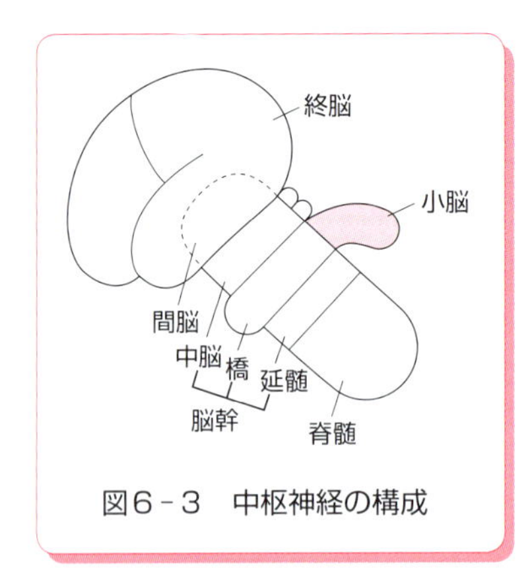

図６－３　中枢神経の構成

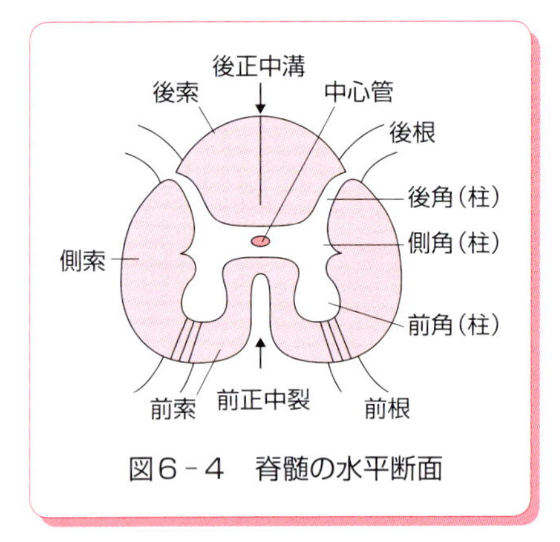

図６－４　脊髄の水平断面

（２）脳幹の構造

延髄，橋，中脳からなる（図６－５，図６－６）。

延髄の腹側には前正中裂があり，その両側に隆起があり錐体という。錐体の中を皮質脊髄路（錐体路）が下行する。前正中溝は延髄の下端で浅くなり，錐体交叉を形成するここで皮質脊髄路の2/3が左右交差する。錐体の外側には前外側溝をへだててオリーブという楕円の隆起がある（図６－５）。オリーブ内には小脳へ入力線維を送る鋸状のオリーブ核がある。延髄の中央部には上行性の内側毛帯と延髄網様体がある。延髄の背側には後正中溝があり菱形窩（第４脳室底）の下端に終わる。延髄後面は菱形窩の下半分（下窩）を占め，疑核，迷走神経背側核，舌下神経核，副神経核，孤束核などの脳神経核がならぶ（図６－７，図６－８）。

橋の腹側は橋底部と呼ばれる白質の隆起がある。橋底部は左右の中小脳脚を形成し小脳に入る。橋底部の中央には同名の動脈が走る脳底溝という浅い縦溝がある。

橋底部の内部には上下に走る白質（皮質脊髄路）と左右に走る白質〔橋（核）小脳路〕が交差し，その間に灰白質（橋核）が散在している。橋の背側は菱形窩の上半分（上窩）を占め，三叉神経核，顔面神経核，外転神経核，前庭神経核，蝸牛神経核などの脳神経核がならぶ。また橋の中央部は内側毛帯，外側毛帯，橋網様体などがある（図６－９）。

中脳の腹側には大きな２つの大脳脚がある。大脳脚の内部には皮質脊髄路が走る。背側には４つの隆起（四丘体）がある。上方の１対は上丘と呼ばれ，視覚に関与する中継核があり，視蓋とも呼ばれている。また下方の１対は下丘と呼ばれ，聴覚路の中継核がある。上丘は上丘腕で外側膝状体と連絡し，下丘は下丘腕で内側膝状体と連絡する。

中脳の内部には中心灰白質があり，その中央を中脳水道が縦走し，第３脳室と第４脳室をつないでいる。下丘レベルには滑車神経核や上小脳脚があり，上丘レベルには赤核，黒質，動眼神経核などがある（図６－10）。

（3）小脳の構造

小脳半球と虫部に分ける。小脳表面は水平に走る小脳溝と小脳回におおわれている。小脳の皮質は灰白質でできている。皮質は外側から分子層，プルキンエ細胞層，顆粒層の３層構造をなしている。髄質は大部分が白質で，灰白質の小脳核（図６－９）がある。

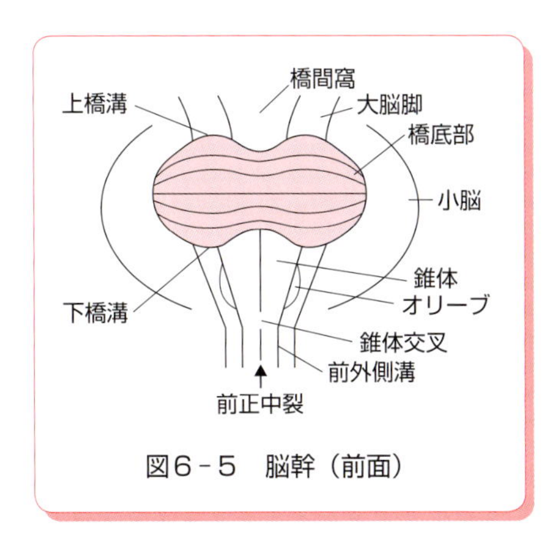

図６－５　脳幹（前面）

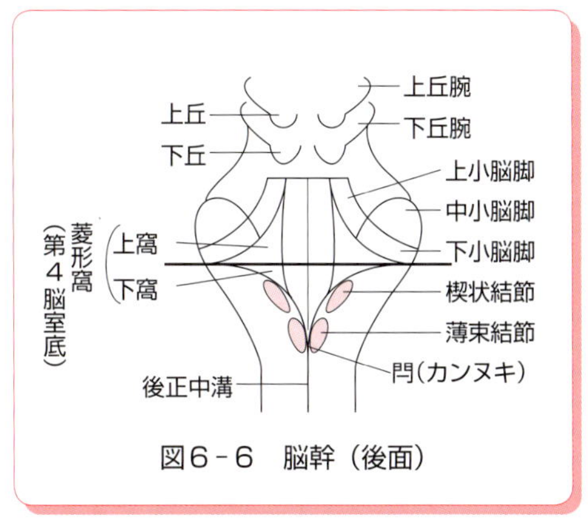

図６－６　脳幹（後面）

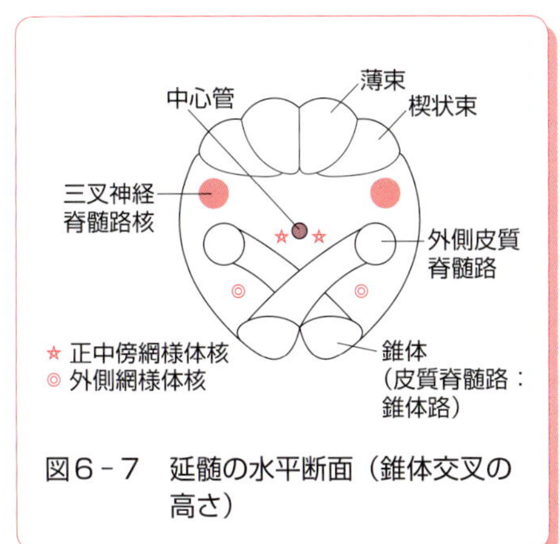

図６－７　延髄の水平断面（錐体交叉の高さ）

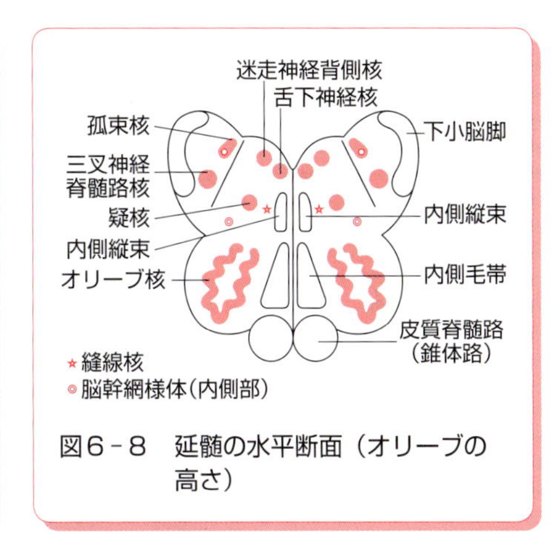

図６－８　延髄の水平断面（オリーブの高さ）

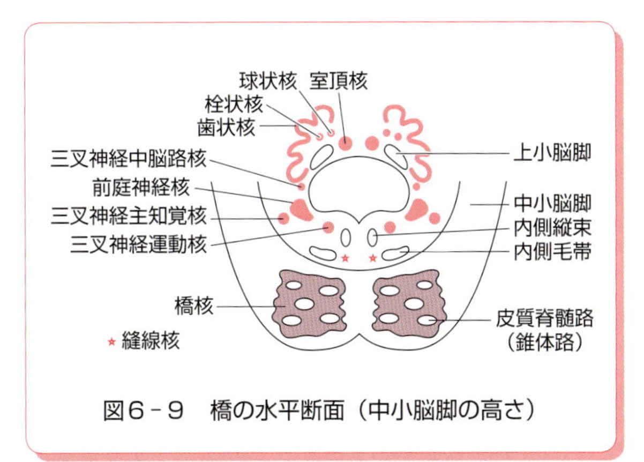

図６－９　橋の水平断面（中小脳脚の高さ）

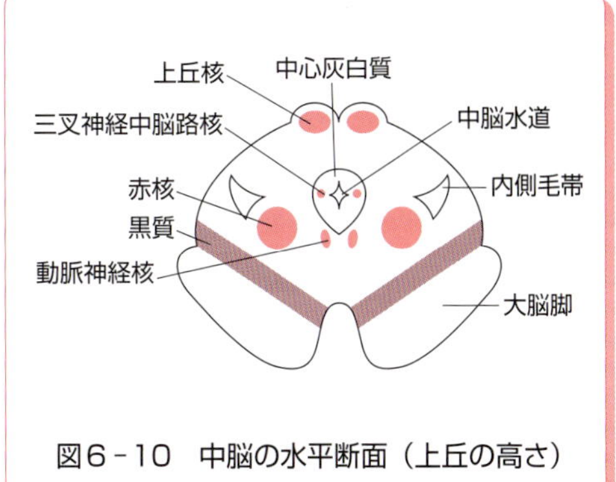

図６－10　中脳の水平断面（上丘の高さ）

（4）間脳の構造

視床上部，視床，視床下部に分ける。視床は人体中最大の感覚性中継核である。大脳皮質に投射する線維はここで必ずニューロンを乗り換える。

視床上部の後端には松果体がある。松果体はメラトニンを分泌する内分泌器官である。視床下部には多数の視床核が存在する。腹側には下垂体茎を介して下垂体が付く。この後方には１対の球状の隆起，乳頭体がある。

（5）終脳の構造

大脳縦裂により左右の大脳半球に分けられる。大脳半球は脳梁でつながっている。

大脳の外表面は大脳溝と大脳回におおわれている。大脳表面は外側溝と中心溝などの脳溝により前頭葉，頭頂葉，後頭葉，側頭葉に区分される（図６－11）。外側溝の中には島葉と呼ばれる皮質が存在する。

１）大脳皮質（図６－11）

大脳皮質は灰白質で，新皮質と古皮質に分かれる。

新皮質は大脳の大部分を占め，６層の細胞層を形成する。この細胞層は大脳の部位により違いがあり，ブロードマン地図として分類されている。大脳皮質は運動野，感覚野，視覚野，聴覚野などの機能局在が明確になっている領域と，特定の機能を持たない連合野という領域とに分かれる。

古皮質は大脳辺縁系に属し，辺縁皮質または辺縁葉とも呼ばれる。嗅脳，帯状回，海馬などが含まれる。

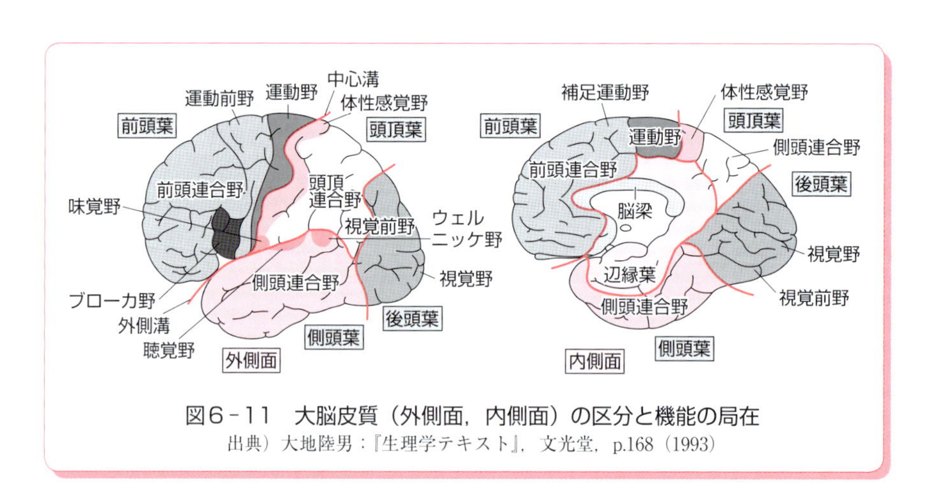

図６－11　大脳皮質（外側面，内側面）の区分と機能の局在
出典）大地陸男：『生理学テキスト』，文光堂，p.168（1993）

２）大脳基底核

大脳の髄質にある大きな灰白質の塊である。

大脳基底核は，尾状核，被殻，淡蒼球，扁桃体などからなる。被殻と淡蒼球はレンズ核を形成し，尾状核と被殻は線条体を形成する。尾状核，被殻，淡蒼球は錐体外路系を形成し（p.108，図６－14参照），扁桃体は大脳辺縁系に含まれる。

3）大脳髄質

大脳髄質は神経線維の集まり（白質）である。線維連絡には次の3つがある。

① **連合線維**　同側の大脳半球内を縦に結ぶ。上縦束，下縦束，弓状束，鉤状束がある。

② **交連線維**　左右の大脳半球の同部位を結ぶ。脳梁，前交連，後交連などがある。

③ **投射線維**　大脳皮質の他の脳の部位（脳幹，脊髄など）を結ぶ。上行性の感覚線維（視床皮質線維）や下行性の運動線維（皮質脊髄路）などが含まれる。大脳皮質を出入りする投射線維の大部分は，内包と呼ばれる視床とレンズ核にはさまれたくの字型の白質領域を通過する。

(6) 脳脊髄膜

硬膜，クモ膜，軟膜の3つがある（図6－12）。

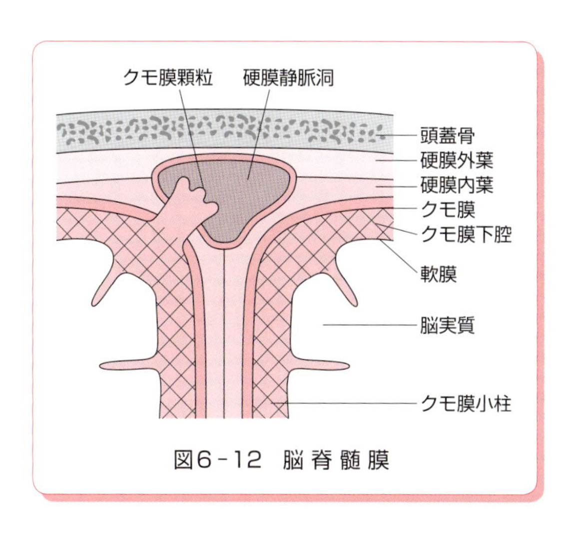

図6－12　脳脊髄膜

① **硬　膜**　頭蓋骨に密着した線維性の強靭な膜で，内葉と外葉の2枚に分かれる。内葉は頭蓋腔に突出して大脳鎌や小脳テントを形成する。硬膜の内葉と外葉の間に硬膜静脈洞が形成される。

② **クモ膜**　クモの巣状の柔らかい結合組織性の膜で軟膜との間にクモ膜下腔を形成する。クモ膜下腔は脳室から分泌される脳脊髄液で満たされている。また脳を養う血管系の通路ともなっている。

③ **軟　膜**　脳の実質の表面をおおっている密着した膜である。

(7) 脳室と脳脊髄液

側脳室，**第3脳室**，**第4脳室**がある。側脳室と第3脳室は**室間孔**（モンロー孔）で交通し，第3脳室と第4脳室は**中脳水道**で連絡している。第4脳室には**正中孔**（マジャンディー孔）と左右の**外側孔**（ルシュカ孔）がありクモ膜下腔とつながっている。側脳室，第3脳室，第4脳室の天井には**脈絡叢**があり，脳脊髄液を産生している（図6－13）。

(8) 伝導路

伝導路には体の各部位からの感覚性インパルスを脳に伝える上行性（感覚性）伝導路と，脳から筋や腺に運動性インパルスをつたえる下行性（運動性）伝導路の2種類がある。

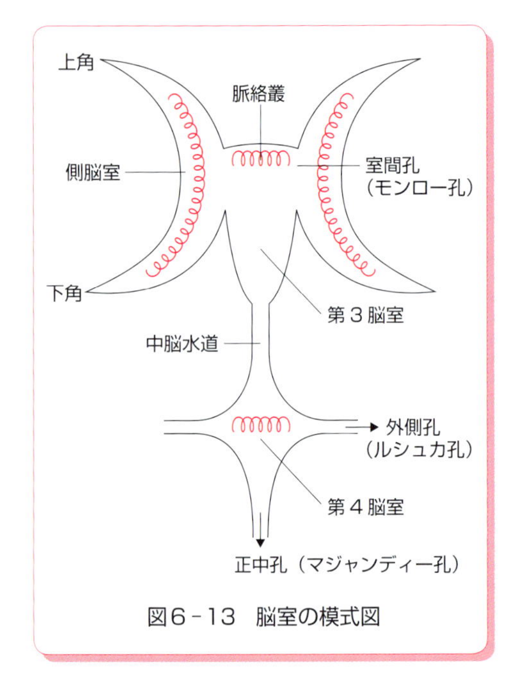

図６－13　脳室の模式図

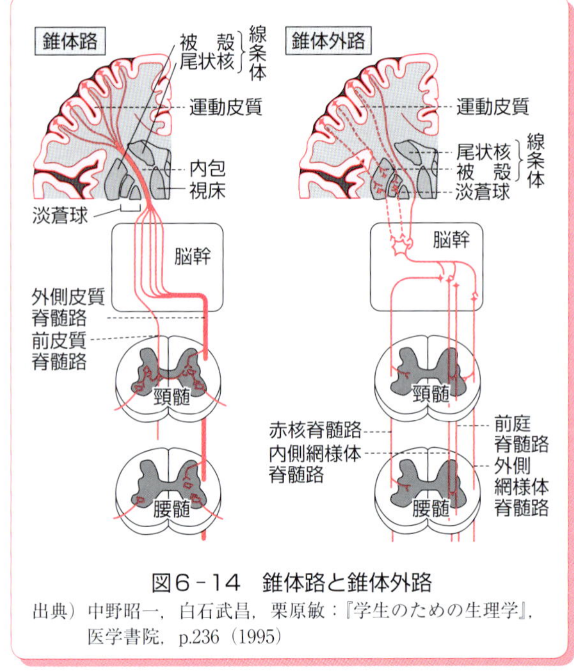

図６－14　錐体路と錐体外路
出典）中野昭一，白石武昌，栗原敏：『学生のための生理学』，医学書院，p.236（1995）

１）下行性伝導路

① **錐体路**（図６－14）　大脳の一次運動野から内包，中脳の大脳脚，橋底部，延髄の錐体，**錐体交叉**（主に延髄下方で反対側に交叉）を経て脊髄前角の運動性ニューロンに至る伝導路である。途中，錐体路の側枝は脳神経の運動核への入力線維や橋核を介して小脳への入力線維を出す。

② **錐体外路**（図６－14）　いわゆる錐体路以外の下行性伝導路をいう。大脳基底核を中心とする系と小脳を中心とする系の２つがある。前庭脊髄路，赤核脊髄路，視蓋脊髄路，毛様体脊髄路などが知られていて，錐体路の調節系と考えられている。

２）上行性伝導路

① **後索－内側毛帯路**　体幹・四肢からの識別性触圧覚や固有感覚を脳に伝える神経路。

② **脊髄視床路**　体幹・四肢からの侵害刺激（温度覚，痛覚）を脳に伝える神経路。

③ **脊髄小脳路**　筋・腱・関節にある受容器からの身体の位置，姿勢や運動に関する情報（固有感覚）を小脳へ伝える神経路。

④ **脊髄視蓋路**　脊髄視床路から分岐し上丘の深部（視蓋）に入る神経路。

⑤ **脊髄網様体路**　脊髄に始まり延髄網様体に入る神経路。この系は皮質の意識レベルを保つ上行性脳幹網様体賦活系に関与すると考えられている。

1.4　末梢神経系の構造

末梢神経には主に脳幹から出る脳神経と脊髄から出る脊髄神経がある。

(1) 脳 神 経

脳神経は12対あり，主に脳幹から出る。脳神経は脳幹から出る順番にローマ数字と名称で表記される。脳神経の概要を表6－1に示す。

(2) 脊 髄 神 経

脊髄神経は，脊髄の各髄節から1対ずつ出るので，合計31対ある。脊髄の前外側溝から前根が，後外側溝から後根が出る（図6－4）。前根は運動性，後根は感覚性である。脊髄前角の運動性ニューロンの軸索が前根を形成する。また，後根には脊髄後根神経節があり，感覚神経の第一ニューロンの細胞体がここにある。前根と後根は脊髄から出るところで癒合した後，混合性神経の前枝と後枝に分かれる。一般に，脊髄神経の後枝は発達が悪いが，前枝はよく発達して，上下に吻合をなし，神経叢を形成する。脊髄神経は次の5部に分かれる。

① **頸神経（C_1～C_8）**　8対の脊髄神経が出る。後枝は大後頭神経として後頭部に分布する。前枝（C_1～C_4）は吻合して頸神経叢をつくる。頸神経叢からの神経は頸部の皮膚・筋，横隔膜に分布する。横隔膜を支配する横隔神経は重要な神経である。また，前枝（C_5～T_1）は吻合して腕神経叢をつくる。腕神経叢からの神経は胸部・上肢の皮膚・筋に分布する。三角筋を支配する腋窩神経，上肢の伸筋を支配する橈骨神経，上腕屈筋を支配する筋皮神経，前腕の屈筋を支配する正中神経・尺骨神経などがある。

② **胸神経（T_1～T_{12}）**　12対の脊髄神経が出る。後枝は固有背筋と背部の皮膚に分布する。前肢は神経叢を形成しない。第1～第11胸神経は肋間神経となる。肋間神経は胸部の皮膚と筋に分布する。

③ **腰神経（L_1～L_5）**　5対の脊髄神経が出る。後枝は上殿皮神経として腰部に分布する。前枝は腰神経叢（T_{12}～L_4）をつくる。腰神経叢からの神経は大腿前面・内側面，恥骨部の皮膚と筋に分布する。主要な枝は，大腿四頭筋を支配する大腿神経と内転筋群を支配する閉鎖神経である。

④ **仙骨神経（S_1～S_5）**　5対の脊髄神経が出る。後枝は中殿皮神経を形成する。前枝は仙骨神経叢（L_4～S_4）を形成し，殿部および下枝の皮膚と筋に分布する。主要な枝は，殿筋を支配する上・下殿神経と，大腿屈筋および下腿の筋群を支配する坐骨神経である。

⑤ **尾骨神経（C_0）**　1対の脊髄神経が出る。肛門周囲の筋と皮膚に分布する。

2. 神経系の機能

2.1 神経細胞の興奮と伝導（筋の興奮－収縮連関）

(1) 静止電位・活動電位（骨格筋）

神経細胞には，細胞膜の内側と外側との間に電位差が生じる。この電位を膜電位という。膜電位は神経細胞刺激を受けて興奮するときに大きく変化して軸索を伝導す

表6－1 脳神経

脳神経			効果器	頭蓋骨の出入り部	脳の出入り部	脳内の核	中経路（核）	中枢	はたらき
Ⅰ嗅神経	知	SVA	嗅上皮	→篩板	→嗅三角	（－）		側頭葉	嗅覚
Ⅱ視神経	知	SSA	網膜	→視神経管	→間脳	→外側膝状体（間脳） 視蓋前域（中脳）	→内包後脚→視放線→ →E・W核→動眼神経	後頭葉	視覚 対光反射
Ⅲ動眼神経	運	GSE	上直筋・下直筋・内側直筋・下斜筋・上眼瞼挙筋	←上眼窩裂	←中脳腹側	←動眼神経核（中脳）	←（内側縦束）←（注視中枢）	←前頭葉（前頭眼野） 後頭葉（後頭眼野）	眼球運動
	自	GVE	瞳孔括約筋・毛様体筋	←上眼窩裂	←中脳腹側	←E・W核（中脳）		←視床下部	瞳孔縮小・遠近調節
Ⅳ滑車神経	運	GSA	上斜筋	←上眼窩裂	←中脳背側	←滑車神経核（中脳）	←（内側縦束）←（注視中枢）	←前頭葉・後頭葉	眼球運動
Ⅴ三叉神経	知	GSA	顔面・鼻口腔（舌）粘膜・角膜	①→上眼窩裂 ②→正円孔 ③→卵円孔	→橋	主知覚核（橋） →脊髄路核（橋～延髄） 中脳路核（中脳）	→（外側毛帯）→視床	→頭頂葉	顔面の触覚 顔面の温痛覚 顔面の深部感覚
	運	SVE	咀嚼筋群	←卵円孔	←橋	←運動核	←内包	←前頭葉	咀嚼運動
Ⅵ外転神経	運	GSE	外側直筋	←上眼窩裂	←橋・延髄間	←外転神経核（橋）	←（内側縦束）←（注視中枢）	←前頭葉・後頭葉	眼球運動
Ⅶ顔面神経	運	SVE	表情筋	←茎乳突孔	←橋・延髄間	←顔面神経核（橋）	←内包	←前頭葉	顔面の運動
	知	SVA	舌前方2/3味蕾→鼓索神経	→内耳道	→橋・延髄間	→孤束核（橋＜延髄）	→視床	→頭頂葉	舌前方2/3の味覚
	自	GVE	顎下腺・耳下腺←鼓索神経 涙腺	←内耳道	←橋・延髄間	←上唾液核（橋）		←視床下部	唾液・涙液の分泌
Ⅷ内耳神経 （前庭神経）	知	SSA	半規管・卵形嚢・球形嚢	→内耳道	→橋・延髄間	→前庭神経核（橋）	→小脳・眼運動系と連絡		平衡・加速度感覚
（蝸牛神経）	知	SSA	蝸牛管（ラセン器）	→内耳道	→橋・延髄間	→蝸牛神経核（橋）	→外側毛帯→下丘→内側膝状体	→側頭葉	聴覚
Ⅸ舌咽神経	知	GSA	耳後部の皮膚知覚	→頸静脈孔	→延髄	→三叉神経脊髄路核	→視床	→頭頂葉	皮膚感覚
	知	GVA	舌後部1/3・上咽頭後壁・耳管粘膜の知覚	→頸静脈孔	→延髄	→孤束核（橋＜延髄）	→自律神経性反射弓を形成		咽頭・喉頭の知覚・嚥下反射など
	知	SVA	舌後部1/3味蕾	→頸静脈孔	→延髄	→孤束核（橋＜延髄）	→視床	→頭頂葉	舌後部1/3の味覚
	運	SVE	咽頭・喉頭筋群	←頸静脈孔	←延髄	←疑核（延髄）	←内包	←前頭葉	咽頭・喉頭の運動
	自	GVE	耳下腺	←頸静脈孔	←延髄	←下唾液核（延髄）		←視床下部	唾液の分泌
Ⅹ迷走神経	自	GVE	胸腹部臓器	←頸静脈孔	←延髄	←迷走神経背側核（延髄）		←視床下部	内臓反射
	運	SVE	咽頭・喉頭筋群	←頸静脈孔	←延髄	←疑核（延髄）	←内包	←前頭葉	咽頭・喉頭の運動
	知	GSA	耳介・外耳道	→頸静脈孔	→延髄	→三叉神経脊髄路核	→視床	→頭頂葉	耳の温痛覚
	知	GVA	内臓からの知覚	→頸静脈孔	→延髄	→孤束核（延髄）	→自律神経の反射弓を形成		
	知	SVA	喉頭蓋部の味蕾	→頸静脈孔	→延髄	→孤束核（延髄）	→視床	→頭頂葉	喉頭蓋部の味覚
Ⅺ副神経	運	SVE	咽頭・喉頭筋群	←頸静脈孔	←延髄	←疑核（延髄）	←内包	←前頭葉	咽頭・喉頭の運動
	運	GSE	胸鎖乳突筋・僧帽筋	←頸静脈孔	←延髄	←副神経核（延髄＜頸髄）	←内包	←前頭葉	頸の運動
Ⅻ舌下神経	運	GSE	舌の筋群	←舌下神経管	←延髄	←舌下神経核	←内包	←前頭葉	舌の運動

知：知覚神経，運：運動神経，自：自律神経の各神経支配を示す
GSA：一般体性入力線維：皮膚・骨格筋・靭帯・関節からの知覚を伝える
GVA：一般内臓性入力線維：内臓・血管の受容器からの刺激を伝える
GSE：一般体性出力線維：体節から発生する骨格筋を支配する
GVE：内臓筋（平滑筋）・心筋・腺を支配する
SSA：特殊体性入力線維：網膜・内耳からの知覚神経
SVA：特殊内臓性入力線維：味覚器・嗅覚器からの知覚神経
SVE：特殊内臓性出力線維：鰓弓から発生する筋を支配する神経
E・W核：エディンガー・ウェストファウル核

る。静止状態の膜電位を静止電位という。興奮状態の膜電位を活動電位という。

また，細胞膜が電位を帯びることを分極といい，－から＋に分極することを脱分極といい，＋から－に分極することを再分極という。

細胞膜はリン脂質二重層であり，細胞内外のイオン組成は細胞外にはNa^+，Cl^-，Ca^{2+}が多いのに対して，細胞内にはK^+とタンパク質陰イオン（分子量が大きい）が多く存在する。このような細胞内外の種々のイオン類の多くは水溶性であるため細胞膜を通過できない。そのため，リン脂質二重層のところどころに存在する各々のイオン特有のチャネルタンパク質が存在する。

チャネルタンパク質内にはゲートがあり，そのゲートの開閉により細胞内外に出入りが可能となる。静止時（静止電位）においてはKチャネルが開口しているため，K^+が細胞外に流出していく。すると，細胞内には分子量の大きなタンパク質陰イオンが大量に残ってしまう（チャネルを通過することができない）ため，静止時の神経細胞の細胞内は，細胞膜を境にして細胞外に対して約－70～－90 mVの負の電位を示す。筋の興奮（筋活動等）が生じると，細胞膜に神経伝達物質により興奮が伝わる。するとNaチャネルが開口し（このときKチャネルは閉鎖する）Na^+が細胞内に流入してくる。これにより脱分極が生じる。よって脱分極がある一定の閾値に達すると，神経細胞は自動的に興奮して活動電位が発生する。この時期を活動電位の脱分極相という。その結果，膜電位は0を超えてプラスになる。活動電位のプラスの電位部分をオーバーシュートという。その後細胞膜の興奮がピークを迎えると再びKチャネルが開口し（このときNaチャネルは閉鎖する），K^+が細胞外に流出していく。この時期を活動電位の再分極相という。すると，頂点に達した活動電位は急速に低下して再び負の静止電位に戻る。また，活動電位中に流入したNa^+と流出したK^+はNa－

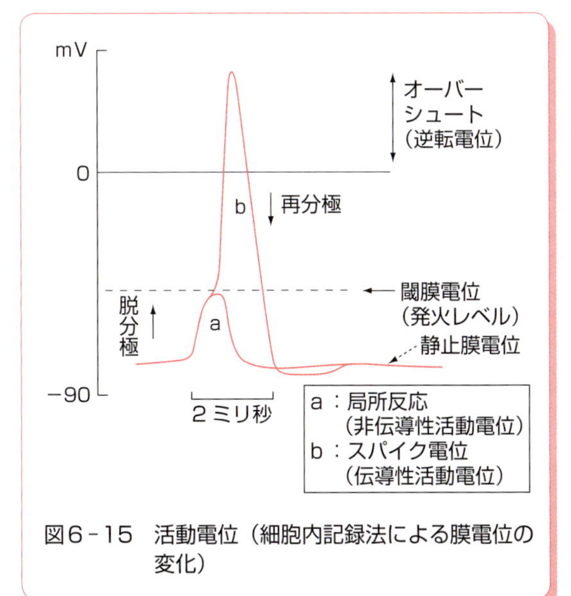

図6-15　活動電位（細胞内記録法による膜電位の変化）

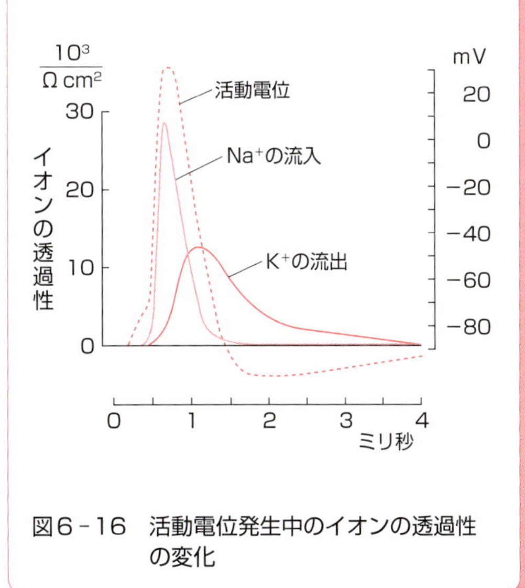

図6-16　活動電位発生中のイオンの透過性の変化

KATPase（Na-K ポンプ）によって能動的に静止時（静止電位時）の細胞内外のイオン組成に戻る（図６-15，図６-16）。

（2）伝導の一般的特性

神経細胞の膜の一部に活動電位が発生すると，活動電位は軸索を電気信号として伝わる。これを興奮の伝導という。興奮の伝導の特徴は以下の三原則による。

① **両側性伝導**　神経線維の１点で生じた興奮はその部位から両方向に伝わっていく。

② **絶縁性伝導**　末梢神経には多数の神経線維が含まれているが，１本の神経線維の興奮は隣接する神経に興奮は起こらない。

③ **不減衰伝導**　神経の直径その他の性状が一様な場合，興奮の大きさは減衰せずに一定の大きさで伝導する。

（3）跳躍伝導

活動電位が伝導する速度は髄鞘を持つ有髄線維の方が無髄線維に比べて速い。これは，有髄線維においては，髄鞘でおおわれた部位は絶縁されていて，髄鞘の切れ目であるランビエ絞輪を次々にジャンプしながら飛び越して伝導するためである（図６-17）。

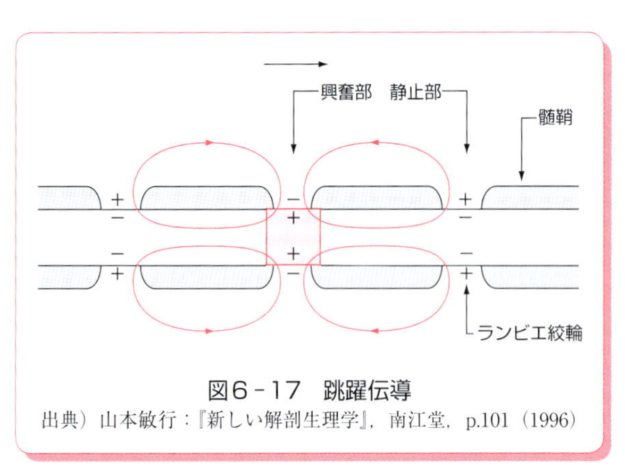

図６-17　跳躍伝導
出典）山本敏行：『新しい解剖生理学』，南江堂，p.101（1996）

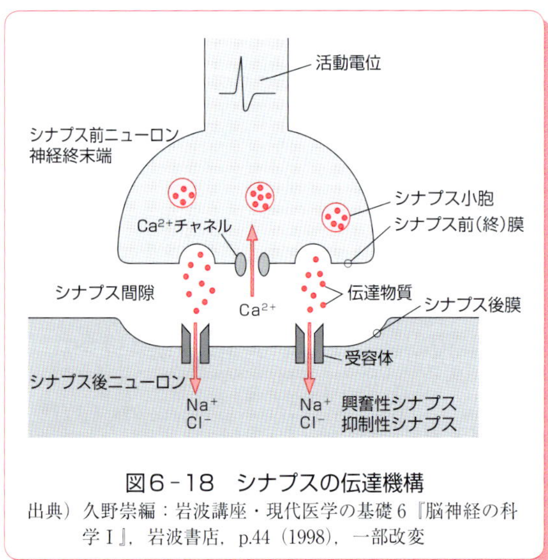

図６-18　シナプスの伝達機構
出典）久野崇編：岩波講座・現代医学の基礎６『脳神経の科学Ⅰ』，岩波書店，p.44（1998），一部改変

2.2　神経細胞の興奮の伝達とシナプス

（1）興奮の伝達

１つの細胞の興奮がほかの細胞に伝えられることを興奮の伝達という。１本の神経線維の興奮の伝導と区別される。神経終末とほかの神経細胞，筋などとの接合部をシナプスという。シナプスにおける興奮の伝達は，一般に神経伝達物質という化学物質の放出による。

（2）シナプスの構造

シナプスは，シナプス前(終)末，シナプス間隙，シナプス後膜の３つの部位から構成される。多くのシナプスにおいては，神経伝達物質はシナプス小胞内に蓄えられており，シナプス前(終)末に刺激が細胞体から伝わると，開口分泌によって神経伝達物質がシナプス間隙へ放出される。シナプス後膜にはそれらの神経伝達物質の受容体があり，受容体を刺激することによって，次の神経細胞膜が興奮するか抑制されるかになる（図6－18）。

（3）シナプス伝達の特性（はたらき）

シナプス伝達の特徴として主に次の3つがあげられる。

① 一方向性の伝達

② シナプス遅延

③ 薬物の影響

（4）中枢神経系のシナプスの特徴

中枢神経系のシナプスの特徴は主に次の3つがあげられる。

① **興奮性および抑制性シナプス**　骨格筋のシナプスが興奮性に作用するのに対して，中枢神経系には興奮性シナプスと抑制性シナプスとがある。2種の組み合わせにより調節が行われる。

② **発散と収束**　1本のシナプス前神経の軸索が多数の側枝に分かれて，ほかの多数の神経とシナプスを形成する場合を**発散**といい，多数のシナプス前神経の軸索が，同一の1個の神経にシナプスを形成する場合を**収束**という。発散および収束により中枢神経内の情報統合調節が行われる（図6－19）。

③ **可塑性と学習**　頻繁に使用されるシナプス伝達は効率の向上が認められる。これをシナプスの**可塑性**といい，学習や記憶に重要である。

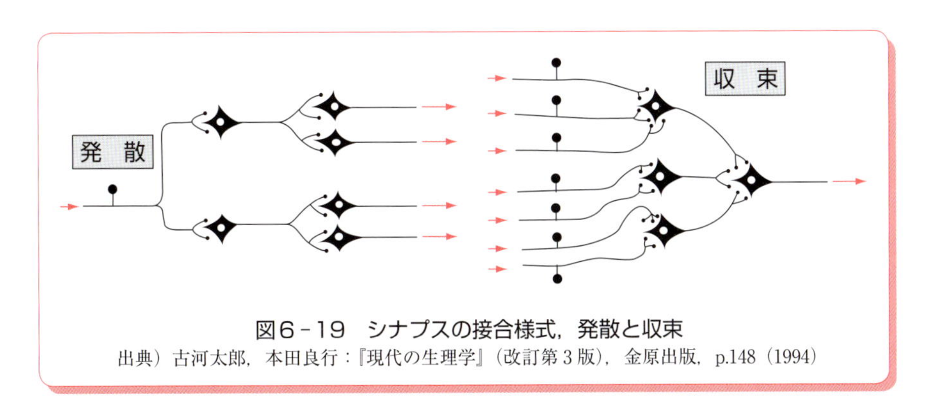

図6－19　シナプスの接合様式，発散と収束

出典）古河太郎，本田良行：『現代の生理学』（改訂第3版），金原出版，p.148（1994）

（5）神経伝達物質

① 末梢神経の神経伝達物質には運動神経では，**アセチルコリン**が放出されて骨格筋に作用する。自律神経系では**アセチルコリン**や**ノルアドレナリン**がはたらく。

② 中枢神経の神経伝達物質には，主なものとして**アセチルコリン**，**ノルアドレナリン**，**アドレナリン**，**ドパミン**，**セロトニン**，**γ－アミノ酪酸**（GABA）などがある。

表6－2　神経伝達物質とその類縁物質

物　質	存在部位・機能	拮抗物質
アセチルコリン	神経筋接合部，自律神経節，脊髄における興奮性シナプス，中枢神経系のシナプス	①ニコチン性受容体:クラーレ，α-ブンガロトキシン，②ムスカリン性受容体：アトロピン
カテコールアミン（ドパミン，ノルアドレナリン，アドレナリン）	中枢神経系における抑制性伝達物質	α：ヨヒンビン β：プロプラノール
γ-アミノ酪酸（GABA）	中枢神経系（脳）における抑制性伝達物質	ビククリン，ピクロトキシン
グリシン	中枢神経系（脊髄）における抑制性伝達物質	ストリキニーネ，破傷風毒素
グルタミン酸・アスパラギン酸	中枢神経系における興奮性伝達物質	クモ毒
P物質	脊髄後角における痛覚経路の興奮性伝達物質	リオレザール
セロトニン	脳幹にある睡眠中枢の伝達物質	メセルジド，LSD
ヒスタミン	視床下部における興奮性伝達物質	プロメサジン，イミプラン

出典）香川靖雄，野沢義則：『図説医化学　第3版』，南山堂，p.346（1997）を改変

（6）反　射

受容期からの興奮が**求心性神経**〔知覚ニューロン：身体各部の受容器（皮膚，眼，鼻など）で感じた刺激を，中枢（脳，脊髄）に伝える神経〕を通って，脊髄，脳幹，大脳皮質へと伝達されると同時に，一部は急転回して脊髄，脳幹の反射中枢に送られ，その興奮は直ちに**遠心性神経**（運動ニューロン：中枢の興奮を身体各部の筋と腺に伝え，その運動と分泌を司る神経）を通って効果器にはたらく。これを**反射**という。代表的な反射に膝蓋腱反射や角膜反射などがある。反射は，刺激に対して無意識に起こる，迅速で予定された，不随意的な反応である。

2.3　中枢神経系・末梢神経系

（1）中枢神経系の機能

1）大　脳

大脳皮質は，発生的には，新皮質（大脳半球の最外層にあり，高度の精神作用を司るとともに運動・感覚の高位中枢）と古皮質（大脳皮質の内側にあり，臭脳，帯状回，海馬回などからなり，情動，食欲，性欲，嗅覚，睡眠などの本能的行動などの中枢）に分類される。大脳新皮質の機能局在は，前頭葉の中心前回には運動中枢である運動野，頭頂葉の中心後回には感覚中枢である体性感覚野，後頭葉には視覚中枢である視覚野，側頭葉には聴覚中枢である聴覚野がそれぞれ存在する。前頭葉の下面には嗅覚野がある。また前頭葉の外側部には**ブローカ野**（**運動性言語中枢**：話したり，書いたりする言葉をつくる場所）が，側頭葉には**ウェルニッケ野**（**感覚性言語中枢**：言葉を聞いて，その意味を理解するときにはたらく）がある。前頭葉下面に存在する臭脳，および周囲の視床下部を含めた部分は大脳辺縁系と呼ばれており，情動行動（恐れ，怒り，不安など），本能行動（食欲，性欲など）の調節に関与している。

2）小　脳

小脳は，深部感覚・耳・眼からの線維がきていて，平衡感覚，姿勢反射の総合的な

調整を司っている。また，随意運動の調整を行っており，スムーズな運動が行えるようにしている。

3）間　脳

間脳は視床と視床下部とからなる。視床は，一般感覚，意識，視覚，聴覚などの感覚情報の中継点であり，大脳皮質に伝達する。視床下部には，体温調節中枢，摂食（食欲）中枢および血糖調節中枢，飲水中枢，性欲中枢，サーカディアンリズム（概日リズム，日向リズム）形成に関与する中枢，下垂体ホルモン分泌調節中枢（視床下部ホルモンを分泌して下垂体に連絡する内分泌器官）などの多数の中枢が局在する。

4）中　脳

中脳には対光反射中枢（瞳孔反射），聴覚の反射などの中枢が局在し，錐体外路系に関する神経核（赤核，黒質）や伝導路があり，眼球やからだの位置を調節する（姿勢反射中枢）。

5）橋

橋には三叉神経核，外転神経核，顔面神経核，内耳神経核，孤束核がある。排尿中枢が局在する。

6）延　髄

延髄には生命維持に重要な自律神経系の中枢〔呼吸中枢，心臓中枢（循環中枢），嘔吐中枢，瞳孔の対抗反射中枢，唾液分泌中枢など〕が局在しており，呼吸や循環機能をはじめ，基本的な生命活動のはたらきを司るきわめて重要な部位である。

7）脳　室

脳室は神経管から脳と脊髄ができる発生の過程で，その内腔が変形した腔所として残存し，脳では脳室，脊髄では中心管という。脳脊髄液は脳と脊髄を保護するとともに，物質の交流が行われている。

8）髄　膜

脳と脊髄は生命活動にとってきわめて重要であるだけに，3層の結合組織性被膜である髄膜（最外層から硬膜，クモ膜，軟膜の3層構造）によって包まれ，保護されている。クモ膜と軟膜の間のクモ膜下腔と呼ばれ，脳脊髄液が満たされている。

9）脊　髄

脊髄は，環境に関する情報を皮膚などに分布する受容器から脊髄神経を介して受け取り，感覚情報として脳に送る役割を果たす。

断面は**外側が白質（神経線維が集まった伝導路）**で**内部が灰白質（神経細胞が集まった伝導路）**に分けられる。白質には，多数の神経線維束が縦走しており，上行性および下行性の伝導路になっている。上行伝導路（脊髄視床路，後索路，脊髄小脳路）は，皮膚や筋肉などの感覚を大脳皮

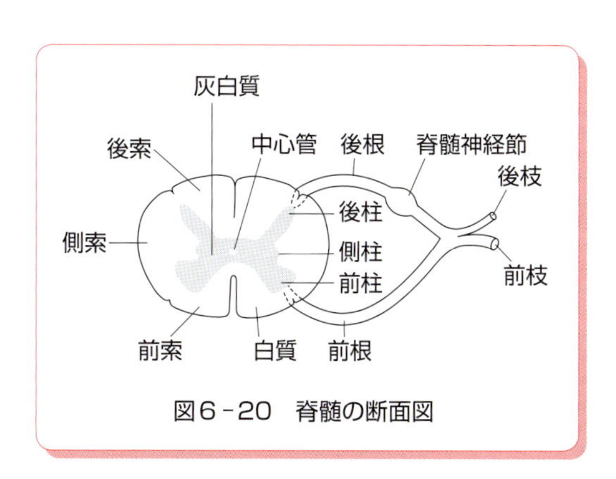

図6-20　脊髄の断面図

質の体性感覚野に伝える。大脳では伝えられた情報を，運動野から下行伝導路〔錐体路（皮質脊髄路），錐体外路〕を伝わって筋肉の指令が伝えられ，筋肉運動する（図６－20）。下行伝導路の錐体路は，脊髄前角細胞から随意運動を司り，錐体外路は錐体路以外の姿勢の制御や円滑な随意運動を司る。

表６－３　中枢神経の機能（まとめ）

中枢神経系		機　能
大脳皮質		体性系，自律系の最高中枢。高度な精神活動
大脳基底核		不随意運動，錐体外路の中継核（随意運動を円滑，繊細にする制御系）
間脳	視　床	体性感覚，運動，視覚・聴覚の中継核（身体各部からの感覚情報を伝える感覚線維がすべて集まり中継される運動，感覚の中枢）
	視床下部	食欲の中枢（空腹中枢，満腹中枢），飲水の中枢，体温調節中枢，浸透圧受容器，内分泌系との協調など（生命活動の自律機能の総合中枢）
小　脳		①大脳皮質運動野と連絡，②前庭神経核－小脳（眼球運動の調節），③脊髄－小脳－脳幹網様体（脊髄運動ニューロンの抑制）（運動・姿勢の微調節）
脳幹	中　脳	視覚反射，眼球運動に関する反射中枢。除脳固縮，姿勢反射の統合（身体の平衡・姿勢の保持）
	橋	脳幹網様体，錐体外路の中継核，上行性賦活系
	延　髄	心臓の中枢，血管運動中枢，呼吸中枢，咀嚼中枢，嚥下中枢，嘔吐の中枢，眼瞼反射，角膜反射，緊張性頸反射，緊張性迷路反射（生命中枢といわれる自律神経の中枢）
脊　髄		①神経（伝導）路：白質は上位中枢（脳）と下位中枢（脊髄）を連絡する神経路。②脊髄反射の中枢：伸張反射，屈曲反射，自律反射〔脊髄肛門（排便）反射，脊髄膀胱（排尿）反射，脊髄生殖反射〕

（2）末梢神経系の機能

末梢神経は，解剖学的には，脳を出入りする脳神経系と，脊髄を出入りする脊髄神経系がある。また，機能的には，運動や感覚機能を司る体性神経系と，各種の自律機能を司る自律神経系とに分けられる。体性神経系や自律神経系からの指令を末梢の効果器に伝える遠心性神経と，末梢の情報を中枢へ伝える求心性神経がある。

解剖学的区分と機能学的区分は重なり合っており，各脳神経や脊髄神経には，体性神経系しか含まないものもあれば，体性神経系と自律神経系の両者の神経線維を含まないものもある。

１）脳神経の機能

脳神経は，脳を出入りする12対の末梢神経で頭部，胸部，腹部の器官に分布し，運動性，感覚性，自律性の作用をもつ（表６－１参照）。

２）脊髄神経の機能

脊髄には脊髄の後方に入ってくる知覚に関与する後根と，前方から出て運動に関与する前根とがある。前根と後根は椎間孔のところで合わさって，ここから生じる31対の神経（p.103参照）を脊髄神経という。

2.4　体性神経系・自律神経系

神経系は，中枢神経系と末梢神経系という解剖学的分類とは別に，末梢神経系においては，機能学的に随意的制御がなされる体性神経系と内臓機能の不随意的な調節を担う自律神経系とに分類することができる。体性神経系はさらに，骨格筋を支配し，運動を司る運動系と，皮膚や骨格筋・関節や各種感覚器からの情報を伝える感覚器系とに分類される。

（1）体性神経系

① **知覚神経**　皮膚や骨格筋・関節および各種感覚器からの情報を中枢に伝える求心性神経である。

② **運動神経**　中枢神経からの指令を骨格筋に伝え，運動機能を司る遠心性神経である。

（2）自律神経系

自律神経系は，意思に直接関係のない代謝，生殖，循環，体温など生命維持に不可欠な機能を支配する神経系で，血管や内臓の諸臓器に分布し，これを無意識的に，反射的に調節をする。このため，自律神経は植物神経ともいわれ，体性神経は動物神経とも呼ばれている。自律神経系には，交感神経系と副交感神経系の２つがある。どちらも同一の器官に分布していて，その作用はほとんどの器官で拮抗している。自律神経系が体性神経系と大きく異なる点は，中枢から末梢に向かうニューロンが，目的の標的器官に到達する途中で必ず神経節でニューロンを交代することで，中枢から神経節までを節前線維，神経節から臓器組織までの線維を節後線維という（図６－21）。

１）交感神経系（図６－22）

交感神経線維は，脊髄の胸髄と腰髄から，体性神経系の運動神経と一緒に前根を通って脊柱から出る。その後，体性線維と分かれて交感神経幹に入る。交感神経幹は神経節が数珠状につながっており，脊柱の両側に左右１本ずつある。そして，交感神経幹から出る神経線維が内臓器官に分布する。交感神経系は，主として種々の活動時にはたらく。また，ストレスでは交感神経系優位となる。

２）副交感神経系（図６－22）

副交感神経系は，中脳から出る動眼神経，延髄から出る顔面神経，舌咽神経，迷走神経の中に存在しているほか主に脳幹（中脳，橋，延髄），仙髄からは骨盤内臓神経として分布する。迷走神経は副交感神経系の代表的なもので，心臓，気管，気管支，肺，食道，胃，腸，肝臓，膵臓などに分布している。副交感神経系は，交感神経によって興奮した心臓や血管の機能を鎮めるようにはたらく（表６－４）。消化管の運動は高めて消化・吸収を促進し，からだへの栄養補給を高めて体力を蓄えようとする。また，血管の大部分，汗腺，立毛筋には副交感神経系はなく，唾液腺に対しては交感神経系と副交感神経系は促進的に作用する。

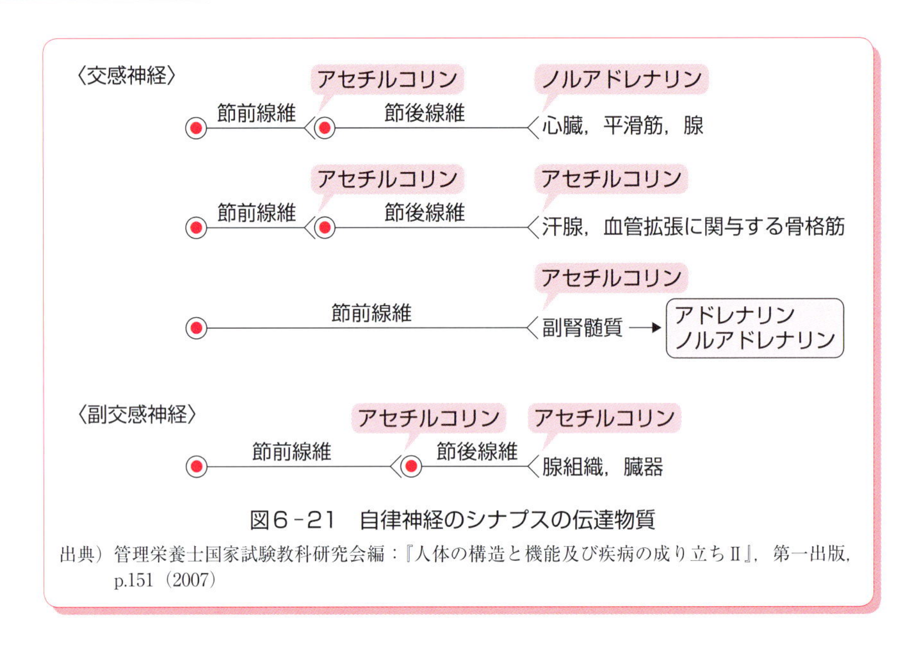

図６－21　自律神経のシナプスの伝達物質

出典）管理栄養士国家試験教科研究会編：『人体の構造と機能及び疾病の成り立ちⅡ』，第一出版，p.151（2007）

表６－４　自律神経系の機能

	交感神経	副交感神経
瞳孔	散大	縮小
涙腺	（分泌抑制）	分泌促進
唾液腺	分泌促進，濃く粘稠	分泌促進，薄いが大量
心臓 心拍数	増加	減少
心臓 拍出量	増加	減少
血管	収縮	拡張
冠状動脈	拡張	収縮
気管支	弛緩	収縮
胃 運動	抑制	亢進
胃 分泌	減少	増加
小腸・大腸	運動抑制	運動亢進
膵臓	（分泌抑制）	分泌増加
胆嚢	弛緩	収縮
副腎髄質	分泌亢進	－
膀胱	排尿抑制	排尿促進
妊娠子宮	収縮	弛緩
汗腺	分泌促進	－
立毛筋	収縮	－

（　）内は作用が明瞭でないもの。
副腎髄質と汗腺と立毛筋は交感神経支配のみである。
出典）山本敏行：『新しい解剖生理学』，南江堂，p. 142（1996）

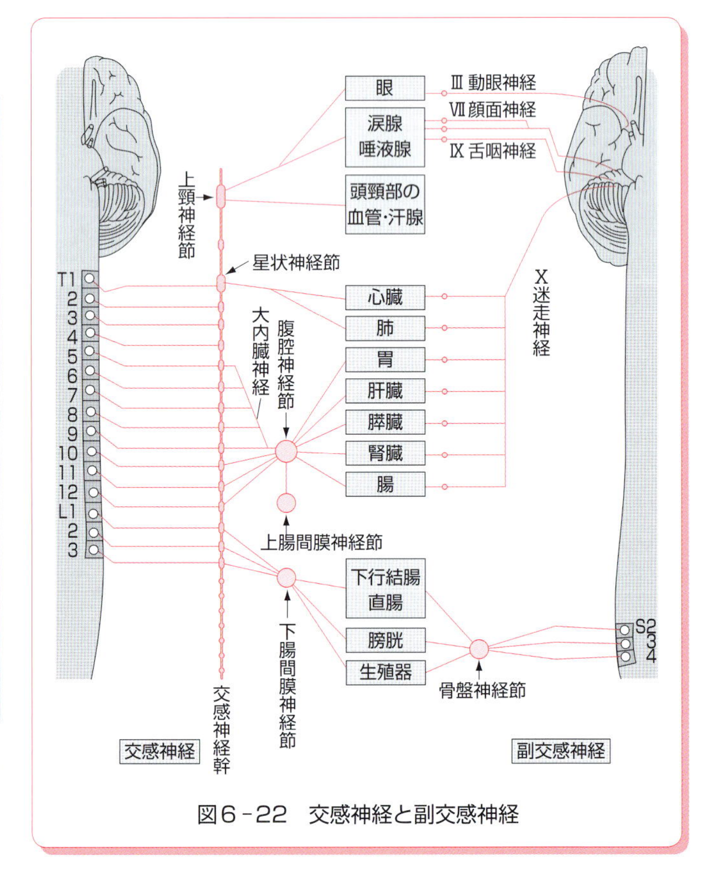

図６－22　交感神経と副交感神経

3. 感覚器の構造

3.1 視覚器の構造

眼球と付属器（眼瞼，眼筋，涙器）からなる。眼球は，眼球外膜（眼球線維膜），眼球中膜（眼球血管膜），眼球内膜（眼球神経膜）の３層構造をなす（図６－23，図６－24）。

（1）眼　球

1）眼球外膜（眼球線維膜）

透明な前方1/5の角膜と不透明な後方4/5の強膜からなる。

① **角　膜**　非角化重層扁平上皮の角膜上皮，膠原線維が規則正しく配列された線維性結合組織の角膜固有質，単層扁平上皮の角膜内皮からなる。角膜上皮は輪部で眼球結膜とつながっている。

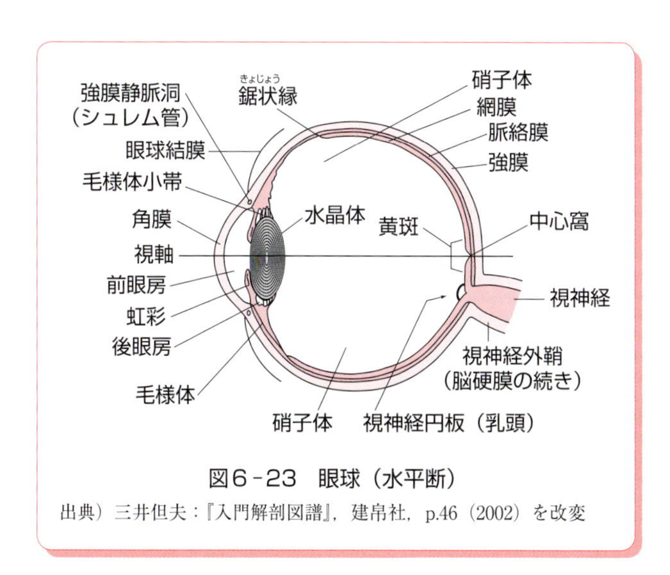

図６－23　眼球（水平断）

出典）三井但夫：『入門解剖図譜』，建帛社，p.46（2002）を改変

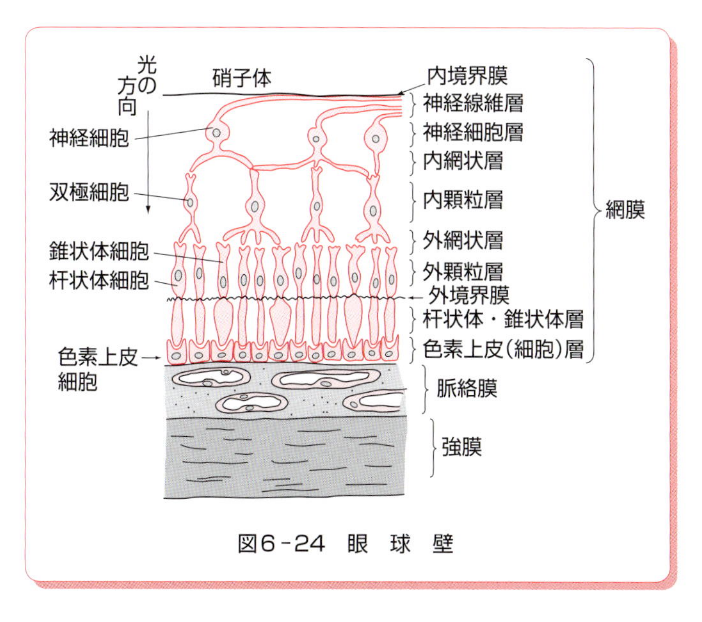

図６－24　眼　球　壁

② **強　膜**　強靭な線維膜で，血管に乏しいため白く見える。角膜周囲の強膜は眼球結膜におおわれる（白眼）。

2）眼球中膜（眼球血管膜）

虹彩，毛様体および脈絡膜からなる。臨床的にはブドウ膜とも呼ばれている。

① **虹　彩**　カメラの絞りのはたらきをする。角膜の後方にあり，中央に瞳孔がある。日本人では色素に富む。外側より，虹彩内皮，虹彩支質，虹彩色素上皮層，網膜虹彩部からなる。虹彩支質は疎性結合組織で色素細胞のほかに瞳孔括約筋と瞳孔散大筋がある。

② **虹彩角膜角**　虹彩の外縁と角膜との間にできる角を虹彩角膜角（隅角）という。この部位には強膜静脈洞（シュレム管）があり，眼房水は虹彩角膜隙（フォンタナ腔）を通って強膜静脈洞に注ぐ。

③ **毛様体**　前方の**毛様体冠**と後方の**毛様体輪**に分ける。毛様体冠には**毛様体突起**があり，**毛様体小帯（チン小帯）**により水晶体と連絡している。毛様体の表面は外層の色素に富む毛様体色素上皮層と色素を欠く網膜毛様体部（毛様体上皮）の２層の細胞層がおおう。毛様体輪の深部には平滑筋性の**毛様体筋**がある。

④ **脈絡膜**　血管と色素細胞に富む膜で，外側より脈絡上板，血管板，脈絡毛細血管板，基底板を区別する。脈絡毛細血管板は外側より網膜へ血液供給を行う。

３）眼球内膜（眼球神経膜）

網膜盲部と網膜視部からなる。

① **網膜盲部**　虹彩（網膜虹彩部）と毛様体（網膜毛様体部）をおおう部分である。

② **網膜視部**　虹彩と毛様体以外の部分をおおう。網膜視部は外側から色素上皮細胞層，視細胞の層（**杆状体・錐状体層**，外境界膜，外顆粒層），双極細胞の層（外網状層，内顆粒層），神経細胞の層（内網状層，神経細胞層，神経線維層），内境界膜の10層を区分する（図６-24）。神経細胞から出た神経線維は網膜の最内層を走行して視神経乳頭に集まり，強膜を貫いて視神経を形成する。視神経乳頭は視細胞を欠く。視神経乳頭の外側４～５mmのところに**黄斑**がありこの中央に**中心窩**（結像部）がある。

４）水　晶　体

直径９～10mmの両凸レンズの透明帯で，虹彩の後ろに位置する。水晶体上皮，水晶体線維が水晶体包（嚢）に包まれている。

５）硝　子　体

ヒアルロン酸を含む眼球腔を満たしている液体で，硝子体嚢に包まれている。

６）眼　　房

角膜と虹彩の間を**前眼房**，虹彩と水晶体の間を**後眼房**と呼ぶ。両者は瞳孔によってつながっている。毛様体上皮で産生された眼房水は後眼房，瞳孔，前眼房を経て虹彩角膜隙から強膜静脈洞に注ぐ。

（2）付　属　器

１）眼　　瞼

眼球の前面をおおう皮膚のヒダで，上眼瞼と下眼瞼がある。眼瞼の外面は皮膚に，内面は**眼瞼結膜**におおわれる。眼瞼結膜は結膜円蓋で**眼球結膜**に移行する。眼瞼の内部には結合組織性の**瞼板**があり中に**瞼板腺（マイボーム腺）**がある。瞼板腺は皮脂腺の一種で眼瞼後縁に開口する。眼瞼前縁には２～３列の**睫毛**（しょうもう）（まつげ）が生える。睫毛の基部にはアポクリン汗腺（睫毛腺，モル腺）と脂腺（ツァイス腺）が開口する。

２）眼筋（外眼筋）

眼窩内には６本の外眼筋（４本の直筋と２本の斜筋）がある。

３）涙　　器

涙腺，涙小管，涙嚢，鼻涙管からなる。涙腺は眼窩の上外側にある漿液腺である。涙液は眼球の上外側に分泌され，眼球表面を潤わせた後，内眼角にある上下の涙点から流出して涙小管，涙嚢，鼻涙管を経て下鼻道に流れる。

3.2 聴覚・平衡覚器の構造

聴覚・平衡覚器は音を鼓膜に伝える外耳，鼓膜の振動を骨振動に変換する中耳，音や平衡覚を感受する内耳の 3 部分からなる（図 6 −25）。

(1) 外　耳

外耳は**耳介**と**外耳道**からなる。

① **耳　介**　耳介の最もくぼんだ部分が耳甲介で中央に**外耳孔**がある。耳介の外側縁に**耳輪**がある。耳介は皮膚とそれに包まれた弾性軟骨からなる。ここの皮膚は一般に皮下脂肪組織がほとんど欠如するが，耳垂部では多量に存在する。汗腺，皮脂腺は耳垂部を除き一般に少ない。耳介軟骨は弾性軟骨で，耳垂の部分は軟骨を欠く。また耳介には骨格筋性の耳介筋があるが退化的である。

② **外耳道**　外耳道は全体的にＳ字のカーブを描いていて外部からの異物の侵入を防いでいる。外側 1/3 の軟骨部と内側 2/3 の骨部に区分する。軟骨部の外耳道軟骨は弾性軟骨で，耳介軟骨とつながっている。外耳道軟骨は外耳道の下前壁にあり上方に開く半管状（樋状）をなす。皮膚層は厚く（約 1.5 mm），**耳毛**，小汗腺，**耳道腺**（小型のアポクリン汗腺），皮脂腺がある。一方，側頭骨の外耳孔から側頭骨鼓室部の鼓膜溝までが骨部である。骨部の皮膚は薄く（約 0.5 mm），皮下組織を欠き骨膜に固着する。耳毛，小汗腺，皮脂腺を欠くが，耳道腺は一部に存在する。

(2) 中　耳

鼓室，**鼓膜**，**耳小骨**からなる。

① **鼓　室**　内外両側が陥凹した凹レンズ型の空間。外側壁（鼓膜壁），内側壁（迷

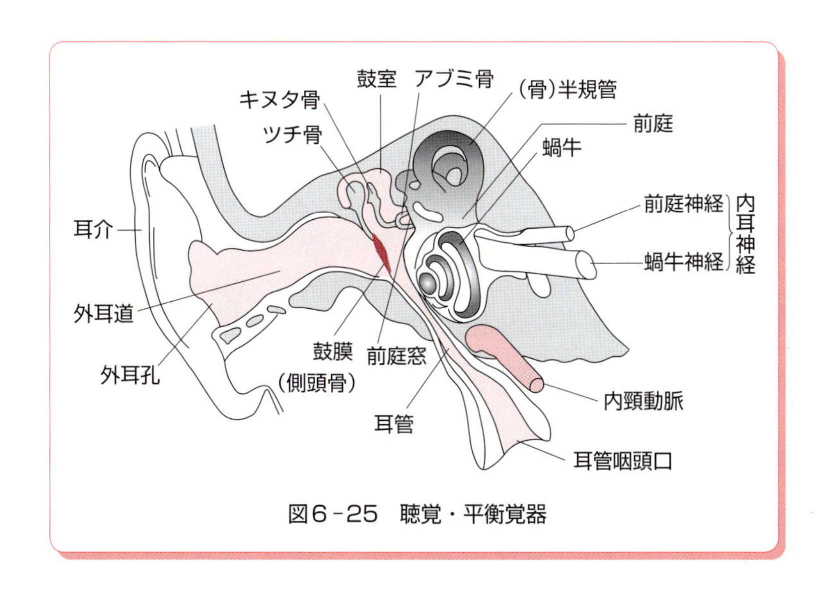

図6−25　聴覚・平衡覚器

路壁)，前壁（頸動脈壁)，後壁（乳突壁)，上壁（鼓室蓋)，下壁（頸静脈壁）を区分する。

② **鼓　膜**　外耳道と鼓室の境にある楕円形の薄い膜（上下径 9 mm，前後径 8.5 mm，厚さ 0.08 ～ 0.09 mm）で，前方にやや傾斜する（約 45°)。中央が浅くくぼんでいる（**鼓膜臍**)。内面にはツチ骨が付着している（**槌骨条**)。鼓膜は外耳道側より皮膚層，固有層（線維層)，粘膜層の３層からなる。

③ **耳小骨**　**ツチ（槌）骨**，**キヌタ（砧）骨**，**アブミ（鐙）骨**の３つがある。ツチ骨は鼓膜に付着し，その後方にキヌタ骨が関節を形成する。キヌタ骨の内側にアブミ骨が関節をつくり，前庭窓に結合している。

④ **耳　管**　鼓室の前壁に耳管鼓室口が開口する。耳管は鼓室と咽頭鼻部にある耳管咽頭口を結ぶ管である。耳管は外側 1/3 が骨部で，内側 2/3 が軟骨部である。軟骨部では鉤状の耳管軟骨が耳管をおおう。耳管の上皮は線毛上皮で耳管腺からの分泌物などにより鼓室側から咽頭側への線毛流をつくっている。嚥下時に耳管咽頭口は開口し，咽頭内と鼓室内を通気し内圧を調節する。

(3) 内　耳

骨迷路と膜迷路からなる。骨迷路は側頭骨錐体の緻密質の中にある複雑な形状をした空間で，膜迷路はその中にある膜性の袋である。骨迷路と膜迷路の間は外リンパ液で満たされ，膜迷路の中は内リンパ液で満たされている。内耳は大きく，**蝸牛**，**前庭**，**半規管**の３部に区分される（図６－30 参照)。

① **蝸　牛**　内耳の前方にある。水平位の蝸牛軸の周りを 2.5 回転したらせん状の管状構造物である。骨蝸牛の中は**骨ラセン板**と**蝸牛管**によって３部（前庭階・蝸牛管 / 中央階・鼓室階）に分かれる。前庭階と鼓室階は外リンパで満たされ，蝸牛管は内リンパで満たされる。前庭階と鼓室階は蝸牛の先端部（蝸牛頂）で交通している。蝸牛管の基底板（基底膜）には音を感受する**コルチ器**がある。蝸牛の基始部の鼓室階から頭蓋底の頸静脈窩内側部まで蝸牛小管が走る。外リンパ液は蝸牛小管を介して静脈に排出される。

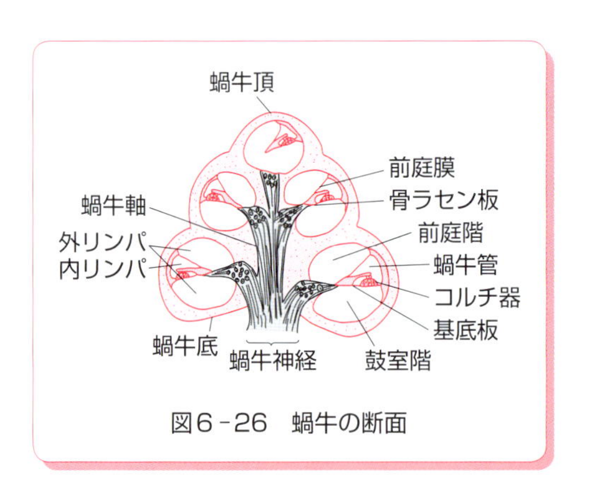

図６－26　蝸牛の断面

② **前　庭**　骨迷路の中央部に位置し，内部に膜迷路（**卵形嚢**と**球形嚢**）を入れる（図６－30 参照)。前庭には，アブミ骨がはまる**前庭窓**と，第２鼓膜により閉ざされている**蝸牛窓**の２つの孔がある。卵形嚢は膜半規管とつながり，連嚢管で球形嚢とつながる。また，球形嚢は結合管で蝸牛管と連絡する。卵形嚢と球形嚢には平衡覚器の**平衡斑**（卵形嚢斑と球形嚢斑）がある。平衡斑は有毛細胞のある感覚上皮の上に，ゼリー状の平衡砂膜と平衡砂がのったものである。平衡斑は直線加速度を感受するもので，

卵形嚢斑は水平位に，球形嚢斑は垂直位に位置する。卵形嚢と球形嚢をつなぐ連嚢管は内リンパ管を形成し，骨性の前庭水管を通ってＳ状静脈洞近くの脳硬膜内で盲管となって終わる。内リンパ液はこの管を通って排泄される。

③ **半規管**　**前半規管**，**後半規管**，**外側半規管**の３つがある。骨半規管の中に膜半規管が入る。半規管の脚の一方は膨れて膨大部となる。膨大部には有毛細胞とゼリー状の小帽（クプラ）からなる**膨大部稜**がある。

3.3　嗅覚器の構造

鼻腔の上壁には**嗅上皮**（きゅう）と呼ばれる特殊な感覚上皮がある。この鼻腔粘膜の嗅部は，鼻腔粘膜の呼吸部と異なり，静脈叢が発達していないため淡黄色を帯びて見える。

嗅上皮は支持細胞，**嗅細胞**，基底細胞の３層構造をなしている。嗅細胞は鼻腔面に臭い物質をとらえる嗅小毛を持ち，基底膜側に神経突起である嗅神経が出る。嗅神経は篩骨（しこつ）の篩板を貫いて嗅球にいたる。嗅上皮の粘膜固有層には小型の漿液腺である嗅腺がある。嗅腺の分泌物は空気中の臭い物質をとらえるとともに，嗅細胞の嗅小毛に付着した臭い物質を洗い流す作用がある。

3.4　味覚器の構造

舌表面にある有郭乳頭，茸状乳頭，葉状乳頭の粘膜上皮内には味を感受する**味蕾**がある。また，味蕾は，口蓋，咽頭および喉頭蓋の粘膜にも散在している。

味蕾は**味細胞**と支持細胞からなる。味細胞は味物質を感受する細胞でその先端にある**味毛**を**味孔**から外へ出している。味蕾の中で味細胞は無髄性神経線維（味蕾内線維）とシナプスを形成し，求心性線維は味蕾を出ると有髄線維となる。

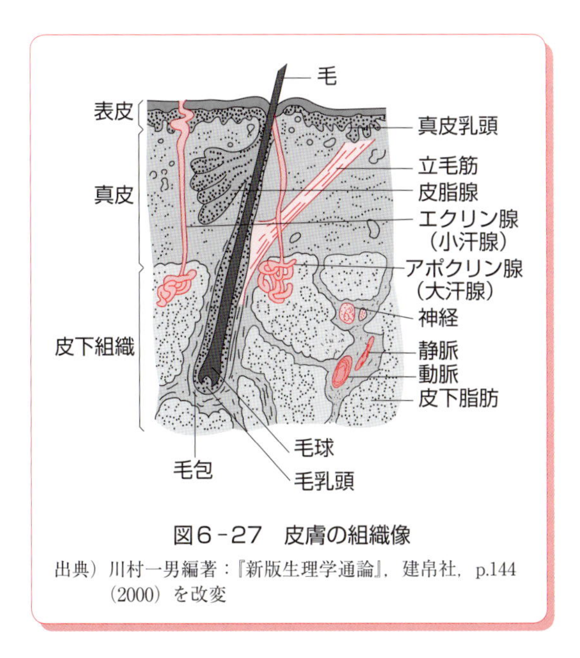

図6-27　皮膚の組織像

出典）川村一男編著：『新版生理学通論』，建帛社，p.144（2000）を改変

3.5　皮膚の構造

皮膚は，厚い「手掌・足底型の皮膚」と薄い「その他の皮膚」に区分される。皮膚には付属器として**皮膚腺**（汗腺，皮脂腺）と**角質器**（毛，爪）が分布する。

皮膚は**表皮**，**真皮**，**皮下組織**の３層構造をなし，表皮は上皮組織，真皮と皮下組織は結合組織からなる。表皮は外側から，角質層，淡明層（手掌・足底型のみに存在する），顆粒層，有棘（ゆうきょく）層，基底層（胚芽層）を形成する。有棘層にランゲルハンス細胞（免疫担当細胞，抗原提示細胞）が存在する。基底層はメラニン細胞を含む。真皮は密性結合組織で**真皮乳頭**を形成する。この乳頭の中に神経終末や毛細血管が入る。皮下組織は疎性結合組織で，脂肪細胞の集団が散在する。

1）角　質　器

皮膚の表皮が変化したもので，角質（ケラチン）を多く含む。

① 毛　　皮膚から外に出ている毛幹と皮膚の中にある毛根に分かれる。毛幹は皮質と不連続な髄質に分かれる。表面は鱗状の毛小皮（キューティクル）におおわれている。毛根は内根鞘と外根鞘の細胞性毛包と結合組織性毛包の２層によっておおわれている。毛根の下端は丸くふくらんで毛球を形成する。毛球内には毛乳頭と呼ばれる血管が豊富な結合組織があり，その周囲を毛と毛根鞘を形成する細胞である毛母基がある（図６－27参照）。

② 爪　　爪は外から見える爪体（そう）と皮膚の中に埋まっている爪根からなる。爪体の下にある皮膚の部分を爪床といい，爪の遊離縁では皮膚に移行する。爪根の周囲は爪をつくる爪母基がある。爪母基の一部は爪体を通して外側から見える（爪半月）。爪の周囲は爪廓（そうかく）と呼ばれる皮膚の堤におおわれている。

4. 感覚器の機能

感覚は，外界または体内部のさまざまな刺激を受け取り，その情報は，知覚神経を通して中枢神経である脳に伝えられる。感覚器には，味覚器，嗅覚器，平衡・聴覚器，視覚器，皮膚がある。感覚には表６－５のような種類がある。

表６－５　感覚の種類

		感覚器官
特殊感覚	視覚	眼（網膜）
	聴覚	耳（コルチ器官）
	平衡感覚	耳（前庭・半規管）
	嗅覚	鼻（嗅上皮）
	味覚	舌（味蕾）
体性感覚	皮膚感覚	皮膚
	深部感覚	筋，腱，関節（位置覚，痛覚など）
内臓感覚	臓器感覚	内臓（空腹感，尿意など）
	内臓感覚	内臓（痛覚）

4.1　特殊感覚

(1) 味　覚　器

味覚は，舌乳頭の中にある味蕾の中にある味細胞で感知される。味蕾は，舌以外に咽頭や喉頭にも存在する。舌乳頭には糸状乳頭，茸状乳頭，葉状乳頭および有郭乳頭の４種類が存在し，糸状乳頭には味蕾が存在しない（図６－28）。味覚の神経支配は舌前 2/3 は顔面神経（Ⅶ）支配，舌後 1/3 は舌咽神経（Ⅸ）支配，舌根部および咽頭・喉頭は迷走神経（Ⅹ）支配におおよそ分けられる。味覚の刺激は，各神経および延髄を通って視床下部へ伝わり，食欲のコントロールがなされる。また，大脳側頭葉体性感覚野の下方に味覚野が存在する。

(2) 嗅　覚　器

嗅覚は，鼻腔の上部の嗅粘膜（嗅部）で感受される。嗅粘膜の上皮は嗅上皮といい嗅細胞，支持細胞および基底細胞から形成されている（図６－29）。嗅細胞で感知したにおいの情報は，嗅神経を経て，大脳側頭葉の内側面にある嗅中枢へと伝えられる。

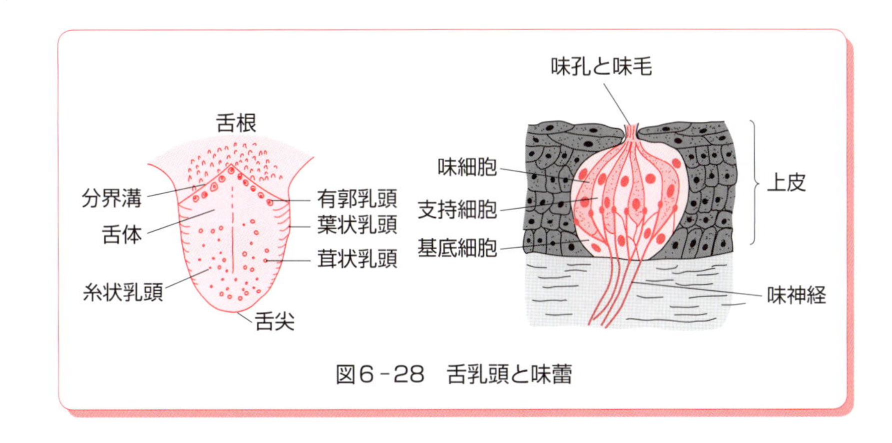

図6-28 舌乳頭と味蕾

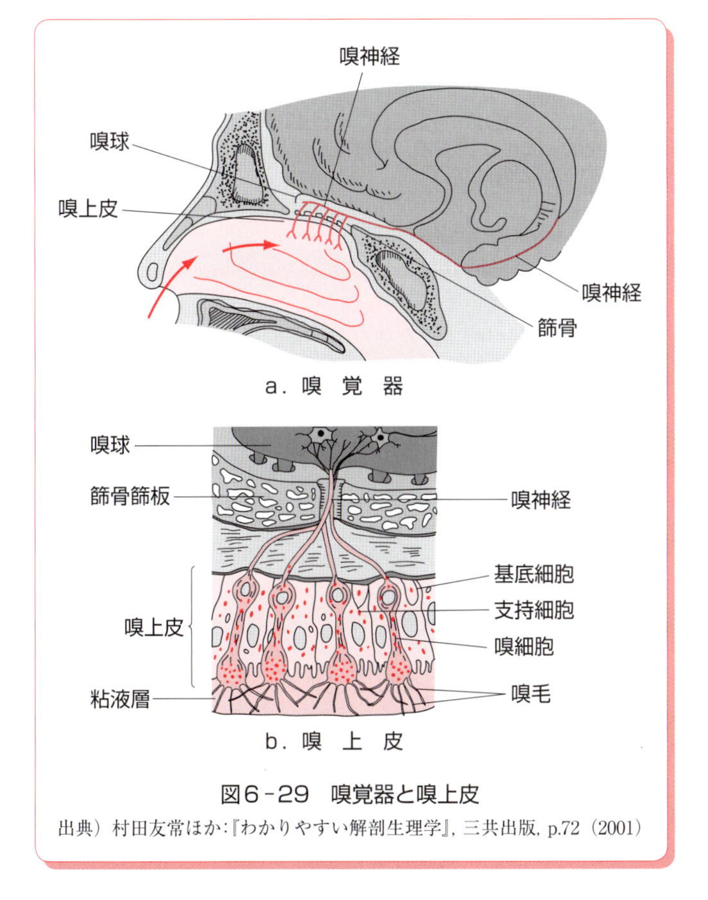

図6-29 嗅覚器と嗅上皮

出典）村田友常ほか:『わかりやすい解剖生理学』, 三共出版, p.72（2001）

嗅細胞は，神経細胞であり，その軸索が集まって嗅神経となる。嗅神経は嗅球でシナプス結合をする。嗅細胞は2つの嗅神経の支配を受け，1つは**大脳皮質の前頭葉**に，もう1つは**間脳の視床**でシナプス結合する（図6－29）。

（3）聴覚・平衡覚器

聴覚・平衡覚器は外側から**外耳**，**中耳**および**内耳**からなる（図6－25）。聴覚は耳の外耳，中耳，内耳の**蝸牛**で，平衡覚は内耳にある**前庭**（**球形嚢**と**卵形嚢**）と**（骨）半規官**で感知される。

① 聴　覚　外界から音が入ると外耳を通り，外耳と中耳の境に存在する鼓膜を振動させる。鼓膜で感知した音（振動）は中耳に存在する**耳小骨**（**ツチ骨 → キヌタ骨 → アブミ骨の順**）に伝わる。中耳内でアブミ骨と**前庭窓**という器官とは結合しており，前庭窓の音（振動）は内耳の蝸牛へと伝達される（前庭窓と蝸牛は連結している）。ラセン形をした蝸牛の内部はリンパ液で満たされており，外界からの伝達音はこのリンパ液を振動させて，この刺激が音の感受装置である蝸牛内に存在する**基底膜**上の**コルチ器**（ラセン器：聴覚受容装置）へ伝達され，この刺激が内耳の蝸牛神経を介して大脳側頭葉の聴覚野に伝わる。これが音の聞こえるしくみである（図6－25）。

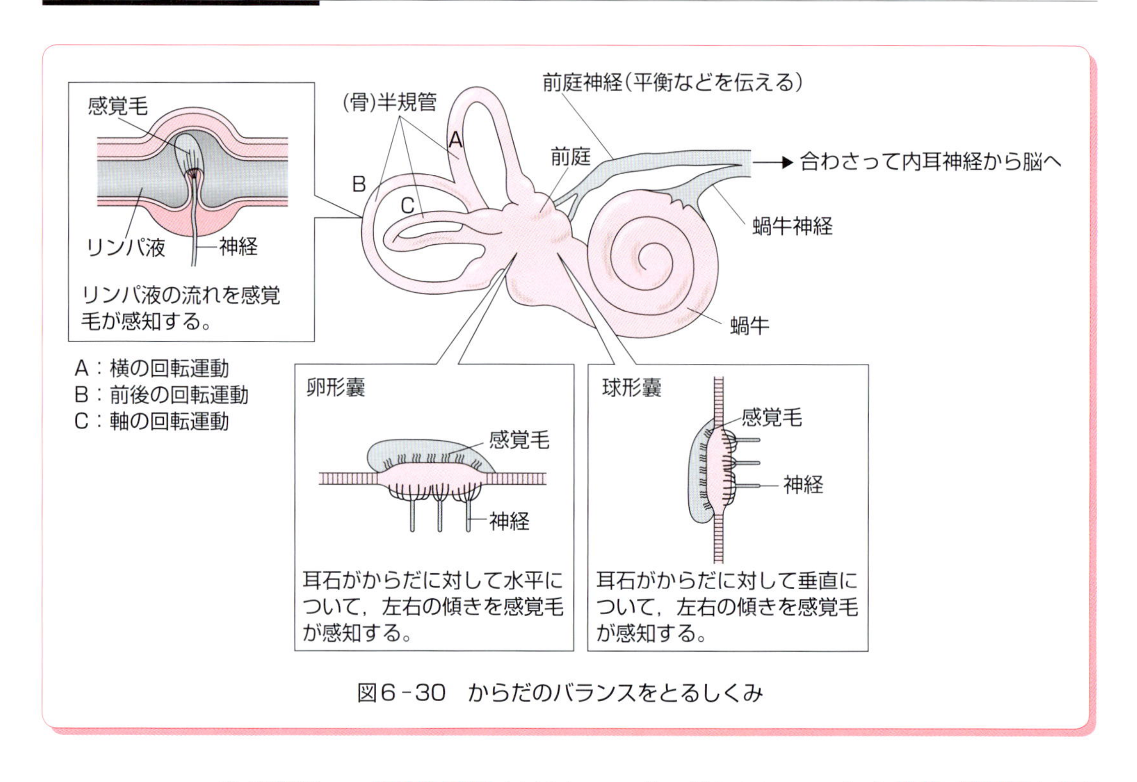

図６-30　からだのバランスをとるしくみ

② **平衡覚**　(骨)半規官（内部はリンパ液で満たされている）と前庭（球形嚢と卵形嚢：いずれも耳石が付着しており，球形嚢はからだに対して垂直に，卵形嚢はからだに対して水平に付着している）が司る。したがって，回転運動は（骨）半規官内のリンパ液の流れで，上下の傾きは球形嚢内の耳石の動きで，左右の傾きは卵形嚢内の耳石の動きで各々感じて，内耳内の前庭神経から内耳神経に伝わる。これがからだの平衡バランスをとるしくみである（図６-30）。

（4）視　覚　器

眼球は，外側から外膜・中膜・内膜と３層の被膜で包まれ，内部に通行装置があり，後方は視神経によって脳と連絡している（図６-23）。

① **外膜（線維膜）**　強膜（白眼に相当）と角膜（黒眼に相当）から構成されている。角膜は知覚に敏感で，角膜反射や涙分泌反射を起こして眼を保護している。

② **中膜（血管膜）**　脈絡膜は血管のない網膜外層の栄養を司る。毛様体は水晶体の厚さ調節（遠近調節）を行う。虹彩は光量調節機能を有する。

③ **内膜（神経膜）**　網膜から構成されている。光の受容器である視細胞〔桿（状）体細胞と錐（状）体細胞〕と視神経を含み，視覚においては最も重要な部位であるが全体的に柔らかく，剥離をしやすい部位でもある。網膜が完全に剥がれてしまうと失明となる（網膜剥離）。網膜には黄斑と盲斑という特殊な部位が２か所存在する。１つは黄斑といい，その中心を中心窩という。この黄斑は主に錐(状)体細胞のみから形成されており，視覚の最も鋭敏な部位であり，物を注視した際には，この部位で像を結

ぶ。また，錐(状)体細胞は明所ではたらき，色を見分ける。一方，盲斑（盲点）は視神経円板（乳頭）に存在し，この部位には錐(状)体細胞と桿(状)体細胞の両者の細胞が全く認められず，すなわち視神経が入るところで視神経線維のみで形成されているため光を全く感じず，かつ視力が全くない部位（マリオットの盲点）である。なお，桿(状)体細胞は，周辺部に多く，暗所で物を見る際に役立つ。また，明所から暗所に入ると，ビタミンA（またはビタミンAの前駆物質のレチナール）とタンパク質（オプシン）が結合してロドプシンが生成され，桿(状)体細胞がはたらく（暗順応）。したがって，ビタミンAが欠乏すると，ロドプシンが生成されず夜盲症（とり目）となる。逆に，暗所から明所に出ると，ロドプシンが分解されビタミンA（レチナール）とタンパク質（オプシン）となり，ロドプシンは減少して桿(状)体細胞の感度が低下する。このときは主に錐(状)体細胞がはたらくことになる（明順応）。

④ **通行装置**　通行装置には水晶体（レンズ），硝子体，眼房水が存在する。水晶体は毛様体（毛様体小体，毛様体筋）と連結していて水晶体の厚さを調節している（遠近調節）。水晶体が白濁して，視力障害の生じた状態を白内障という。硝子体と眼房水は眼内圧を一定に保っている。特に眼房水の分泌と吸収のバランスが崩れ眼圧が上昇した状態を緑内障という。

4.2 体性感覚

(1) 皮膚感覚（表面感覚）

皮膚感覚には圧覚・触覚，温覚，冷覚，痛覚などがあり，これらを感覚点という。いずれの感覚も受容器は皮膚の真皮に存在している（図6－31）。

① **圧覚・触覚**　毛根の周囲に分布して，圧力の強弱を識別したり，ものに触れたときにその手触りを感知する。圧覚・触覚の受容器はパチニ小体，マイスネル小体が鼻，指先，口唇に多く分布する。

② **温　覚**　熱いものに触れて熱を吸収し，皮膚温度が上昇するのを感知する。温覚の受容器はルフィニ小体，自由神経末が鼻に多く分布する。

③ **冷　覚**　冷たいものに触れたときに，皮膚温度が下降するのを感知する。冷覚の受容器はクラウゼ小体，自由神経末が鼻に多く分布する。

④ **痛　覚**　神経の末端が皮膚に加わった痛みを感知する。痛覚の受容器は自由神経末が額，胸，腕に多く分布する。

(2) 深部感覚

深部感覚は皮膚以外の体性感覚で，筋覚ともいい，運動感覚，振動感覚，深部痛覚などがある。皮下，筋肉，腱，関節などにある受容器によって感受される。

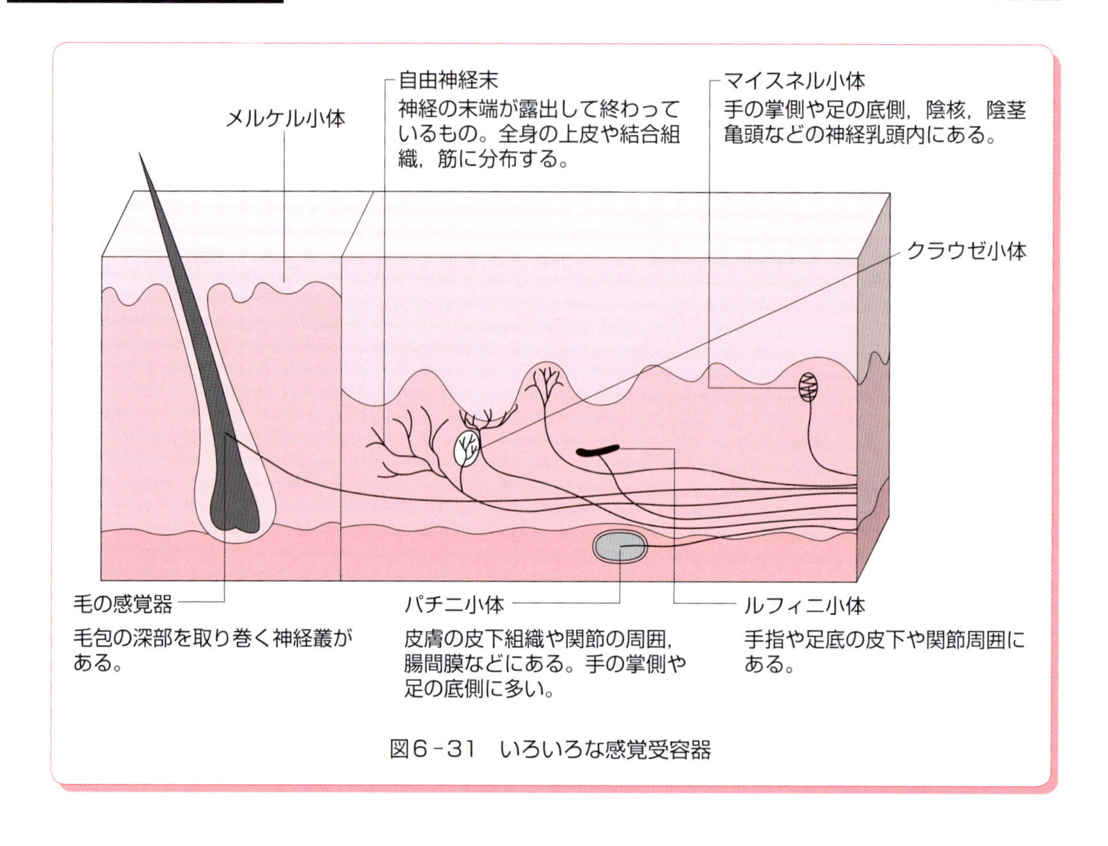

図６-31　いろいろな感覚受容器

4.3　内臓感覚

① **内臓痛覚**　内臓痛覚は深部痛覚と類似しており，局在が不特定で，持続性の痛みによって，吐き気や自律神経反射を伴う。**関連痛**（**連関痛**）などがこれに相当する。

② **臓器感覚**　空腹感，満腹感，渇き感，便意，尿意などがこれに相当する。

4.4　皮膚と体温調節（p.123，図６-27）

皮膚表面の血流量の変化や**汗腺**のはたらきにより，**熱放散**が生じて体温調節が行われる。皮膚に存在する汗腺には**アポクリン腺**と**エクリン腺**とがあり，アポクリン腺は特定の皮膚（腋窩や陰部など）に分布して毛包上部に開口しており，特有な臭気を持つものがあるが体温調節には関与していない。一方，エクリン腺はほぼ全身の皮膚に分布しており，毛とは無関係であるが**発汗**により体温調節に関与している。発汗には**温熱性発汗**，**精神性発汗**，**味覚性発汗**などがある。汗の食塩濃度は**副腎皮質ホルモン**が関与しており，体温調節に関与している。熱放散は安静時において**輻射**，**伝導・対流**，**蒸発**（**発汗**）・**呼気**・**尿**の順に多いが，運動時においては蒸発が主体で輻射，伝導は一定である。一方，**熱産生**には種々の内分泌ホルモンが関与する。また，体温調節中枢は間脳の視床下部（**熱産生は視床下部後部**，**熱放散は視床下部前部**）に存在しており，外界の温度に対する体温調節がなされている。体温は測定部位により差が生じ，直腸温，口腔温，腋窩温の順に高く，通常，午前3時頃が最低温，午後6時頃が最高温となる。熱の主な産生部位は骨格筋，肝臓，呼吸筋，腎臓，心臓の順に多い。

5. 神経系の疾病

脳出血：脳内の血管が破れて出血した状態で，高血圧が原因となることが多い。出血（血腫）の部位や大きさによって，症状の種類や程度が異なる。被殻や視床の出血では，片麻痺（病巣と反対側の上肢下肢の麻痺），麻痺側の感覚障害などを認める。脳幹部の出血では，意識障害，四肢麻痺を伴い，予後不良である。小脳の出血では，後頭部痛，嘔吐，回転性めまい，運動失調を呈する。

クモ膜下出血：脳表面の血管の破綻により，クモ膜下腔に出血した状態で，脳動脈瘤の破裂が主な原因である。40～60歳の女性に多く発症し，突然の激しい頭痛，嘔吐，意識障害を呈し，約半数は死亡または重篤な後遺症を残すことになる。

脳梗塞：脳動脈の閉塞により血流が途絶え，その血管の支配領域の脳組織が壊死に陥る病態である。障害される部位によって，片麻痺，感覚障害，構音障害，意識障害などさまざまな症状を呈する。臨床病型より，比較的大きな動脈のアテローム硬化（粥状硬化）によって起こるアテローム血栓性脳梗塞，心臓にできた血栓が剥がれて脳動脈を閉塞する心原性脳塞栓症，細い穿通枝動脈の閉塞で起こるラクナ梗塞，の3つに分類される。

認知症：一度正常に発達した認知機能が，後天的な脳の障害によって持続的に低下し，日常生活や社会生活に支障をきたす状態をいう。症状としては，記憶障害，失語，失行，失認，実行機能障害などを認め，精神症状や行動異常を伴うことがある。原因としては，アルツハイマー型認知症，脳血管性認知症，レビー（Lewy）小体型認知症などがある。最も頻度が高いアルツハイマー型認知症は，初老期から高齢期に発症し，妄想，徘徊，人格障害などを起こしやすい。脳の萎縮を認め，病理学的にはアミロイドβタンパクが沈着した老人斑，神経原線維変化，神経細胞の消失などが認められる。

パーキンソン病，症候群：**パーキンソン病**は，中高年期以降にみられ，中脳の黒質にあるドーパミン神経細胞の変性により，ドーパミンが不足して運動機能に障害が起こる。姿勢や歩行に障害が生じて，転びやすく，手足の震えやこわばり，緩慢な動作などの症状がみられ，高齢者では認知症の併発も多い。パーキンソン病に似た症状を呈する疾患を総称して**パーキンソン症候群**という。その原因としては，神経の変性，薬物，脳血管障害などがある。

ウェルニッケ脳症：ビタミンB_1の欠乏による神経障害で，意識障害，眼球運動障害，運動失調などの症状を呈する。慢性アルコール中毒や低栄養状態などが原因で発症する。

参考文献

・荒木英爾編著：『N ブックス解剖生理学』，建帛社（2010）
・小池五郎編著：『新栄養士課程講座解剖生理学』，建帛社（1998）
・佐藤昭夫，佐伯由香編集：『人体の構造と機能　第2版』，医歯薬出版（2006）

■練習問題■

問題1　神経組織に関する記述である。誤っているのはどれか。
(1)　脳から出る末梢神経は12対あり，これを脳神経という。
(2)　無髄神経線維においては，髄鞘が軸索を取り巻いている。
(3)　シナプスにおいて，興奮は一方向性に伝達される。
(4)　神経細胞は1個の細胞体と軸索および樹状突起よりなっている。
(5)　有髄神経は伝導速度が速い。

問題2　神経系に関する記述である。誤っているのはどれか。
(1)　交感神経は膵液分泌を抑制するが，副交感神経は促進する。
(2)　呼吸中枢は小脳に存在する。
(3)　副交感神経刺激は瞳孔を縮小させる。
(4)　体温調節中枢は視床下部に存在する。
(5)　運動野は大脳皮質に存在する。

問題3　感覚器系についての記述である。正しいのはどれか。
(1)　嗅覚は嗅上皮で感受される。
(2)　光の受容体である杆状体と錐状体は角膜に存在する。
(3)　味蕾は糸状乳頭に多く存在している。
(4)　中耳にはアブミ骨，ツチ骨の2つの耳小骨があり，鼓膜の振動を内耳に伝える。
(5)　音は半規管によって感受される。

第7章

呼吸器系の構造と機能

からだの中で常に活動を続けるさまざまな臓器は，その活動の維持のためには呼吸をして酸素（O_2）を取り入れ，二酸化炭素（CO_2）を排出し続けなければならない。安静時には呼吸はそれほど急ぐ必要はなく，心臓もゆっくりと脈を打ち，酸素や二酸化炭素を運ぶ血液も比較的ゆったりと流れている。しかし，運動時にはからだの筋は膨大な量のエネルギーを消費しており，それに見合うエネルギーをつくり出す必要がある。そのエネルギー産生に酸素が必要となるため，安静時に比較して呼吸は速くなり，酸素を体内に取り込もうとする。心臓の拍動も激しくなり，取り入れた酸素を運ぶ大量の血液が筋に流れ込む。このように呼吸と血液の循環，そして血液を流すためのポンプである心臓は状況に応じ，密接に協力しながら生命維持のために機能している。

1. 呼吸器系の構造

呼吸器系は肺と気道からなり，気道は鼻腔，咽頭，喉頭，気管，気管支に細分される。気管支の終末部には肺胞と呼ばれる多数の袋があり，ここで外気と血管の間のガス交換（**外呼吸**）が行われる

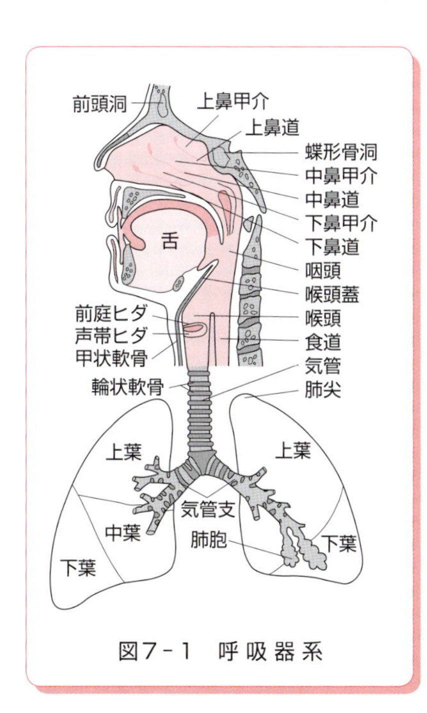

図7-1　呼吸器系

1.1　上気道（鼻腔から喉頭まで）

（1）鼻　腔

鼻腔の入口である外鼻は顔の中央に突出した高まりで，硬い部分は骨，やわらかい部分は軟骨により支えられている。外鼻孔に近い部分は重層扁平上皮でおおわれ鼻毛がある。鼻腔は**鼻中隔**により左右に分けられ，外側壁からは**上・中・下鼻甲介**と呼ばれる粘膜のヒダが突出している。これにより鼻腔は**上・中・下鼻道**の3段の通路に分けられる。鼻腔は呼吸部と嗅部に分けられ，大部分を占める呼吸部の粘膜は杯細胞を多く含んだ多列線毛上皮と鼻腺からなっている。杯細胞や鼻腺の分泌により，粘膜表面は水分に富む粘液でおおわれる。これにより鼻腔に入った吸気は湿気を与えられて肺に送られる。細菌や異物は，粘液に吸着され線毛運動により咽頭の方へ送られ，口から出されるか，飲み込まれることになる。

鼻腔の上皮の直下には海綿状の静脈が分布しており，大量の血液をいれている。この十分な血液により，吸気は体温に近い温度となり肺に送り込まれる。鼻中隔の前下部の粘膜は，**キーゼルバッハ部位**といい，鼻出血の好発部位として知られる。鼻腔の上部の狭い領域は，粘膜が特殊化して嗅部となっている。嗅粘膜は多列線毛上皮からなり，においを感じる嗅細胞が存在している。

(2) 副 鼻 腔

鼻腔の周辺の骨の内部には空洞があり，**副鼻腔**（**上顎洞**，**前頭洞**，**蝶形骨洞**，**篩骨洞**）と呼ばれる。これらの空洞は，小さい孔や管で上鼻道と中鼻道に開いている。副鼻腔と鼻腔は続いているので，鼻腔に炎症が起こると副鼻腔の粘膜に波及しやすい。この副鼻腔炎により鼻腔への開口部が閉ざされると，膿の排出が困難となり感染巣となってしまう（蓄膿症）。

(3) 咽　　頭

咽頭については，，第２章 p.26 を参照されたい。

(4) 喉　　頭

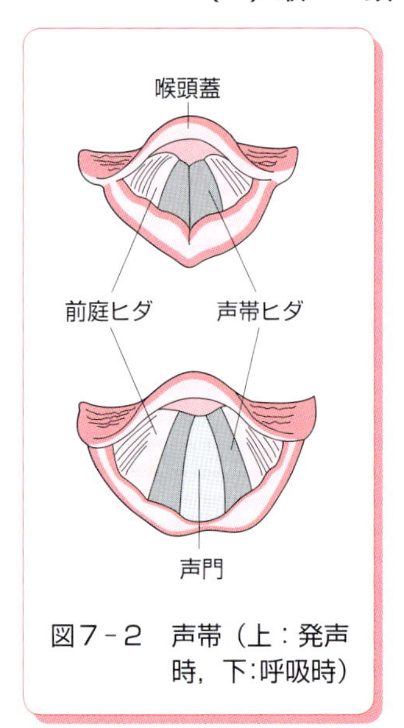

図７－２　声帯（上：発声時，下:呼吸時）

喉頭は，咽頭から気管に向かう空気の取り入れ口であり，発声器としても重要な役割をもつ。喉頭の枠組みは軟骨でできている。のどぼとけとして触れる**甲状軟骨**，その下には**輪状軟骨**があり，その後上縁に１対の**披裂軟骨**（ひれつ）が付いている。喉頭の前壁からは**喉頭蓋**（こうとうがい）（耳介と同じ弾性軟骨）と呼ばれる突起が飛び出ている。嚥下（えんげ）の際には，反射的に喉頭が引き上げられ，この喉頭蓋に押しつけられるので，気管に唾液や食物が流れ込まない。

喉頭の内腔には**前庭ヒダ**と**声帯ヒダ**が前後に走り，喉頭の内腔をせばめている。声帯ヒダとその内部の声帯靭帯および声帯筋を含めて**声帯**と呼ぶ。左右の声帯のへりは，上から見ればＶ字型のすきま，**声門**をなす（図７－２）。後方の披裂軟骨を動かすことにより，声門の幅が変化する。正常な呼吸時には声門は開いているが，発声時には左右の声帯ヒダが接近し，ふるわすことで声を出すことができる。喉頭の粘膜上皮は，前庭ヒダと声帯ヒダの一部は重層扁平上皮であり，その他の部分は多列線毛上皮である。

1.2　下気道（気管から肺胞まで）

（1）気管・気管支

喉頭の輪状軟骨から直線状に下行する管（長さ約 10 cm，太さ約 2 cm）を気管，そこから左右に分かれる部分からを気管支という。気管は，約 20 個の U 字型の気管軟骨（硝子軟骨）が上下に並んでいる。後方の開いた軟骨端の部分は，膜性壁と呼ばれる平滑筋と粘膜の板によりつながっている。膜性壁に接して食道が走っており，食物の通過を妨げない構造になっている（図７－３）。

気管から分かれた右の気管支は，左よりも太く，短く，垂直に近く走っている。このために，気管に落ちこんだ異物は右気管支に入ることが多い。

気管と気管支の粘膜には，粘液を分泌する杯細胞や気管腺，線毛細胞が備わっており，線毛運動により異物や粘液を体の外へ出すことができる。

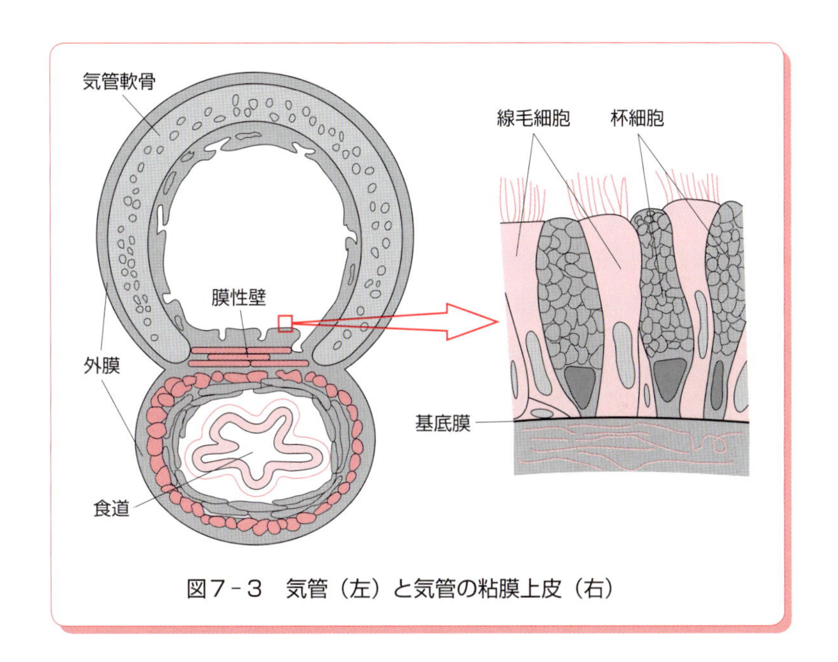

図７－３　気管（左）と気管の粘膜上皮（右）

（2）肺

肺は半円錐形で，上の部分を肺尖といい，下の部分は横隔膜に接する。内側面は心臓に面するために凹面をなし，中央部には，気管支，肺動静脈などが出入りする肺門がある。肺は深い切れ込みにより，左は２葉（上葉と下葉），右は３葉（上葉，中葉，下葉）に分かれている。気管支は肺に入ると，それぞれの肺葉に対応した葉気管支に，ついで肺区域に対応した区域気管支に枝分かれする。さらに分岐を繰り返して細くなり，ついには軟骨が消失して直径約 1 mm の細気管支となり肺小葉に入る。小葉内では終末細気管支，ついで呼吸細気管支へと分岐し，肺胞管から肺胞嚢となり肺胞に達する。

（3）肺　　胞

肺胞の壁は肺胞上皮細胞とその下の薄い結合組織で構成される。上皮にはさまれる結合組織には豊富な毛細血管網があり，拡散によるガス交換，すなわち外呼吸が行われる。肺胞上皮は，扁平（Ⅰ型）肺胞上皮細胞と大型（Ⅱ型）肺胞上皮細胞という２種類の細胞からできている。Ⅰ型細胞はきわめて薄い細胞で，肺胞の内面のほとんどをおおう。この上皮細胞と毛細血管の間には，基底膜（上皮の基底膜と内皮細胞の基底膜が融合したもの）が存在する。したがって，酸素や二酸化炭素は，上皮細胞，基底膜，内皮細胞の３層を通過しなければならない。この層構造は，血液と空気の重要な隔壁となるので，血液-空気関門と呼ばれる。Ⅱ型細胞は，肺胞上皮のところどころに散在する背の高い大きめの細胞であり，表面活性物質（サーファクタント）を分泌する。表面活性物質が肺胞表面に薄い膜をつくり，これにより肺胞内の表面張力が低下して，肺胞がつぶれないようになっている。肺胞壁には，吸気とともに入ってきた細菌や異物を取り込むマクロファージが存在する。この細胞は肺胞マクロファージあるいは塵埃（じんあい）細胞とよばれる（図７－４）。

肺動静脈はガス交換を行う機能血管であり，肺の組織を養う栄養血管は気管支動静脈である。

1.3 胸　　腔

（1）胸　　膜

肺の表面は，気管支や肺動静脈が出入りする肺門を除いて，漿膜におおわれる。これを胸膜という。肺に接する肺胸膜は，肺門のところで折り返り，胸郭や横隔膜と接する壁側胸膜に移行する。したがって肺は２枚の胸膜で囲まれる。これらの胸膜の間の狭い間隙を胸膜腔という。胸膜腔は少量の漿液で満たされているので，呼吸運動の際に２枚の胸膜は滑らかに擦れ合う。胸膜腔は陰圧に保たれているため，肺の外傷などで胸膜腔に空気が入ると，肺を圧縮する。これを気胸という（図７－５）。

（2）縦　　隔

胸腔の正中部で，左右の肺に挟まれた空間を縦隔という。前方は胸骨，後方は胸椎，側方は胸膜，上方は頸部の結合組織，下方は横隔膜に接する。縦隔には，心臓，気管，気管支，食道，胸腺，大動脈，大静脈などがある。

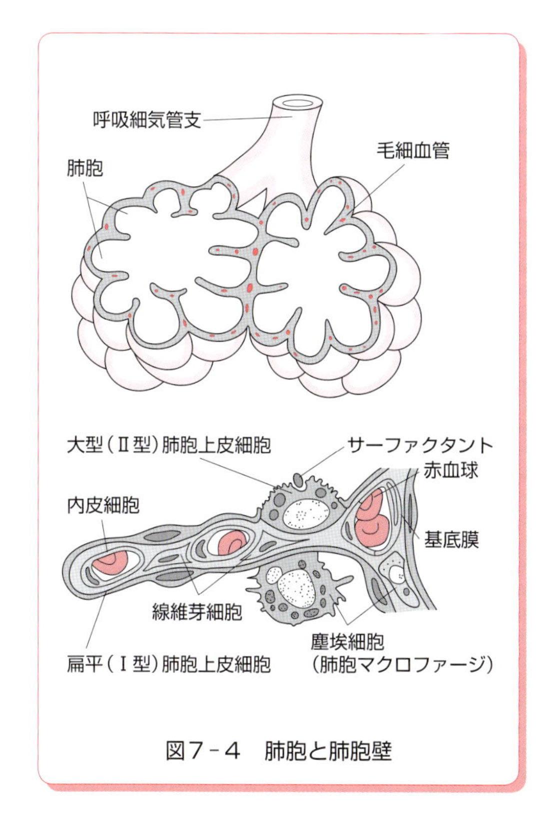

図7－4　肺胞と肺胞壁

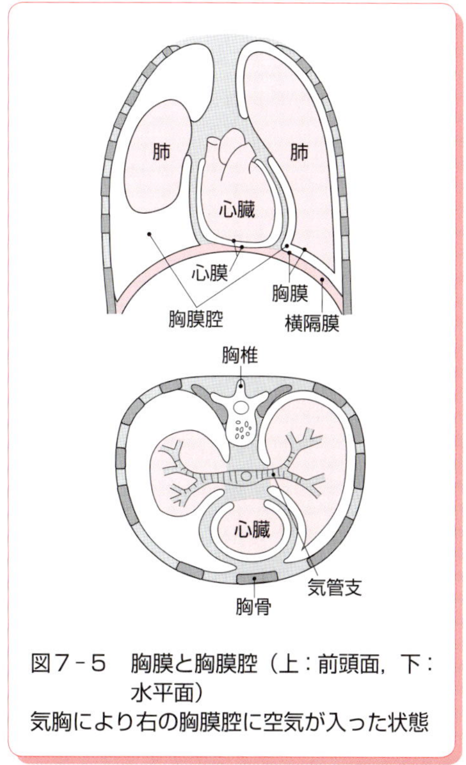

図7－5　胸膜と胸膜腔（上：前頭面，下：水平面）
気胸により右の胸膜腔に空気が入った状態

2. 呼吸器系の機能

2.1　気道の機能

気道は，外界と肺胞との間の空気の通り道である。気道には，吸気の加湿・加温や，声帯を振動させることによる発声などの機能のほか，気道表面をおおう線毛上皮や粘液によって微細な異物を絡め取り，痰として排出する防御機能がある。

気道の内径は，気道抵抗（呼吸抵抗の1つで，空気が気道を通るときの抵抗を意味し，これが大きいほど呼吸がしづらい）を規定する因子で，気道の内径が1/2になると，気道抵抗は16倍に増す。副交感神経は，気管支平滑筋を収縮させることで気管支の内径を縮小し，また粘液分泌を促進させるために，気道抵抗を増大させる。煙や化学刺激物質，寒冷，ヒスタミンなども気道を収縮させる。一方，交感神経は，気管支平滑筋を弛緩させることにより，気管支の内径を増大させ，気道抵抗を下げて換気を促進する。

2.2　肺の機能

呼吸器系の最も重要な機能は，外界から酸素（O_2）を取り込み，体内で生じた二酸化炭素（CO_2）を外界に排出することである。これが行われるためには，次の4つのステップを経る。すなわち，①換気（外界と肺胞との間の空気の出し入れ），②肺胞におけるガス交換（肺胞と肺内血液との間の酸素・二酸化炭素のガス交換），③血液によるガスの運搬，④組織におけるガス交換（血液と組織細胞との間の酸素・二酸化炭素のガス交換）である。この４つのステップを総称して**呼吸**といい，そのうち①換気と②肺胞におけるガス交換が肺で行われる。

(1) 換　気

外気の肺内への流入および肺内空気の外気への排出を**換気**といい，息を吸うことを吸気（あるいは吸息），息を吐くことを呼気（あるいは呼息）という。

肺に出入りする空気の量は，スパイロメータで測定した**肺気量分画**（図７－６）から求めることができる。１回の呼吸で肺に出入りする空気の量を**１回換気量**といい，成人安静時では 200 ～ 500 mL である。１分間に肺に出入りする空気の量は，１回換気量×呼吸数（1 分間あたりの呼吸回数）で求められ，これを**分時換気量**という。呼吸数は，新生児 40 ～ 60 回，学童期 20 ～ 30 回，成人 12 ～ 20 回であり，分時換気量は成人安静時で４～８L となる。安静時の吸気位からさらに最大限吸入できる空気の量を予備吸気量，安静時の呼気位からさらに最大限呼出できる空気の量を予備呼気量といい，１回換気量に予備吸気量と予備呼気量を合わせたものを**肺活量**という。肺活量は，肺に出入りできる最大限の空気量を表し，成人男子で３～５L，成人女子で２～４L である。最大呼気位で肺内に残る空気の量を残気量というが，これはスパイロメータで測ることはできず，指示ガス希釈法などの特別な方法によって測定される。残気量から，機能的残気量，全肺気量が求まる。肺気量分画の値は個人差が大きく，体格にも左右される。例えば，１回換気量や肺活量の値は，男性よりも女性の方が小さく，また日本人は一般に１回換気量が少ない。

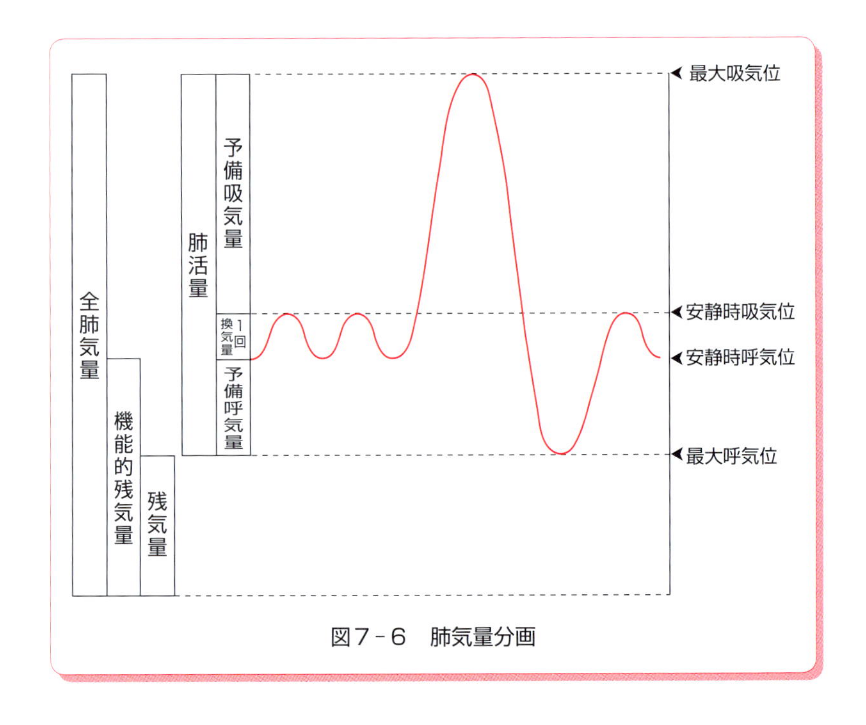

図７－６　肺気量分画

1回換気量を500 mLとすると，実際に肺胞に到達しガス交換にあずかる量（肺胞換気量）は2/3（約350 mL）で，残りの1/3は，気道を満たすだけで肺胞には達しない。このガス交換に寄与しない空気の占める空間（約150 mL）を死腔という。

（2）肺胞におけるガス交換

吸気として気道に入った空気は，気道・肺胞内の空気と混ざり，ガスの組成が変化して肺胞に達する。肺胞は，周囲を毛細血管が網目状に取り巻いており，肺胞気と血液との間で，酸素（O_2），二酸化炭素（CO_2）のガス交換が行われる。肺胞気と血液を隔てる隔壁（肺胞上皮，基底膜，毛細血管内皮からなる）は非常に薄く，ガスはこの隔壁を通って，分圧（複数の成分からなる混合気体に対して，ある1つの成分がその混合気体と同じ体積を単独で占めるとしたときの圧力）の差に応じて拡散で移動する。肺胞気中のO_2分圧（P_{O_2}）は約100 mmHg，CO_2分圧（P_{CO_2}）は約40 mmHg，肺毛細血管に流入する静脈血のO_2分圧は約40 mmHg, CO_2分圧は約46 mmHgである（図7－7）。したがって，血液が肺胞周囲の毛細血管を流れる間に，O_2は約60 mmHgの分圧差によって肺胞から血液へ，CO_2は約6 mmHgの分圧差によって血液から肺胞へと移動する。肺から流れ出る動脈血の血液ガス組成は，肺胞気のガス組成とほぼ等しくなるが，実際には，肺胞における換気－血流比の不均等や，静脈性短絡（シャント：肺を経由せずに静脈血が直接動脈に流れ込むこと）などがあるため，動脈血O_2分圧は肺胞気O_2分圧よりわずかに低く，約95 mmHgとなる（図7－7）。末梢組織では，O_2分圧は約40 mmHg, CO_2分圧は約46 mmHgであり，肺とは逆にO_2は血液から組織へ，CO_2は組織から血液へと拡散する。このようにして，外気から取り入れたO_2は組織

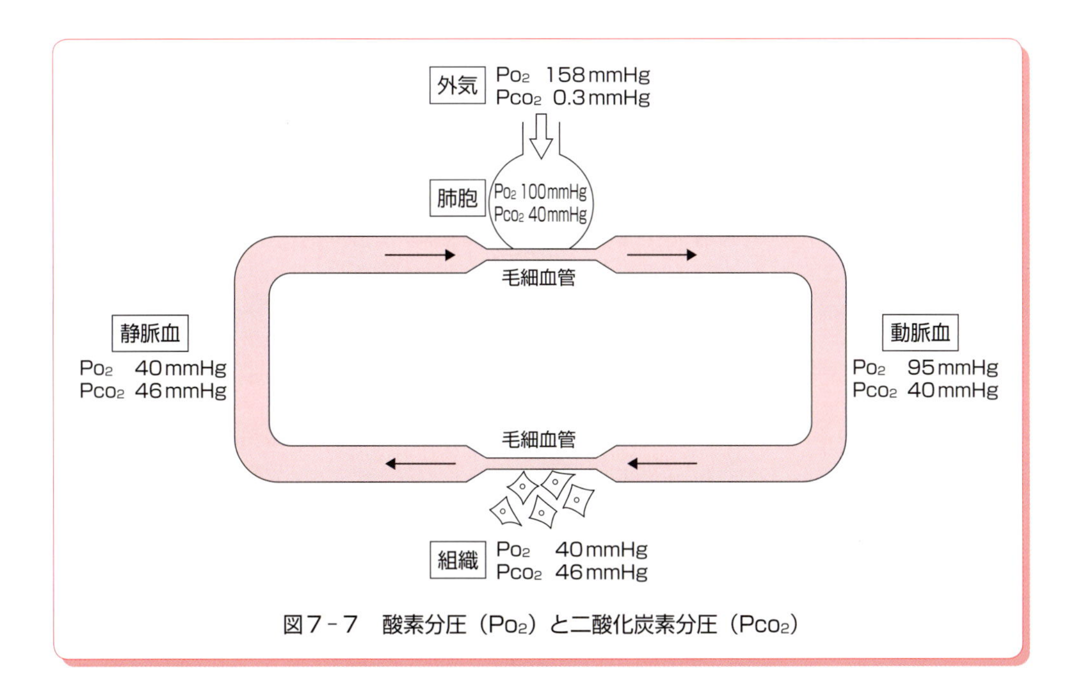

図7－7　酸素分圧（P_{O_2}）と二酸化炭素分圧（P_{CO_2}）

に供給され，組織で生じた CO_2 は外気に放出される。

肺胞壁を隔てたガスの拡散速度は，ガスの種類によって異なり，O_2 と CO_2 では CO_2 の方が約 20 倍拡散しやすい。そのため，拡散障害をきたすような肺疾患では，低酸素血症が問題となり，高炭酸血症は生じにくい。

2.3　呼吸運動とその調節

(1) 呼 吸 運 動

換気を行うための胸郭の運動を**呼吸運動**という。肺自体は能動的に動く能力を持たず，胸郭の動きによって受動的に拡張・収縮させられている。胸郭の運動には，**横隔膜**をはじめとする呼吸筋が関与している。吸息時には，横隔膜と外肋間筋が収縮し，胸郭容積が増大する。胸膜腔内は常に陰圧に保たれているが，胸郭容積が増大するとこの陰圧が増し，肺が受動的に引き延ばされて，吸気が流入する（図７－８）。呼息時には，横隔膜と外肋間筋が弛緩し，胸郭容積が減少するため，胸腔内の陰圧が減り，呼気が流出する（図７－８）。換気量が増大したときや大きな呼息時などでは，内肋間筋や腹壁筋（呼息時），胸鎖乳突筋や斜角筋（吸息時）なども協調的にはたらく。横隔膜の運動を主とする呼吸を腹式呼吸，肋間筋の運動を主とする呼吸を胸式呼吸という。呼吸で最も重要な役割を果たすのは横隔膜で，安静時呼吸の大部分は横隔膜の運動によってまかなわれている。

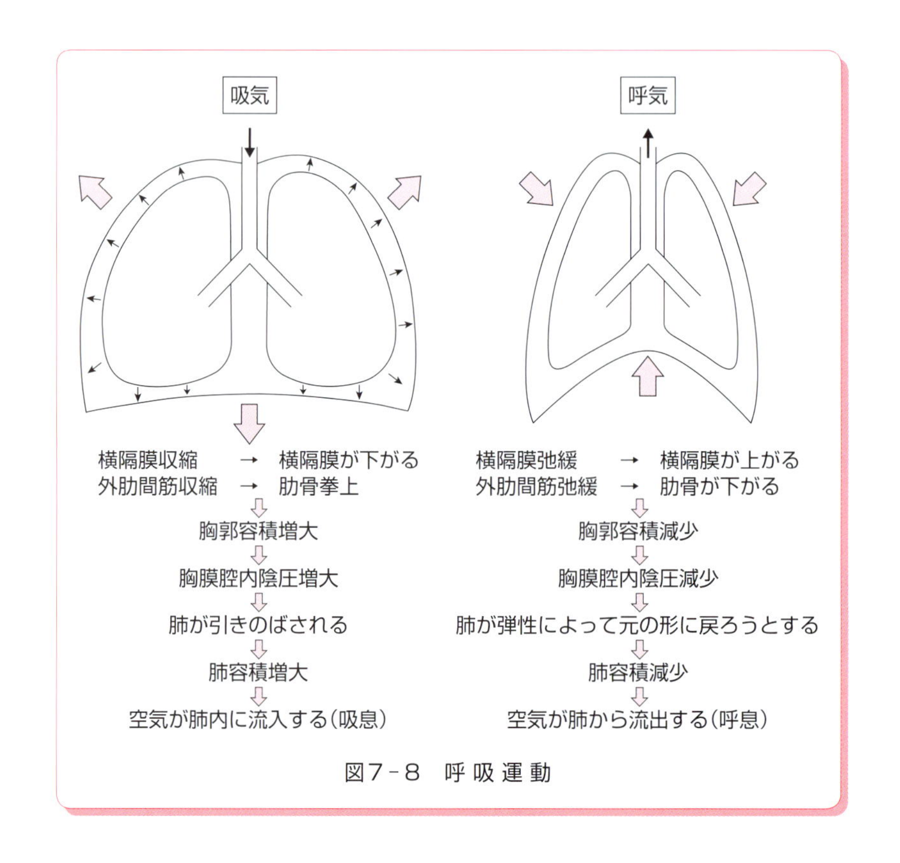

図７－８　呼 吸 運 動

(2) 呼吸中枢

呼吸運動は，延髄を中心とした**呼吸中枢**によってコントロールされている。延髄には，呼息・吸息のリズムをつくり出すニューロン群が存在しており，無意識下や睡眠時でもリズミカルな呼吸を維持している。延髄呼吸中枢からの出力は脊髄に伝わり，横隔神経（頸髄），肋間神経（胸髄）を介して横隔膜，肋間筋を収縮させる。

延髄の呼吸中枢は，橋にある呼吸調節中枢の修飾を受け，さらに大脳皮質からの随意的調節を受けている。呼吸を一時的に止めたり，発声を行うことができるのは，大脳皮質からの意識的な調節が呼吸中枢にはたらくためである。

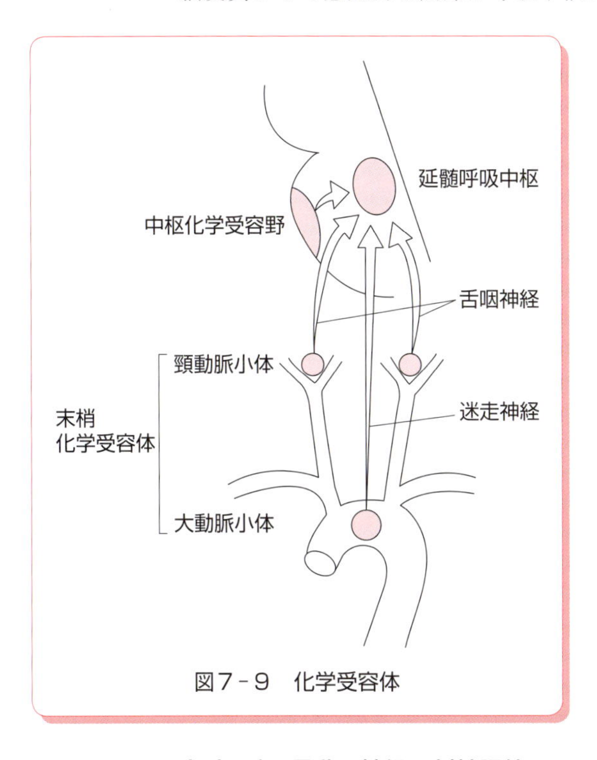

図7－9 化学受容体

(3) 呼吸運動の化学的調節

動脈血中の O_2 分圧，CO_2 分圧，pH の変化は，化学受容体で感知され，呼吸中枢に伝えられる（図7－9）。化学受容体には，末梢化学受容体と中枢化学受容野がある。**末梢化学受容体**には，頸動脈分岐部にある頸動脈小体と，大動脈弓にある大動脈小体とがあり，動脈血の O_2 分圧低下，CO_2 分圧上昇，pH 低下を感知し，それぞれ舌咽神経，迷走神経を介して呼吸中枢に情報を送り，呼吸を促進させる。特に，血中 O_2 分圧低下に対する感受性が高い。**中枢化学受容野**は，延髄腹側表面にあり，血中 CO_2 分圧の上昇に伴う脳脊髄液の pH 低下を感知して，その情報を呼吸中枢に送り，呼吸を促進させる。

(4) 呼吸運動の神経反射性調節

吸息が進行して肺がふくらむと，気道や肺にある伸展受容体が興奮し，迷走神経を介して呼吸中枢に情報を送り，吸息を呼息に切り替える。この反射を，**ヘーリング・ブロイエル**（Hering-Breuer）**反射**と呼ぶ。この反射は，肺の過膨張による肺胞の損傷を防ぐ役割がある。

3. 血液による酸素・二酸化炭素運搬のしくみ

3.1 酸素の運搬

O_2 の大部分は，赤血球内の**ヘモグロビン**（Hb）と結合して運ばれ，血漿中に溶解して運ばれる O_2 はわずか（1～2%）である。ヘモグロビンは，O_2 と結合すると鮮紅色のオキシヘモグロビン（酸素化ヘモグロビン），O_2 を離すと暗赤色のデオキシヘモグロビン（脱酸素化ヘモグロビン）となる。低酸素血症などでデオキシヘモグロビンの量が増えると，皮膚や粘膜が青紫色になるチアノーゼを呈する。

ヘモグロビンと O_2 の結合の度合い（ヘモグロビンの酸素飽和度）は，O_2 分圧に依存し，その関係は，図７－10 に示すようなＳ字形をしている。この曲線を**酸素解離曲線**という。酸素分圧が高いときには，より多くのヘモグロビンが O_2 と結合しており（酸素親和性が高い），酸素分圧が低いときには，ヘモグロビンは O_2 を離しやすい（酸素親和性が低い）。肺胞および肺毛細血管動脈血の O_2 分圧は約 100 mmHg であり，このときの酸素飽和度は約 98% である。組織および組織毛細血管静脈血の O_2 分圧は約 40 mmHg であり，このときの酸素飽和度は約 75% となる。すなわち，肺から出た血液が組織を循環する間に，23% 分に相当する O_2 が組織に分配されることになる。酸素解離曲線は，CO_2 分圧や pH，温度などの影響を受け，CO_2 分圧の上昇，pH の低下，組織の温度の上昇，2,3－ジホスホグリセリン酸（2,3－DPG：嫌気的解糖系中間代謝産物）の上昇など，組織での代謝亢進，低酸素状態を示す要因により右方向にシフトし（図７－10），逆に CO_2 分圧の低下，pH の上昇，組織の温度の低下，2,3－DPG の低下などにより左方向にシフト（左方移動）する。特に，CO_2 分圧の変動に伴う pH の変化により酸素解離曲線がシフトすることを，ボーア（Bohr）効果という。酸素解離曲線が右方向にシフト（右方移動）すると，O_2 分圧 100 mmHg での酸素飽和度はほとんど変わらないが，O_2 分圧 40 mmHg での酸素飽和度は大きく下がり，これにより，ヘモグロビンはシフト前と比べてより多くの O_2 を組織に分配できるようになる（図７－10）。

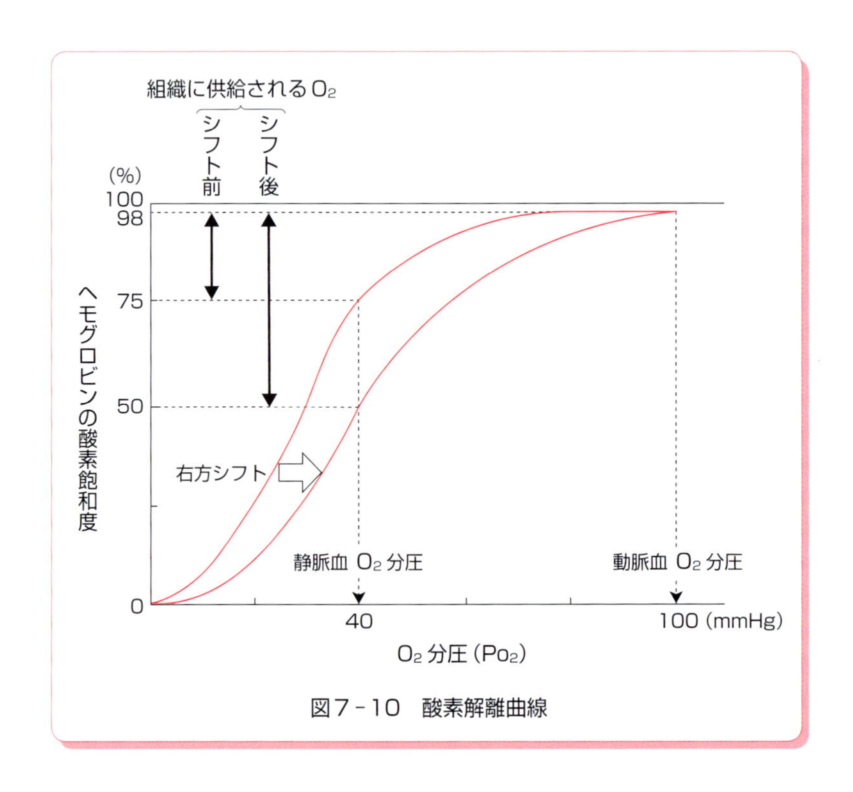

図７－10　酸素解離曲線

3.2 二酸化炭素の運搬

CO_2はO_2よりも溶解度が高いが，それでも血漿および赤血球内における物理的な溶解はわずか（約9%）である。大部分のCO_2は，赤血球内に拡散した後，炭酸脱水酵素の作用によってH_2CO_3（炭酸）となり，さらにH^+とHCO_3^-に解離する。H^+はヘモグロビンと結合し，HCO_3^-は拡散により赤血球外に出て血漿中に溶解し運ばれる。

炭酸脱水酵素

↓

$$CO_2 + H_2O \rightleftarrows H_2CO_3 \rightleftarrows H^+ + HCO_3^-$$

＊組織では右方向，肺では左方向に反応が進む

CO_2の一部（約11%）はヘモグロビンと結合し，カルバミノCO_2の形で運ばれる。

4. 呼吸性アシドーシス・アルカローシス

体液のpHは，常に一定の範囲内に保たれている。これを**酸塩基平衡**といい，血液のpHが正常（pH 7.35～7.45）より低下した状態をアシドーシス，正常より上昇した状態をアルカローシスという。肺は，CO_2という揮発性酸を排出することで，腎臓と並んで酸塩基平衡に重要な役割を果たしている（p.79，第4章「6. 代謝性アシドーシス・アルカローシス」参照）。呼吸性の原因によりアシドーシス，アルカローシスをきたすことを，呼吸性アシドーシス，呼吸性アルカローシスという。**呼吸性アシドーシス**は，呼吸器疾患によるCO_2排出不全や中枢性肺胞低換気症候群など，血中CO_2分圧が上昇する病態で生じる。**呼吸性アルカローシス**は，過換気症候群など，CO_2の排出が亢進し，血中CO_2分圧が低下する病態で生じる。いずれの場合も腎臓による代償作用がはたらき，腎臓からのHCO_3^-排泄を，アシドーシスでは減少，アルカローシスでは増加させることにより，pHを正常範囲に戻そうとする（p.79，表4－2）。

5. 呼吸器系の疾病

肺　炎：肺に生じる炎症性疾患の総称で，免疫能が低下する高齢者では死亡率が高く，わが国の死因の第3位（2015年）を占める。原因となる病原微生物は，細菌，ウイルス，マイコプラズマ，クラミジア，真菌などがある。初期症状としては，発熱，咳，痰，胸痛などを認めるが，炎症が広がって浸出液が広範囲の肺胞に充満すると，十分なガス交換ができなくなり呼吸困難やチアノーゼを認めるようになる。高齢者では，脳梗塞やパーキンソン病などで嚥下機能に障害がある場合，食物などを気道内に誤嚥することで生じる**誤嚥性肺炎**を起こしやすい。誤嚥性肺炎の予防には，口腔内のケアやベッドの挙上が重要である。

肺結核：結核菌の経気道感染によって発症する。飛沫感染し初感染巣をつくるが，通常は免疫があるので発症することは少ない（一次結核）。しかし，結核菌は休止状態で存在していて，糖尿病や高齢などで免疫力が低下すると発症することがある（二

次結核）。

気管支喘息：ハウスダスト，ダニ，花粉，食物，ペットなどが原因となって起こり，多量の粘液の分泌と気管支平滑筋の収縮などにより気道が狭くなって，発作性の呼吸困難，喘鳴，咳嗽をきたす疾病である。小児期に発症する喘息は，Ⅰ型アレルギーが関与するものがほとんどであるが，成人期に発症する喘息はⅠ型アレルギーが関与しない場合もあり，喫煙や肥満との関連が示唆されている。呼吸機能検査では，1 秒率の低下を認め，閉塞性換気障害の所見を呈する。

慢性閉塞性肺疾患（chronic obstructive pulmonary disease：**COPD**）：慢性的に気道閉塞を起こす疾患で，肺気腫，慢性気管支炎が含まれる。長年の喫煙習慣を背景に中高年男性に発症することが多く，わが国の死因の第 10 位（2015 年）を占める（男性のみでは第 8 位）。肺胞壁の破壊に伴って生じる気腫性病変と末梢気道病変が複合することで，迅速に呼気ができにくくなり，労作時の呼吸困難，慢性の咳・痰，チアノーゼを認める。呼吸機能検査では，1 秒率の低下を認め，閉塞性換気障害を呈する。

肺　癌：肺，気管，気管支を起源とする悪性腫瘍で，わが国の悪性新生物の部位別死亡率では，男性で第 1 位，女性で第 2 位である（2015 年）。組織型で，小細胞癌と非小細胞癌に分類され，非小細胞癌はさらに扁平上皮癌，腺癌，大細胞癌に分けられる。また，癌ができた部位によって肺門型と末梢型に分類することもある。扁平上皮癌と小細胞癌は，肺門型として発生することが多く，咳嗽，喀痰，血痰などの症状を認め，喫煙との関連が大きい。末梢型（腺癌，大細胞癌）は症状が出現しにくく，胸部 X 線検査などで見つかることが多い。

参考文献

・本郷利憲ほか監修，小澤瀞司ほか編集：『標準生理学』，医学書院（2005）
・大地陸男：『生理学テキスト』，文光堂（2010）
・問田直幹ほか編集：『新生理学』，医学書院（1982）
・猪狩淳，中原一彦編集：『標準臨床検査医学』，医学書院（2009）

■練習問題■

問題1 呼吸器系に関する記述である。誤っているのはどれか。

(1) 左肺は右肺よりやや小さい。
(2) 右肺は3葉，左肺は2葉よりなる。
(3) ガス交換は肺胞で行われる。
(4) 異物を飲み込んだとき，左の気管支に落ち込む可能性が高い。
(5) 喉頭にある声帯ヒダが発声に関与している。

問題2 呼吸器系に関する記述である。正しいのはどれか。

(1) 左肺の葉気管支は3本である。
(2) 気管の前壁は軟骨を欠いている。
(3) 安静呼吸時の胸腔内は陰圧である。
(4) 横隔膜は呼吸運動に重要なはたらきをする不随意筋である。
(5) 呼吸運動の中枢は橋にある。

問題3 呼吸器系に関する記述である。正しいのはどれか。

(1) 肋間筋の収縮・弛緩による呼吸型を腹式呼吸という。
(2) 血液中のCO_2濃度が高くなると呼吸運動が抑制される。
(3) 血液中の酸素の大部分は血漿中に溶解し，ヘモグロビンと結合しているものは少ない。
(4) 肺活量とは1回換気量に予備吸気量と予備呼気量を加えたものである。
(5) 横隔膜は呼気時に収縮する。

第8章 運動器系の構造と機能

1. 運動器系の構造

1.1 骨・軟骨・関節・靭帯の構造

(1) 骨

1) 骨の種類

骨はその形状により次のように分類される。

① **長　骨**　上腕・前腕・大腿・下腿に見られる長い骨。中央部の骨幹と両端の骨端に区分する（図8－1）。

② **短　骨**　手根骨・足根骨などの不整なサイコロ状の骨。

③ **扁平骨**　板状の薄い骨。頭蓋冠を構成する頭頂骨・前頭鱗・側頭鱗・後頭鱗や骨盤の腸骨などに見られる。

④ **不規則骨**　椎骨や顔面の骨のように，多様な形状を示す骨。

⑤ **種子骨**　腱の中に形成される骨。膝蓋骨は最大の種子骨である。

⑥ **含気骨**　副鼻腔や鼓室に見られる骨の内部に空気の入る空間を持つ骨。上顎骨・篩骨（しこつ）・蝶形骨・前頭骨などに見られる。

2) 骨の構造

骨の関節面は**関節軟骨**におおわれ，その他の部分は**骨膜**によっておおわれている。骨の皮質部分は硬い**緻密質**でできており，骨幹の内部にある**髄腔**には骨髄が入る。また，骨端部の内部は細い骨梁でできた**海綿質**がある（図8－1）。

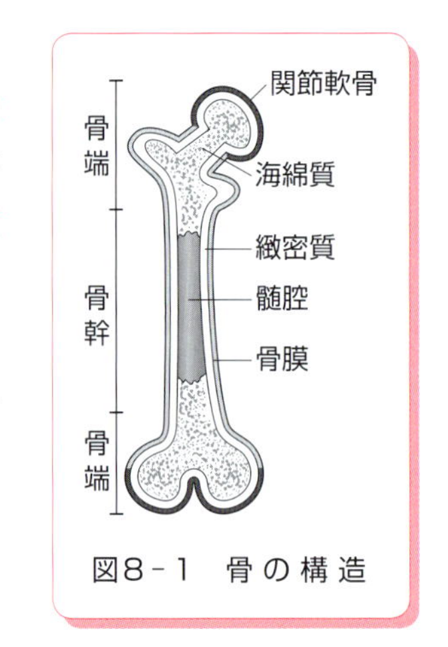

図8－1　骨の構造

① **骨　膜**　骨の周りを包む密性結合組織の膜で，未分化な間葉細胞を含む。骨折時にはこの細胞が骨芽細胞に変化して修復を行う。

② **骨　質**　緻密質と海綿質がある。緻密質は外側の基礎層板と内側の**ハヴァース層板**からなる。基礎層板は骨膜に平行な層板構造である。ハヴァース層板は**ハヴァース管**を中心とした同心円構造をなす。これを**骨単位**（**オステオン**）と呼んでいる。脈管や神経の通り道であるハヴァース管同士は，ハヴァース層板を横断する**フォルクマン管**でつながっている。この緻密質には骨質を形成する**骨芽細胞**，骨質を

維持する骨細胞，骨質を分解する破骨細胞の3種類の細胞が分布する。海綿質は緻密質でできた細い骨梁が立体的な網状構造となったもので，骨梁の間の空間は骨髄で満たされている。

③ 骨　髄　骨髄には赤色骨髄と黄色骨髄がある。赤色骨髄は造血組織で多くの血管を含む。黄色骨髄は造血組織が退縮して脂肪組織に置き換わったものである。小児では全身の骨髄が赤色骨髄だが，成人では胸骨・肋骨・腸骨・椎骨などに赤色骨髄が見られるのみである。

（2）軟骨の種類と構造

肋軟骨，関節軟骨，成長軟骨は硝子（しょうし）軟骨であり，関節円板，関節半月，関節唇，椎間円板，恥骨結合などは線維軟骨である。また，耳介軟骨，外耳道軟骨は弾性軟骨である。

（3）関節の種類と構造

1）不動関節

不動性の連結も，広義では関節に含まれる。

① 線維性結合　骨同士が膠原線維により連結するものである。頭蓋冠の縫合，歯と歯槽骨の結合（丁植（ていしょく）），脛骨と腓骨の靭帯結合，前腕の骨間膜に見られる。

② 軟骨性結合　軟骨を介して骨と骨が結合しているもの。椎間円板，恥骨結合，若年者の胸骨，寛骨などがこれにあたる。

③ 骨性結合　骨同士が癒合したもので，仙骨，寛骨，尾骨などがある。

2）半　関　節

著しく可動性の乏しい関節で，仙腸関節，手根間関節，足根骨関節などがある。

3）可動関節

一般的に関節と呼ばれるもので，滑膜性の連結ともいわれる。

① 関節の構造（図8－2）　骨端同士が接触する部分の表面は硝子軟骨でできた滑らかな関節軟骨におおわれている。2つの骨が連結する部分を包むように，関節包と呼ばれる線維性結合組織と滑膜でできた袋状の構造がある。関節包の内部には関節腔と呼ばれるわずかな隙間があり，滑膜から分泌され，関節軟骨に栄養を与え，また潤滑剤の役割をなす滑液がある。関節包には関節包を補強したり，関節の可動域を制限したりする靭帯と呼ばれる強靭な線維性結合組織がある。2つの骨の関節面の凹凸が明瞭な場合，凸の方を関節頭，凹の方を関節窩と呼ぶ。

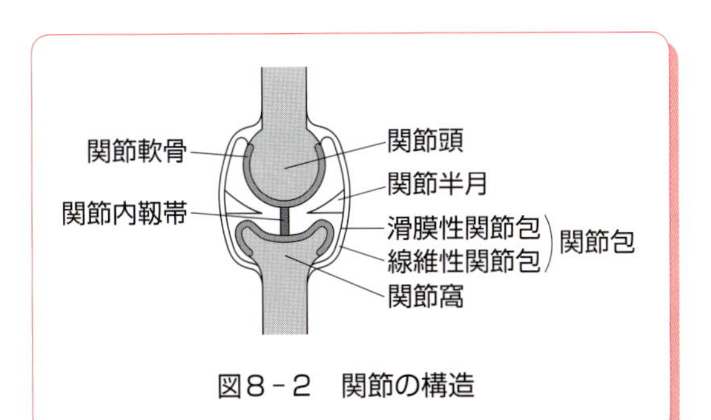

図8－2　関節の構造

② 関節の補助装置　関節唇，関節半月，関節円板，関節内靭帯などがある。線維軟骨性

の関節唇は関節窩の縁にあり，関節窩の大きさを補う構造で，肩関節や股関節に見られる。線維軟骨性の関節半月は関節頭と関節窩の間にあり関節腔を不完全に二分する。膝関節などに見られ，関節頭と関節窩の接触をよくして安定化する。線維軟骨性の関節円板は関節腔を完全に二分する。顎関節や胸鎖関節に見られる。関節内靭帯は股関節や膝関節に見られる。

③ **関節の種類**　関節の形状により次の関節に区分する（図８－３）。

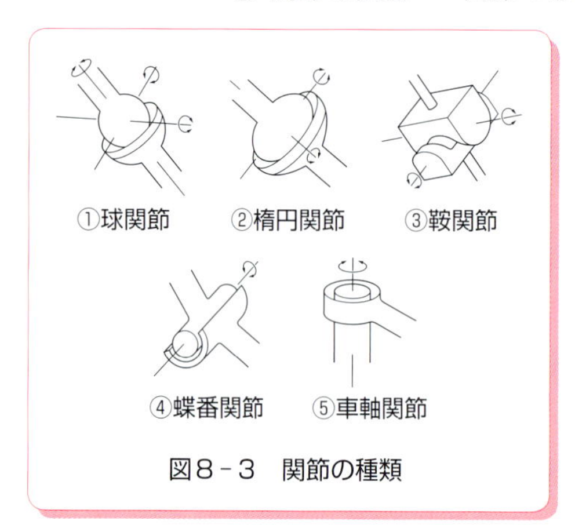

図８－３　関節の種類

・球関節：関節頭が球状で，関節窩もそれに応じた形状をなす。３軸性（多軸性）の可動性の最も高い関節である（例：肩関節）。股関節は球関節の一種だが，関節窩が深く可動域が制限されるので臼状関節とも呼ばれる。

・楕円関節：関節頭が楕円で関節頭の長軸と短軸を中心に動く２軸性の関節である（例：橈骨手根関節）。

・鞍関節：関節頭と関節窩の形状がともに馬の鞍のような形状をなす関節である。回旋運動以外の２軸性の運動を行う（例：母指の手根中手関節）。

・顆状関節：球関節のような形状をなすが，靭帯などにより回旋運動が制限されている２軸性の関節である（例：中手指関節）。

・蝶番関節：骨の長軸に直交する円筒形の関節頭とこれがはまり込む関節窩からできている。長軸に直交する１軸性の運動を行う（例：指節間関節，距腿関節など）。

・車軸関節：骨の長軸に一致した円筒状の関節頭とその側面に応じた関節窩を持つ。回旋のみの１軸性の関節である（例：橈尺関節など）。

・平板関節：向かい合う関節面がいずれも平面に近い１軸性の関節（例：椎間関節）である。運動範囲は狭い。

（4）靭　帯

骨と骨や関節の特定の部位にある密性結合組織性の束状または帯状の構造物をいう。関節運動の方向と範囲の制限や関節の補強を行う。

（5）関節の運動（図８－４）

・屈曲・伸展：屈曲は関節の角度を狭める運動。伸展は関節の角度を広げる運動
・内転・外転：内転は正中線に近づける運動。外転は正中線から離す運動
・内旋・外旋：骨の長軸に関して内向き（内旋）と外向き（外旋）の回転運動
・回内・回外：前腕における内旋（回内）と外旋（回外）
・背屈・底屈：背屈は足首を背側方向に曲げる運動。底屈は足首を足底方向に曲げる運動

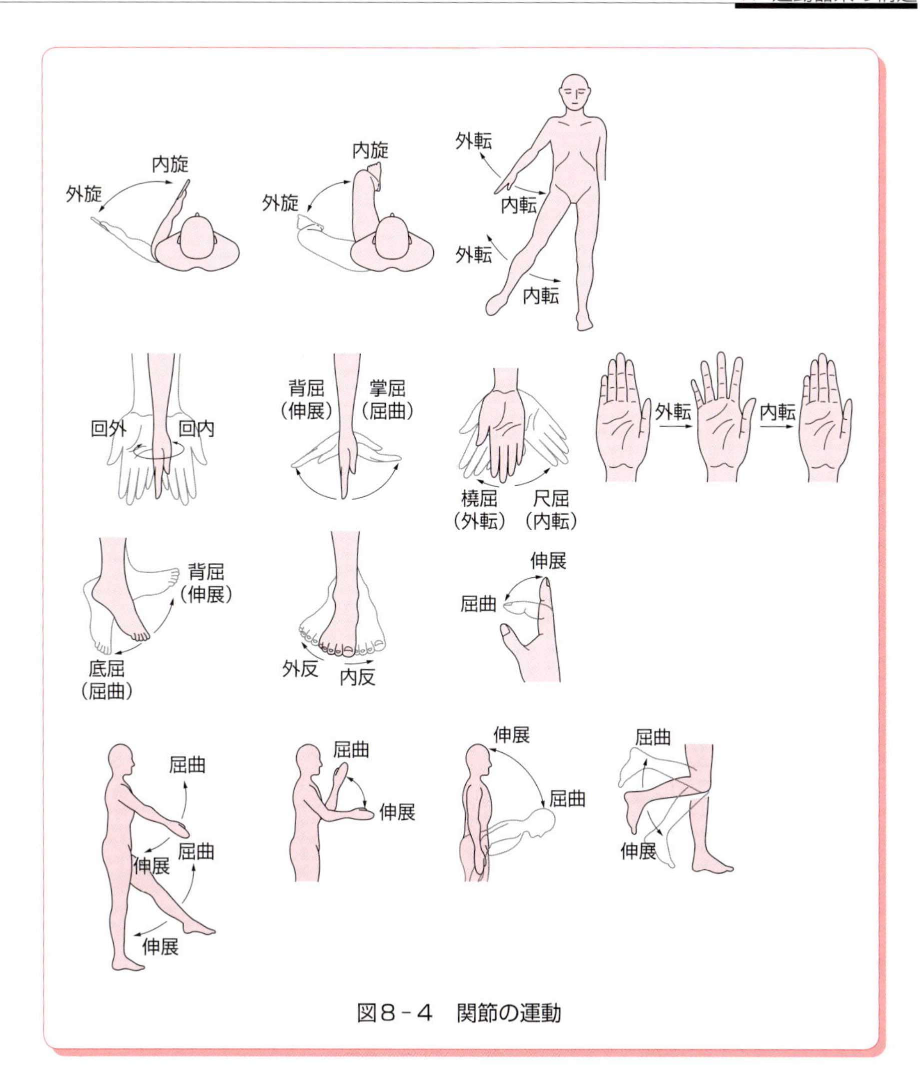

図8－4　関節の運動

・**内反・外反**：内反は足の裏を内側に向けてひるがえす運動で，外反は外側に向けてひるがえす運動

1.2 骨　格

(1) 頭蓋の骨

頭蓋骨は脳を入れる頭蓋腔を形成する**脳頭蓋**（**神経頭蓋**）と，顔面を形成し鼻腔，口腔，眼窩など内臓を入れる空間を形成する**顔面頭蓋**がある（図8－5）。

1）脳頭蓋（神経頭蓋）

① **前頭骨**（1個）　額と眼窩の上縁を形成する。前頭洞を持つ。

② **頭頂骨**（2個）　頭蓋冠の上壁をなす。左右の頭頂骨は正中で**矢状縫合**を，前頭骨と**冠状縫合**をなす。

③ **後頭骨**（1個）　頭蓋冠の後方をなす。頭頂骨と**ラムダ縫合**（人字縫合）する。

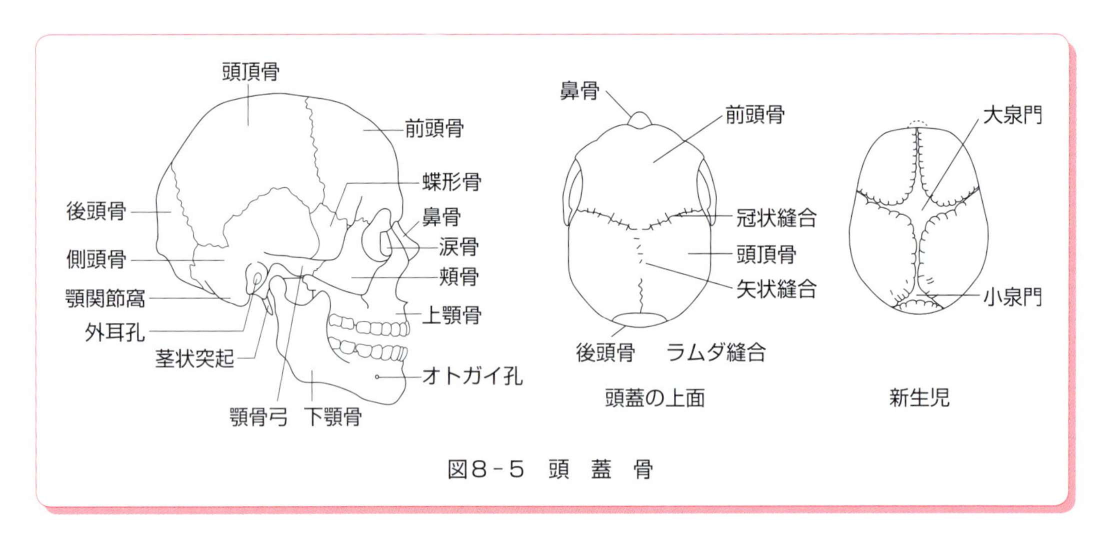

図8－5　頭　蓋　骨

④ **側頭骨**（2個）　頭蓋冠の外側壁をなす。頬骨突起，茎状突起，外耳孔，中耳腔，内耳腔，乳突洞を持つ。頭頂骨と**鱗状縫合**をなす。

⑤ **蝶形骨**（1個）　頭蓋底（前頭蓋窩と中頭蓋窩）にある。中央部にある**トルコ鞍**には下垂体が入る。体部には**蝶形骨洞**がある。

⑥ **篩　骨**（1個）　鼻腔の天井と外側壁を形成する。篩骨洞を持つ。

2）顔面頭蓋（内臓頭蓋）

① **上顎骨**（2個）　鼻腔の外側壁と口腔の天井（口蓋）を形成する。上顎の歯が入る上歯槽突起と副鼻腔の**上顎洞**がある。

② **口蓋骨**（2個）　上顎骨の後方にあり，口蓋と後鼻孔を形成する。

③ **頬　骨**（2個）　眼窩の外側壁および側頭骨の頬骨突起と**頬骨弓**を形成する。

④ **下顎骨**（1個）　側頭骨と**顎関節**を形成する。下顎体には下歯槽突起がある。

⑤ **その他**　涙骨（2個）・鼻骨（2個）・下鼻甲介（2個）・鋤骨（じょこつ）（1個）がある。

⑥ **舌　骨**　ほぼ第3頸椎の高さ（喉頭の上縁の直上）で頭蓋から離れて存在する。

⑦ **新生児の頭蓋骨**　新生児の頭蓋冠では骨化しておらず線維性の膜状の組織で形成された泉門がある。冠状縫合の部位に**大泉門**（生後1～2年で閉鎖）が，ラムダ縫合の部位に**小泉門**（生後3～6か月で閉鎖）がある（図8－5）。

（2）脊　柱

椎骨と**椎間円板**が積み重なった柱状の骨格（図8－6）。線維軟骨性の椎間円板により脊柱は前後左右に可動することができる。椎骨は，**椎体**と**椎弓**からなる。椎体と椎弓の連結部には関節突起がある。椎弓の後方に棘突起，側方に横突起がある。椎体の前面には前縦靭帯，後面には後縦靭帯，上下の椎弓間には黄色靭帯がある。

① **頸　椎**（7個）　第1頸椎（**環椎**）は環状で椎体を欠く。第2頸椎（**軸椎**）は歯突起を持ち，頭部の回転運動をなす**環軸関節**を形成し，棘突起を欠く（第1頸椎の環椎横靭帯中に第2頸椎の歯突起が入る）。第7頸椎は棘突起が大きく**隆椎**と呼ぶ。また，

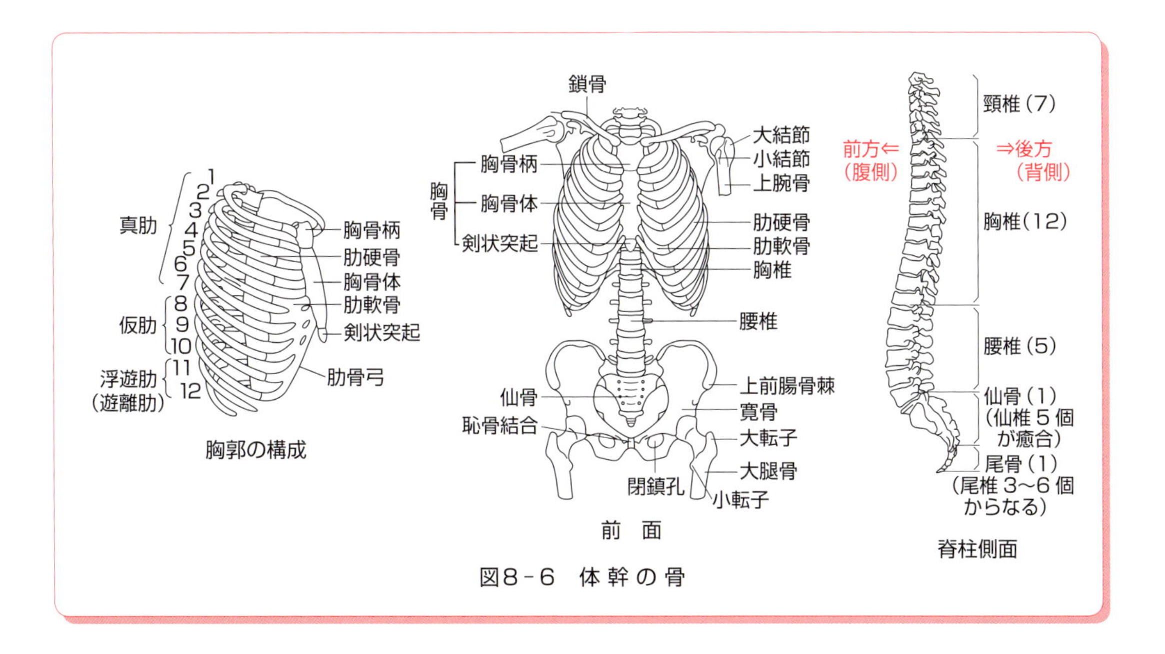

図8-6 体幹の骨

環椎と軸椎との間は，椎間円板を欠く。

② **胸　椎**（12個）　12対の肋骨と胸骨により**胸郭**を形成する。

③ **腰　椎**（5個）　からだの重心を支える最大の椎骨である。

④ **仙　椎**（5個）　癒合して**仙骨**となる。骨盤の後壁をなす。

⑤ **尾　椎**（3～5個）　癒合して**尾骨**となる。

頸椎と腰椎は前方に彎曲し（前彎），胸椎と仙椎は後方に彎曲（後彎）している。

(3) 胸　郭

胸郭は胸骨（1個），肋骨（12対），胸椎（12個）からなるかご状の骨格である（図8-6）。上縁は**胸郭上口**で，胸骨上縁，第1肋骨，胸骨体で構成される。下縁は**胸郭下口**で横隔膜が付く。

第1～第7肋骨（**真肋**）は肋軟骨を介して胸骨と結合する。第8～第10肋骨は肋骨弓を形成する（**付着弓肋**または**仮肋**）。第11，第12肋骨は体壁に遊離している（**浮遊(弓)肋**）。

胸骨は胸骨柄，胸骨体，剣状突起からなる。鎖骨，肋骨と関節をつくる。

(4) 上肢の骨

1) 上肢帯の骨（図8-7）

① **鎖　骨**　ゆるいS状のカーブを持つ。胸骨と**胸鎖関節**を，肩峰と**肩鎖関節**をつくる。

② **肩甲骨**　逆三角形の扁平骨で，外側部に**肩関節窩**を持つ。肩甲棘，肩峰，烏(う)口(こう)突起を持つ。

③ **肩関節**　肩甲骨の肩関節窩と上腕骨頭による関節である。大きな関節唇を持つ。上腕二頭筋の長頭腱が骨頭を抱えて脱臼を防いでいる。

2）上腕の骨（図８－７）

① **上腕骨**　肩関節頭は内側に，肘関節の関節頭は前方を向いている。近位端に上腕骨頭があり，このすぐ下の部分を**解剖頸**，骨端と骨幹の移行部を**外科頸**という。遠位端には肘関節を形成する**上腕骨小頭**，**上腕骨滑車**がある。

② **肘関節**　肘関節は**腕尺関節**，**腕頭関節**，**上橈尺関節**による複合関節である。主に腕尺関節で屈曲・伸展を行う。上橈尺関節で橈骨は尺骨との間で回転運動を行う。

3）前腕の骨（図８－８）

① **尺　骨**　近位端の後部に**肘頭**が突出する。前部には**滑車切痕**がありその下部に**鈎状突起**がある。遠位端は尺骨頭を形成し茎状突起がある。

② **橈　骨**　近位端に**橈骨頭**があり上腕骨小頭，尺骨と関節をつくる。遠位端は手根骨と関節面を形成する。

③ **上・下橈尺関節**　橈骨と尺骨の上下端にある回転運動を行う関節である。尺骨の周りを橈骨が回転する（回内／回外）。

④ **橈骨手根関節**　橈骨と手根骨（主に舟状骨と月状骨）との間の楕円関節である。

4）手の骨（図８－８）

① **手根骨**　近位列（第１列）は，母指側より舟状骨・月状骨・三角骨・豆状骨，遠位列（第２列）は，母指側より大菱形骨・小菱形骨・有頭骨・有鈎骨となる。手根間関節は可動性が小さい。

② **中手骨**　手のひらを形成する骨である。手根中手関節は第１指で２軸性の鞍

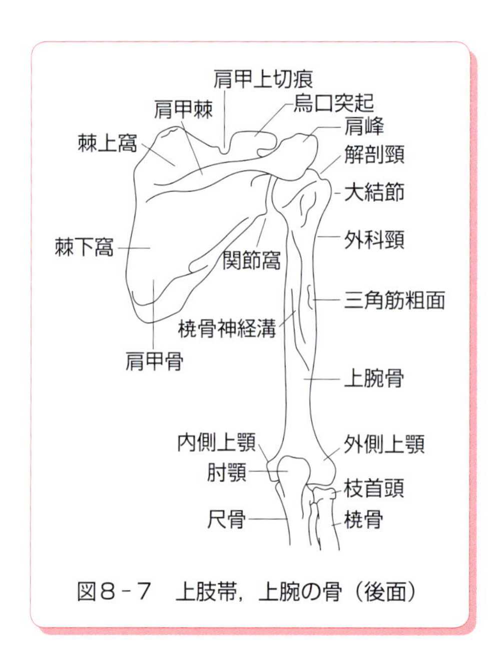

図８－７　上肢帯，上腕の骨（後面）

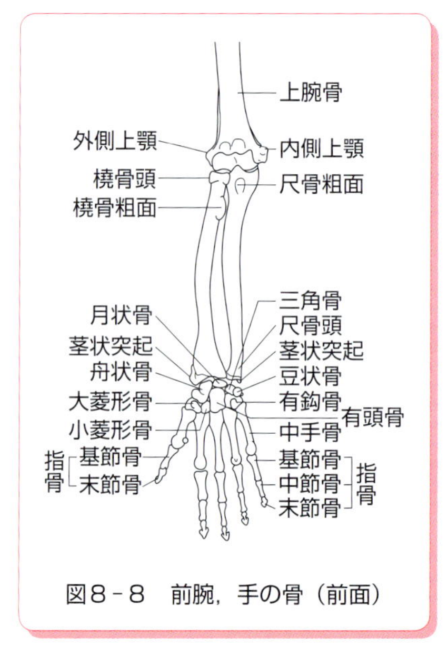

図８－８　前腕，手の骨（前面）

関節をつくる。第２～第５指の手根中手関節はほとんど動かない。

③ **指　骨**　　母指は**基節骨**と**末節骨**，ほかの指は基節骨，**中節骨**，末節骨からなる。中手指関節は顆状関節で，指節間関節は蝶番関節である。

（5）下肢の骨

1）下肢帯の骨（図８－９）

① **骨　盤**　　左右の寛骨と仙骨および尾骨から構成される。中央の小骨盤と腸骨のある大骨盤に分かれる。性差の顕著な骨である（図８－10）。

② **寛　骨**　　**腸骨**・**恥骨**・**坐骨**の３つの骨が骨性結合したものである。

③ **仙腸関節**　　仙骨と腸骨の関節で可動性の乏しい半関節を形成する。

2）大腿の骨（図８－９）

① **大腿骨**　　人体中最大の骨である。近位端に大腿骨頭と大転子・小転子がある。骨幹後面は筋の付着する粗面や粗線がある。遠位端は内側顆と外側顆を形成し，脛骨と膝関節をつくる。また，前面中央では膝蓋骨と関節をつくる。

② **股関節**　　**寛骨臼**と**大腿骨頭**による関節をいう。関節唇は深い関節窩を形成し，臼状関節と呼ばれる。関節内靭帯である**大腿骨頭靭帯**がある。

3）下腿の骨（図８－９）

① **脛　骨**　　下腿の内側にある。近位端は大腿骨の内および外側顆と**膝関節**を形

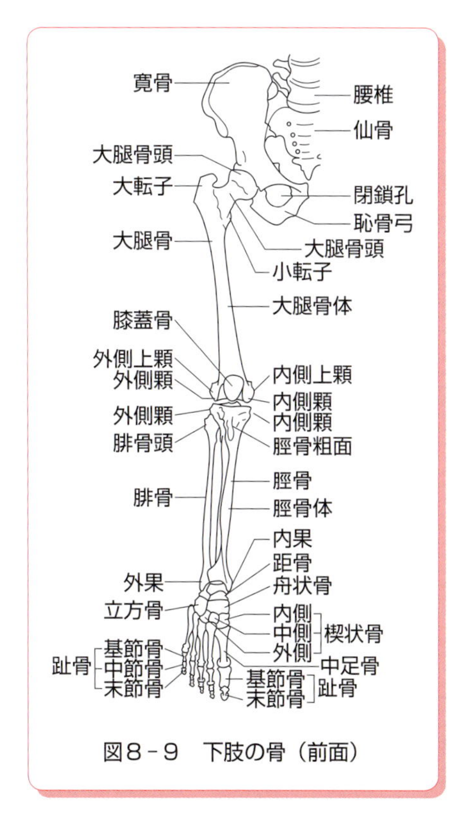

図８－９　下肢の骨（前面）

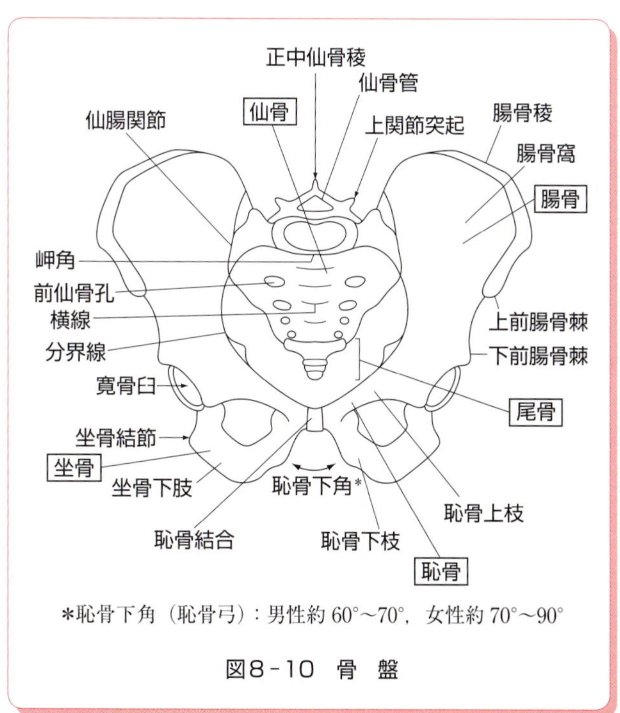

*恥骨下角（恥骨弓）：男性約 60°～70°，女性約 70°～90°

図８－10　骨　盤

成する。骨幹は三角柱状で上縁に脛骨粗面がある。遠位端は**距腿関節窩**と内果を形成する。

② **腓　骨**　下腿の外側にある。大腿骨と関節を形成しない。遠位端は外果を形成する。

③ **膝関節**　大腿骨遠位端の内側および外側顆と脛骨近位端の上関節面がつくる。関節内に三日月状の２個の関節半月を持ち，**顆間窩**に交差する**前・後十字靭帯**がある。

④ **膝蓋骨**　人体中最大の種子骨。**大腿四頭筋腱**（**膝蓋靭帯**）内にある。

4）足　の　骨（図８－９）

① **足根骨**　近位列は距骨と踵骨が上下に並び，前方に舟状骨がある。遠位端は母指側より内側・中間・外側楔状骨と立方骨からなる。

② **中足骨**　足の甲を形成する骨。

③ **足の指骨（趾骨）**　第１趾で２個（基節骨，末節骨），その他は３個（基節骨，中節骨，末節骨）ある。

④ **距腿関節**　脛骨・腓骨による関節窩と距骨滑車の関節頭による蝶番関節。

⑤ **距骨下関節**　距骨と踵骨による関節。内反・外反を行う。

⑥ **足根中足関節**　リスフラン関節ともいう。可動性に乏しい。

⑦ **中足趾関節**　中足骨頭と基節骨底との間にある顆状関節。

表８－１　主要な関節運動の協力筋および拮抗筋

関節名	作用	筋　名
肩関節	外転 内転	三角筋 大胸筋・広背筋
肘関節	屈曲 伸展	上腕筋・上腕二頭筋 ・烏口腕筋 上腕三頭筋・肘筋
橈尺関節	回内 回外	方形回内筋・円回内筋 回外筋・上腕二頭筋
股関節	屈曲 伸展 外転 内転	腸腰筋（腸骨筋・大腰骨） 大殿筋 中殿筋・小殿筋 ・大腿筋膜張筋 大内転筋・長および短内転筋
膝関節	屈曲 伸展	大腿二頭筋・半腱様筋 ・半膜様筋（ハムストリングス） 大腿四頭筋
足関節	背屈 底屈	前脛骨筋・第３腓骨筋 下腿三頭筋（腓腹筋・ヒラメ筋） ・足底筋・後脛骨筋

1.3　筋 の 構 造

（1）骨格筋の一般構造（図８－11）

骨格筋は関節をはさんだ骨と骨の間に位置する。一般に筋の両端は，密性結合組織性の腱によって骨に固定される。

骨格筋の両端のうち，体幹の中心に近い側（または運動の小さい側）の端を**起始**，体幹の中心から遠い側（または運動の大きい側）の端を**停止**という。骨格筋は起始に近い側を**筋頭**，停止に近い側を**筋尾**，中間部を**筋腹**という。

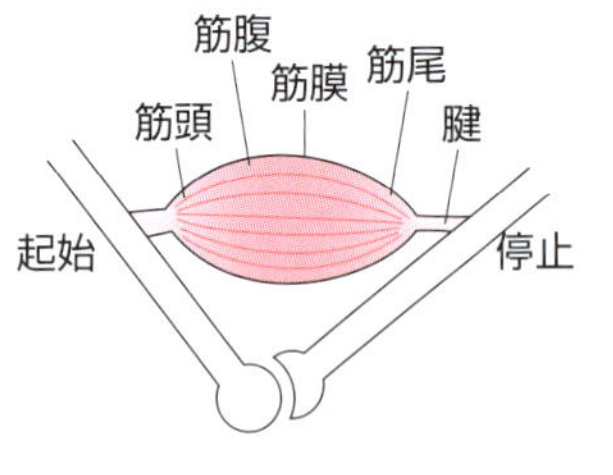

複数の筋が付着する関節では，同じ方向にはたらく筋同士を**協力筋**，反対の方向にはたらく筋を**拮抗筋**という。協力筋と拮抗筋の関係は関節の運動の種類によって変化する。例えば，手首の屈曲・伸展では橈側手根屈筋と尺側手根屈筋（屈曲），長短橈側手根伸筋と尺側手根伸筋（伸展）が協力筋の関係にあるが，

図８－11　骨格筋の構造

手首の内転・外転では橈側手根屈筋と長短橈側手根伸筋（外転：橈屈），尺側手根屈筋と尺側手根伸筋（内転：尺屈）が協力筋の関係になる。

筋の名称は，①筋頭・筋腹の数による名称（上腕二頭筋・顎二腹筋など），②形状による名称（三角筋・大腿方形筋・前鋸筋・頸板状筋など），③作用による名称（長母指屈筋・大内転筋・回内筋・肩甲挙筋など），④存在部位による名称（眼輪筋・上腕筋・肋間筋など），⑤走行による名称（大腿直筋・外腹斜筋・斜角筋など）がある。

筋には種々の補助装置が存在する。筋の表面を包み筋の形状を保持する筋膜，腱と骨格筋の間で摩擦を軽減する滑液包，手足の長い腱の周りを取り巻く腱鞘（滑膜鞘），腱の中にあり，力の作用方向を変える種子骨，腱をひっかけて運動の方向を変える滑車などがある。

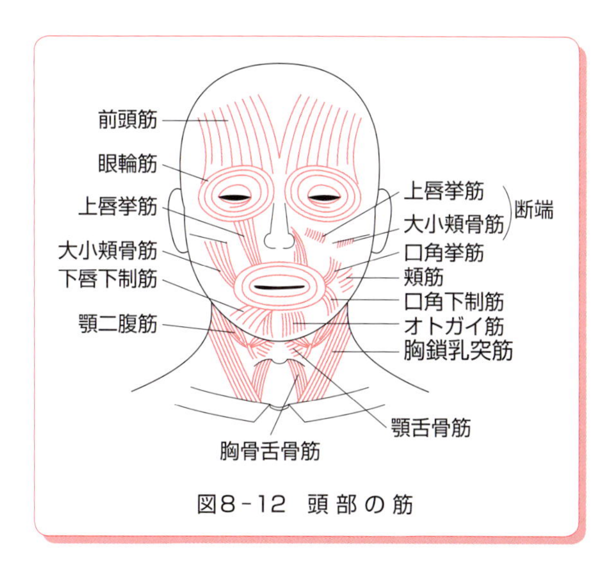

図8-12　頭部の筋

（2）主要な骨格筋

1）頭部の筋（図8－12）

① 表情筋群　顔面部の浅層にある筋群である。起始・停止の一方または両方が皮膚に付着するため，皮筋とも呼ばれる。顔面神経（Ⅶ）支配である。

② 咀嚼筋群　顔面部の深層にある筋群（側頭筋，咬筋，内側・外側翼突筋）である。頭蓋骨と下顎骨との間にある。歯を噛み合わせる運動（咀嚼運動）に関与する。三叉神経（Ⅴ）支配である。

2）頸部の筋

① 浅層の筋群　広頸筋は皮筋で，筋の発達や範囲は個人差が大きい。胸鎖乳突筋は胸骨・鎖骨から後頭部にいたる筋で，頭の回転に関与する。短縮すると筋性斜頸となる。

② 前頸部の筋群　舌骨上筋群と舌骨下筋群がある。舌骨の位置の固定や，下顎，舌骨，喉頭の引き下げに関与する。

③ 後頸部の筋群　斜角筋は頸を横に曲げたり，肋骨を挙上したりする。椎前筋は頸を前や左右に曲げる。

3）背部の筋

① 浅背部の筋群　僧帽筋，肩甲挙筋，大・小菱形筋は肩甲骨を支える筋群である。広背筋は，大胸筋とともに上腕を内転する筋である。

② 脊柱起立筋　頭蓋骨および胸郭の背面，椎骨の横突起と棘突起に停止する長短さまざまな多数の筋群である。脊柱の起立，回転，屈曲に関与する。

4）胸部の筋（図8－13）

① 浅胸部の筋　大胸筋，小胸筋と前鋸筋は，胸郭から起こり上腕骨および肩甲

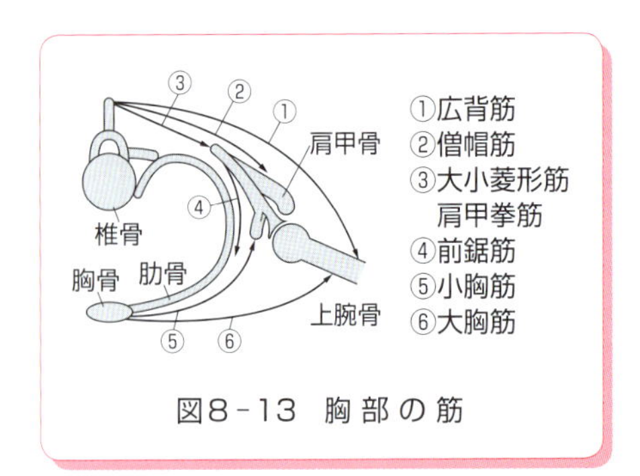

図８-１３　胸部の筋

骨に停止する筋である。大胸筋は肩関節の内転に，小胸筋と前鋸筋は肩甲骨の運動に関与する。

② **深胸部の筋**　胸式呼吸に関与する**外および内肋間筋**が主体である。他に胸横筋や肋骨挙筋などがある。外肋間筋は胸郭を挙上する吸気筋であり，内肋間筋は胸郭を下制する呼気筋である。

５）横　隔　膜

胸腔と腹腔の間にあるドーム状の骨格筋である。胸骨，肋骨，椎骨から起こり腱中心に停止する。**大動脈裂孔**，**食道裂孔**，**大静脈孔**の３つの孔がある。腹式呼吸に関与する。

６）腹 部 の 筋

① **前腹筋**　恥骨に起こり胸骨・肋骨に停止する腹直筋がある。**腹直筋**は多腹筋で筋腹の間に数本の**腱画**がある。正中部の**白線**には**臍**がある。脊柱を前方に曲げる。

② **側腹筋**　**外腹斜筋**，**内腹斜筋**，**腹横筋**からなる。脊柱の側屈や上体の回旋，腹圧の上昇などに関与する。側腹筋の下端は**鼠径管**および**鼠径靭帯**を形成する。

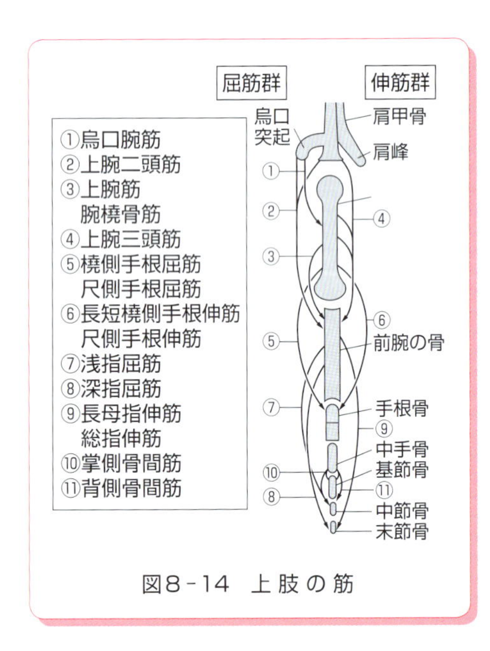

図８-１４　上肢の筋

（３）上 肢 の 筋

１）上肢帯の筋群（図８－14）

肩甲骨・鎖骨に起こり上腕骨に停止する筋群である。肩関節を包み，肩関節を外転する**三角筋**と，肩関節の回旋運動に関与する肩甲下筋・棘上筋・棘下筋・小円筋・大円筋などがある。

２）上腕の筋群（図８－14）

多頭筋は上腕骨および肩甲骨から起こり前腕の骨に停止するため，肩関節と肘関節の両方の運動に関与する。

① **上腕前面の筋群（屈筋群）**　**上腕二頭筋**・**烏口腕筋**・**上腕筋**からなる。主に肘関節の屈曲に関与する。

② **上腕後面の筋群（伸筋群）**　**上腕三頭筋**，**肘筋**からなる。主に肘関節の伸展に関与する。

３）前腕の筋群（図８－14）

① **前腕前面の筋群（屈筋群）**　上腕骨の内側上顆に起こる。

- 前腕を動かす屈筋群：**腕橈骨筋**は肘関節を屈曲する伸筋である。**円回内筋**と**方形回内筋**は前腕を回内する。
- 手首を動かす屈筋群：**橈側手根屈筋**・**尺側手根屈筋**・長掌筋がある。手首を屈曲する。

・指を動かす屈筋群：浅指屈筋・深指屈筋・長母指屈筋がある。浅指屈筋は近位の指節間関節を，深指屈筋は遠位の指節間関節を屈曲する。

② **前腕後面の筋群（伸筋群）**　上腕骨の外側上顆に起こる。

・前腕を動かす伸筋群：回外筋がある。前腕を回外する。

・手首を動かす伸筋群：長および短橈側手根伸筋と尺側手根伸筋がある。

・指を動かす伸筋群：第２～第５指の伸展に関与する総指伸筋と，個々の指の伸展に関与する小指伸筋・示指伸筋・長短母指伸筋がある。

③ **手の筋群**

・母指球筋：外側より短母指外転筋，短母指屈筋，母指対立筋，母指内転筋よりなる。

・小指球筋：外側より小指外転筋，短小指屈筋，小指対立筋よりなる。

・中手部の筋群：第２～第５指の基節を曲げ，中節・末節を伸ばす虫様筋，指を内転する掌側骨間筋，指を外転する背側骨間筋からなる。

（4）下 肢 の 筋

1）下肢帯の筋群（図８－15）

① **骨盤内の筋**　腸腰筋は腸骨に始まる腸骨筋と腰椎より始まる大腰筋からなる。腸腰筋は大腿骨に停止し，股関節の屈曲（大腿を前に上げる）を行う。

② **骨盤外の筋群**

・殿筋群：大殿筋は腸腰筋に拮抗して大腿の伸展（大腿を後に引く）を行う。中殿筋・小殿筋・大腿筋膜張筋は大腿の外転を行う。

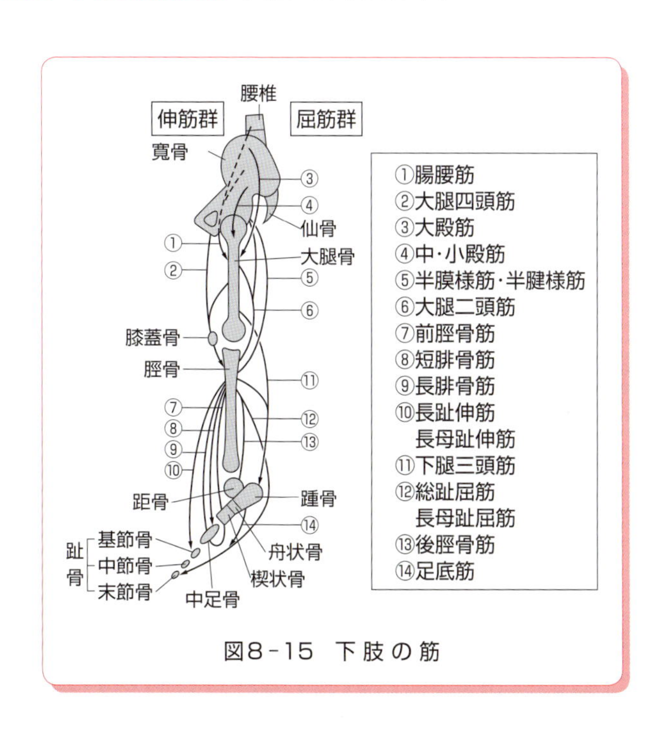

図8－15　下 肢 の 筋

・外旋筋群：骨盤に始まり大腿骨後面に停止する筋群。梨状筋・内閉鎖筋・上および下双子筋・大腿方形筋がある。大腿を外旋する。

2）大腿の筋群（図８－15）

① 大腿前面の筋群（伸筋群）　人体中最大の骨格筋である大腿四頭筋と縫工筋からなる。恥骨・大腿骨に始まり膝蓋靭帯を形成して脛骨に停止する大腿四頭筋は，膝関節の伸展を行う。縫工筋は大腿を前方に上げ，かつ下腿を曲げる（あぐらをかくときの足の動き）。

② 大腿内側部の筋群（内転筋群）　大内転筋・長および短内転筋・恥骨筋・外閉鎖筋・薄筋からなる。股関節の内転を行う。

③ 大腿後面の筋群（屈筋群）　大腿二頭筋・半腱様筋・半膜様筋〔大腿屈筋群（ハムストリングス）〕からなる。これらの筋は膝窩上半分の外側（大腿二頭筋）および内側縁（半腱様筋・半膜様筋）を形成する。

3）下腿の筋群（図８－15）

① 下腿前面の筋群（伸筋群）　前脛骨筋と第３腓骨筋は足首を背屈する。長母趾伸筋と長趾伸筋は足の趾（ゆび）を伸展する。

② 下腿後面の筋群（屈筋群）　膝窩下半分の外側および内側縁を形成する下腿三頭筋は腓腹筋とヒラメ筋からできている。下腿三頭筋の腱は踵骨腱（アキレス腱）を形成する。下腿三頭筋・足底筋・後脛骨筋は足首を底屈する。長母趾屈筋と長趾屈筋は足の趾（ゆび）を屈曲する。

③ 下腿外側部の筋群（腓骨筋群）　長腓骨筋と短腓骨筋がある。足を外反し，底屈する。

4）足　の　筋（図８－15）

① 足背の筋群　短母趾伸筋と短趾伸筋がある。

② 足底の筋群

・母趾球の筋群：母趾外転筋・短母趾屈筋・母趾内転筋がある。

・小趾球の筋群：小趾外転筋・短小趾屈筋・小趾対立筋がある。

・中足部の筋群：短趾屈筋・足底方形筋・虫様筋・底側骨間筋・背側骨間筋がある。

2. 骨と筋肉

2.1　骨の発生と成長

(1) 骨 の 発 生

骨の発生には軟骨性骨発生（軟骨内骨化）と膜性骨発生（膜内骨化）との２つの様式がある。

① 軟骨性骨発生（軟骨内骨化）　胎生期にほとんどの骨は，軟骨が形成され，それが壊されて骨芽細胞（骨を形成する細胞）に置き換えられ骨化する。この発生様式で形成された骨を置換骨という。人体の大部分の骨の発生に見られる。

② **膜性骨発生（膜内骨化）**　軟骨の原型がつくられず，繊維性結合組織内に骨芽細胞ができて，直接骨がつくられる。この発生様式で形成された骨を**付加骨**という。頭蓋骨や顔面骨の一部の発生に見られる。

（2）骨の成長

骨の成長には骨の長さの成長および太さの成長がある。

① **骨の長さの成長**　**骨端軟骨**の軟骨細胞の増殖とその骨化で増長し，成長とともに**骨端線**となり，ついには消失する。骨端の先端部にある関節軟骨は，軟骨のまま残る（したがって，関節間は骨膜ではおおわれていない）。成長ホルモンの分泌過剰により**巨人症**（**末端肥大症**）が生じ，不足すると**小人症**となる。

② **骨の太さの成長**　**骨膜**からできる骨芽細胞が骨膜表面に骨組織を新生し，骨の増厚が生じる。骨の太さは，運動などによっても増大する。

（3）骨の成長リモデリング

成長後の骨は，**骨芽細胞**による**骨形成**と，**破骨細胞**（骨を破壊する多核細胞）による**骨吸収**（**骨溶解**）により，絶えず新陳代謝が行われている。このことを**骨のリモデリング**という。骨形成時には，甲状腺（傍濾胞細胞）から分泌される**カルシトニン**の作用により，血中（血清）カルシウム濃度が低下して骨形成が促進し，骨吸収が抑制される。骨吸収時には，副甲状腺（上皮小体）から分泌される**パラソルモン**（**PTH**）の作用により，血中（血清）カルシウム濃度が上昇して骨形成が抑制され，骨吸収が促進する。このようにして骨形成および骨吸収のバランスが保たれ，骨の新陳代謝（リモデリング）が行われている。しかし，骨吸収速度が骨形成速度を上回ると（加齢や女性の閉経（エストロゲン分泌低下））**骨粗鬆症**が生じる（p.162 参照）。

2.2　筋肉の機能

（1）筋の収縮および弛緩

筋肉（骨格筋）は，神経と同様に刺激により興奮して**活動電位**を生じ，筋収縮および弛緩が生じる。筋肉の最小単位は，**筋原線維**であり，筋原線維は**細いアクチンフィラメント**（**AF：アクチン，トロポニン，トロポミオシン**）と**太いミオシンフィラメント**（**MF：ミオシン**）から形成されている。この 2 つが規則正しく交互に重なり合っているため明暗の縞模様が顕微鏡下で認められる。これを**横紋**といい，骨格筋のほか，心筋にも存在するため，これらを構造学的に**横紋筋**という。横紋筋の明るく見える部位（明帯）を**I 帯**といい，暗く見える部位を**A 帯**という。I 帯の中央には**Z 帯**が存在する（図 8 -16，図 8 -17）。Z 帯間を**筋節**と呼び，筋原線維の単位である。筋原線維内には**Ca イオン**が多数存在する**筋小胞体**や**横行小管**などが存在する。筋肉の収縮・弛緩は以下の過程によって生じる。

① 運動ニューロンからの指令によって神経終末部（運動神経末端に多数分岐してい

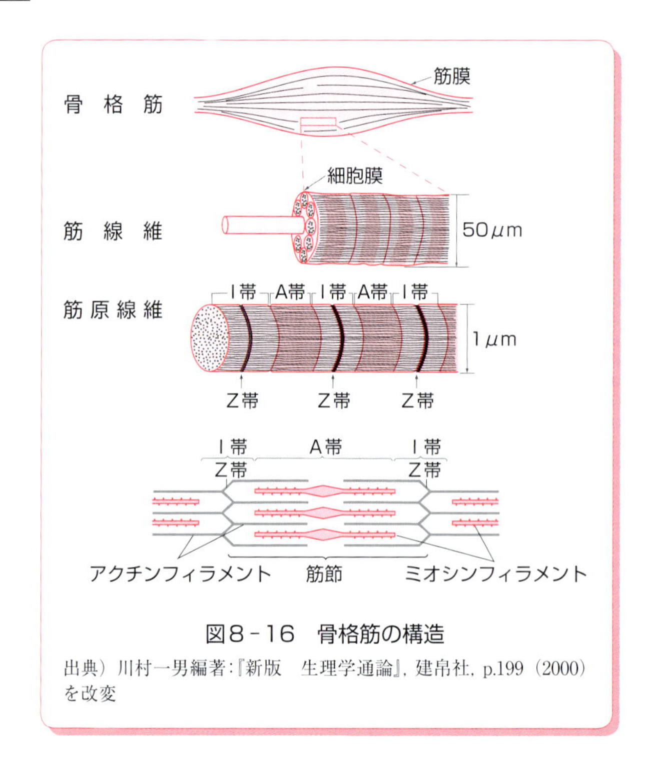

図８－16　骨格筋の構造

出典）川村一男編著:『新版　生理学通論』，建帛社，p.199（2000）を改変

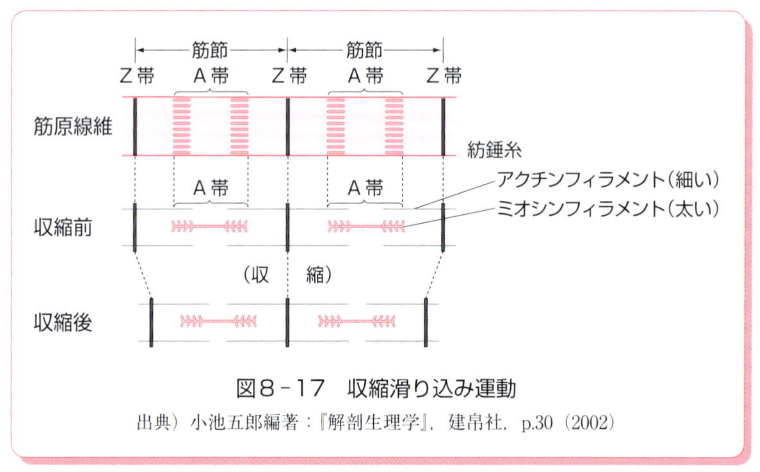

図８－17　収縮滑り込み運動

出典）小池五郎編著：『解剖生理学』，建帛社，p.30（2002）

る）から**神経伝達物質**（**Ach：アセチルコリン**）が分泌される。すると筋細胞膜が興奮する（**活動電位が生じる**）。

② 興奮の伝達が筋小胞体に達して，筋小胞体内に大量に存在する Ca イオンが受動輸送によって，筋原線維に遊離（放出）される。

③ Ca イオンがトロポニンに結合するとトロポミオシンの機能（AF と MF の結合（連結）を抑制する機能（トロポニンにもこの機能がある）が解除される。

④ MF 内（MF の頭部）の **ATP** は加水分解（ATP → ADP + P_i）され **ADP** となり，そのとき生じるエネルギーによって MF が AF をたぐりよせる（AF が MF へ滑

り込む)。これを，筋スライド説（筋滑り説，MF 頭部の首振り仮説）という。

⑤ トロポニンから Ca イオンが遊離し（トロポミオシンの機能が回復する：AF と MF の結合を抑制する機能)，Ca イオンは筋小胞体中へ，ATP の加水分解により，そのときに生じるエネルギーによって，能動的に元の状態（安静状態）に戻る。

①から④までが筋収縮の過程で，⑤が筋弛緩の過程である。なお，筋収縮の際の細胞内の Ca イオン濃度は安静時の 100 ～ 1,000 倍程度に増加する（細胞内の筋小胞体から分泌されるため)。また，Ca イオンは安静時においては細胞内に比べ細胞外に多く存在する。

(2) 筋収縮の化学

筋肉が収縮するためには，ATP のエネルギー（細胞内の ATP の分解によって得られるエネルギー）が必要である。通常，骨格筋に蓄えられている ATP は 3 ～ 5 mM で，わずか数秒の筋の収縮で底をついてしまうため，ATP を供給する必要がある。

ATP を供給するシステムには，ATP-CP 系，乳酸系，酸化的リン酸化（筋活動中の ATP 再生の 3 つの方法）がある（図 8 -18，表 8 - 2)。

① ATP-CP 系　ATP-CP 系は，クレアチニンキナーゼのはたらきにより，ADP とクレアチンリン酸が反応し，ATP をつくり出す経路である。

② 乳酸系（解糖系）　乳酸系では，グリコーゲンやグルコースが解糖系でピルビン酸に分解されるときに発生するエネルギーが ADP からの ATP 再合成に使用される。その際に乳酸（筋疲労原因となる代謝産物の 1 つ）が生成される。一般的にグリコーゲン（グルコース）から変化したピルビン酸は乳酸になるか，細胞内のミトコンドリアにおいて（TCA 回路）CO_2 と H_2O に分解される。ただし，生成された乳酸もミトコンドリアで分解されてエネルギー源となることができる。しかし，非常に強度の高い運動においては乳酸が残り，筋疲労原因物質の 1 つとなる。

③ 酸化的リン酸化　十分な酸素を取り入れているときにはエネルギー供給は乳酸系から酸化的リン酸化に進み，グリコーゲンの分解によって生じたピルビン酸が，細胞内のミトコンドリアでアセチル CoA となり，TCA 回路で水素を失い，この水素が電子伝達系で徐々に酸化されていく。その間に発生するエネルギーによって ATP の再合成が行われる。しかし，酸素の供給がない場合には，ピルビン酸は乳酸に変化してしまうため，酸化的リン酸化においても若干の乳酸は生成される。

① ATP-CP 系と②乳酸系（解糖系）は酸素を必要としないため無酸素系といい，③酸化的リン酸化は酸素を必要とするため有酸素系という。

(3) 筋収縮の種類

1) 悉　無　律

筋全体に刺激の強さを増加させていくとある一定の強さ（閾値）に達するまでは全く無反応で，閾値を超えると収縮の大きさは連続的に増加するが，収縮が最大値に達

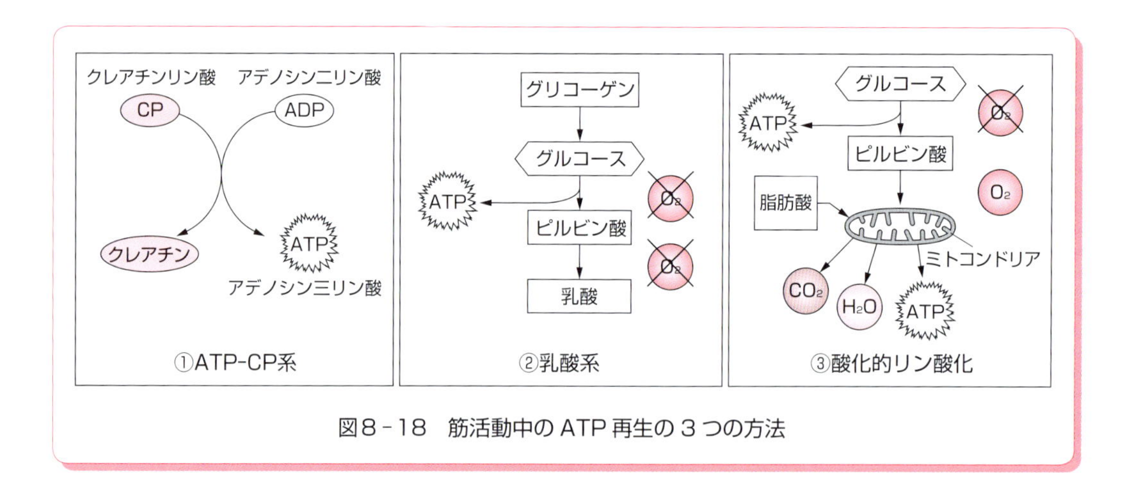

図８－18　筋活動中のATP再生の３つの方法

表８－２　筋活動中のATP再生の３つの方法

	① ATP-CP系（無酸素系）	②乳酸系（無酸素系）	③酸化的リン酸化（有酸素系）
エネルギー源	クレアチンリン酸：CP（CPとADPがクレアチンキナーゼのはたらきにより，ATPをつくる）	グルコース	グルコース，ピルビン酸，脂肪（遊離脂肪酸など），タンパク質（アミノ酸）
エネルギー供給時間（持続時間）	約15秒	約30～60秒（生体内に蓄積できる乳酸の量には限度があるため）	数時間
産　物	クレアチンリン酸１分子あたり１分子のATP	グルコース１分子あたり２分子のATP，乳酸	グルコース１分子あたり36分子のATP（途中の解糖系で２分子のATPが生成される），CO_2，H_2O（若干の乳酸）
特　徴	すばやく大量のエネルギー供給が可能だが持続性に乏しい	好気呼吸の2.5倍ほど速く活発な筋運動に必要なATPをまかなえるが，少量のATP収量のわりに莫大なグルコースを消費してしまう	エネルギー供給速度は遅いが，長時間ATPを再合成し供給することが可能（筋への持続的な酸素と栄養素の供給が必要）
適した運動	短距離走，重量挙げなど（アネロビクス）	①と同様	長距離走，水泳など（エアロビクス）

すると，それ以上いくら刺激を加えても収縮の増大は起こらない。また，筋線維をバラバラにした１本に刺激を加えた場合，閾値を境にして，それより弱い刺激には全く無反応であるが，閾値以上の刺激に対しては収縮の増大は起こらない。このような反応の仕方を**悉無律**（しつむりつ）（**全か無の法則**）という（図８－19）。

２）筋収縮の種類

筋収縮は通常大脳中枢の興奮により生じる。筋に閾値以上の刺激を加えると，筋に興奮が生じて速やかに１回収縮が起こり，収縮が最高に達すると次第に弛緩して元に

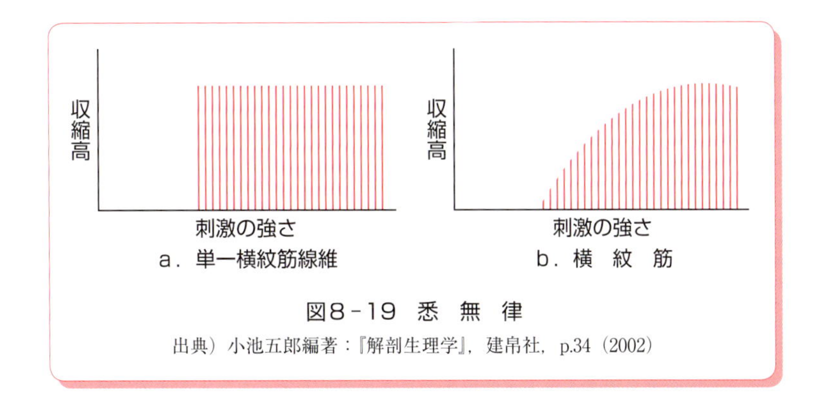

図8-19 悉 無 律

出典）小池五郎編著：『解剖生理学』，建帛社，p.34（2002）

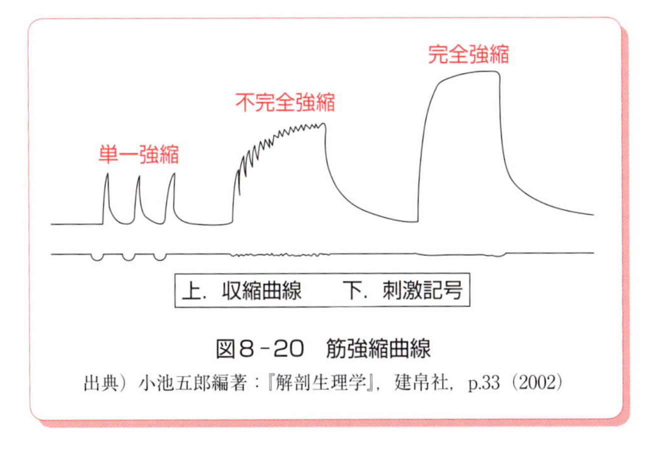

図8-20 筋強縮曲線

出典）小池五郎編著：『解剖生理学』，建帛社，p.33（2002）

戻る。このような単一刺激に対する1回の収縮を**単収縮**（**単一強縮**）という。刺激の時間間隔を短くして繰り返して何回も刺激を加えると，筋は反復して収縮を続ける。この収縮を**不完全強縮**という。さらに収縮を加えると，大きな滑らかな収縮となる。この収縮を**完全強縮**という（図8-20）。運動の多くは筋の収縮によるが，筋に単収縮を繰り返したり，長時間強縮を継続させると収縮力は次第に減少する。これを**筋の疲労**という。筋疲労の原因には以下のことが考えられる。

① エネルギー源の欠乏：ATP，クレアチンリン酸，グリコーゲンの減少
② 筋線維表面の興奮性低下：アセチルコリンなどの刺激伝達物質の減少
③ 筋線維内の pH の低下
④ 代謝産物の増加：乳酸，ケトン体などの増加

3）等張性収縮と等尺性収縮

筋の一端を固定して他端に負荷をかけて刺激を加えると収縮が起こり負荷を引き上げる。その際，筋にかかる張力はほぼ一定である。この筋の収縮を**等張性収縮**という。例えば，歩行運動，関節を曲げる運動などがこれに相当する。このときに発生するエネルギーの20～30％は収縮に使用され，残りは熱となる。一方，筋の両端を固定して刺激すると，筋は収縮することができずに張力のみが発生する。この筋の収縮を**等尺性収縮**という。関節が動かない状態であり，肘や膝を動かさないで力を入れる筋運動や姿勢保持などがこれに相当する。発生するエネルギーはすべて熱となる。

4）赤筋と白筋

筋肉には**筋色素**（**ミオグロビン**）が存在する。**赤筋**はミオグロビンを多く含み，酸素を貯蔵して持続的な強い筋収縮を行うことを助けるので，長時間の繰り返し運動に

適しており，疲労しにくい性質を持つ。例えば，ヒトの脊柱起立筋などがこれに相当する。**白筋**はミオグロビンが少なく，瞬発力を必要とする迅速な運動に適しているが持続性に乏しく，疲労しやすい性質を持つ。例えば，ヒトの指の筋肉などがこれに相当する。

3．運動器系の疾病

骨粗鬆症：骨は，破骨細胞によって古くなった骨が壊される骨吸収と，骨芽細胞によって新しい骨がつくられる骨形成を繰り返しており，このことを**骨のリモデリング**という。骨吸収と骨形成のバランスが崩れて，骨吸収が優位になると，骨量が減少し骨粗鬆症を発症する。骨粗鬆症では，軽微な外力で椎体骨折や大腿骨近位部骨折などの骨折を起こしやすくなる。骨粗鬆症の危険因子としては，やせ，喫煙，運動不足，ステロイドの長期使用経験などがある。女性は，男性と比べて骨量が少ないうえに，骨吸収を抑制するエストロゲンが，閉経によって分泌が低下するため，骨粗鬆症になりやすい。骨粗鬆症は骨量が低下し，骨折しやすくなった状態であるが，骨量が低下しただけではほとんど症状がなく，また椎体骨折を起こしても症状を伴わないことの方が多い。骨折を起こした場合の症状としては，腰背部痛，身長低下，円背（背中の曲がり）などがある。

骨軟化症，くる病：骨の石灰化障害のために骨強度が低下した状態で，骨端線の閉鎖後の成人期に発症するもの**骨軟化症**，骨端線の閉鎖前の小児期に発症するものを**くる病**という。骨の絶対量は正常であるが，カルシウムやリンが不足するために，未完成の類骨が増える。原因としては，ビタミンＤの摂取不足，日光曝露不足によるビタミンＤの合成低下，肝・腎機能障害によるビタミンＤの活性化障害，腎臓でのカルシウム再吸収障害やリンの排泄亢進などがある。骨軟化症の症状としては，全身の骨痛，筋力低下，病的骨折などを認める。

変形性関節症：関節の退行性変化を基盤とした慢性の疼痛性疾患で，加齢に伴って起こる。中高年女性に多くみられ，膝関節に発症することが多く，肥満が危険因子になる。症状としては，関節の痛み，腫脹，可動域の制限，関節水腫などがみられる。

サルコペニア：加齢に伴い全身の筋肉量が減って，筋力・身体機能が低下した状態のことをいう。サルコペニアが進行すると，転倒・骨折のリスクの増大，活動性の低下，要介護，そして死につながる。 サルコペニアの原因としては，加齢に伴う筋肉量・筋力の低下，活動量低下（寝たきりなど），疾病（癌や重症の臓器不全など），栄養不良（栄養摂取不足や消化管疾患など）などがあげられる。また，サルコペニアにおける筋肉量の減少は，インスリンによる筋肉での糖の取り込み量を低下させ，インスリン抵抗性の増大，耐糖能異常をきたす。

ロコモティブシンドローム：運動器である骨，関節，筋肉・神経の障害のために移動機能が低下した状態で，要介護や寝たきりになるリスクが高くなる。ロコモティブシンドロームには，サルコペニアを始め，骨粗鬆症による骨折，変形性膝関節症，脊柱管狭窄症などの運動器疾患がすべて含まれる。

フレイル（フレイルティ）：加齢に伴う種々の機能低下（予備能力の低下）により，病気の発症や身体機能障害を起こしやすく，要介護や死亡に至りやすい状態のことをいう。フレイルは，身体的問題（サルコペニア，ロコモティブシンドロームなど）だけでなく，精神・心理的問題（認知機能障害，うつなど）や社会的問題（独居，経済的困窮，閉じこもりなど）も含んでおり，3つの問題が相互に負の影響を及ぼして，悪循環（フレイル・サイクル）を形成することが示されている。フレイルを早期に発見して，食事や運動などの適切な介入・支援を行えば，生活機能の維持・向上が期待でき，要介護に至る時期を先延ばしできること，つまり健康寿命を延ばすことができることが示されている。

参考文献

・荒木英爾編著：『N ブックス解剖生理学』，建帛社（2010）
・小池五郎編著：『新栄養士課程講座解剖生理学』，建帛社（1998）
・佐藤昭夫，佐伯由香編集：『人体の構造と機能　第 2 版』，医歯薬出版（2006）

■練習問題■

問題 1　骨格系に関する記述である。誤っているのはどれか。

(1)　頸椎は 7 つの骨からなる。
(2)　胸郭は胸椎，胸骨および左右の肋骨で構成される。
(3)　腰椎は 5 個の椎骨からなる。
(4)　骨盤は仙骨，尾骨および左右の寛骨で構成される。
(5)　腓骨は上肢骨である。

問題 2　骨に関する記述である。誤っているのはどれか。

(1)　肩関節は蝶番関節である。
(2)　骨の発生には膜内骨化と軟骨内骨化の 2 種類がある。
(3)　赤色骨髄は老齢になると黄色骨髄が増加し，造血機能が低下する。
(4)　骨端線は骨端軟骨が骨組織に置換されたものである。
(5)　骨の発育にはビタミン D，カルシウム，リンなどが必要である。

問題 3　筋系についての記述である。正しいのはどれか。

(1)　大腿四頭筋は屈筋である。
(2)　筋収縮時，筋小胞体内へのカルシウムイオンの貯蔵が起こる。
(3)　骨格筋には顕微鏡下で横紋構造が認められる。
(4)　赤筋は短時間に強力な収縮力を必要とする運動に適している。
(5)　筋原線維は太いアクチンフィラメントと細いミオシンフィラメントからなる。

第9章 生殖器系の構造と機能

生殖器系は，有性生殖に直接関与する器官で，種族維持に重要な器官系である。尿道の構造（形状および大きさ）は，男性の場合，細くて長い（約 16 ～ 23 cm）のに対し，女性の場合は，太くて短い（約 4 ～ 5 cm）。機能面では男性の場合，尿路と精路を兼ねているのに対して，女性の場合，尿路（排尿）だけのはたらきしかなく，構造および機能ともに異なっている。

1．生殖器系の構造

1.1　男性生殖器の構造

男性生殖器は，外性器と内性器（骨盤周辺に位置する）に分けられ，外性器は，陰茎・陰嚢，内性器（付属する腺）は，精嚢・前立腺・尿道球腺からなる。

(1) 外　性　器（図9-1）（図9-2）

① 陰　茎　　尿路と交接器を兼ねる器官（尿路と精路の共通の通路）で，海綿体（背側：陰茎海綿体，腹側：尿道海綿体），と亀頭から構成されている。尿道は，尿道海綿体のほぼ中央を貫き，亀頭の先端に外尿道口として開口し，陰茎海綿体は血管に富み，性的興奮により陰茎海綿体に多量の血液が充満され強く硬直し勃起が起こる。陰茎の皮膚は亀頭との移行部でたるみ，包皮と呼ばれる。

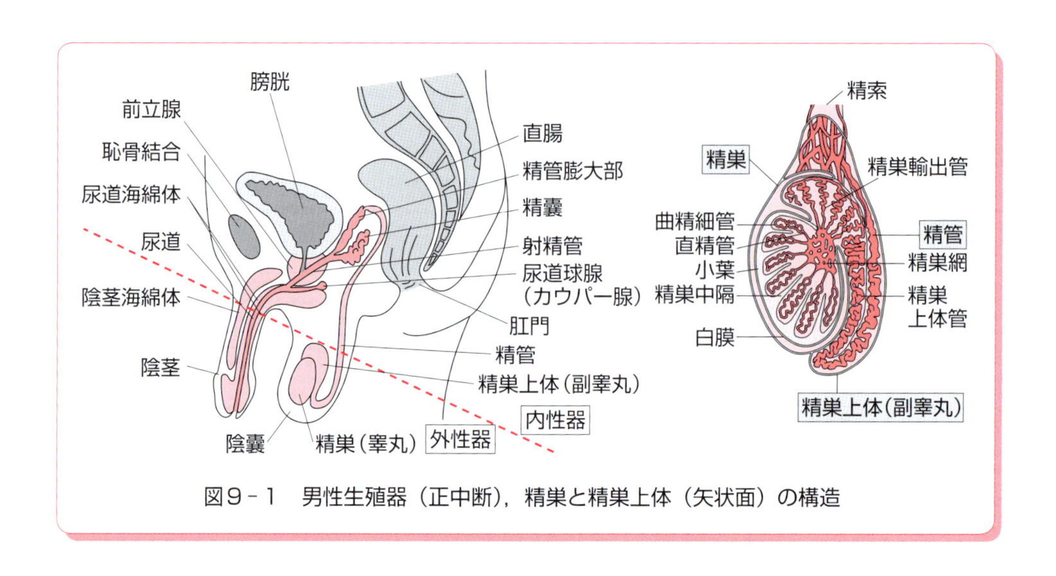

図9-1　男性生殖器（正中断），精巣と精巣上体（矢状面）の構造

② **陰　嚢**　腹壁の皮膚の続きで，精巣・精巣上体と精索の一部を包む袋状の器官である。皮下組織は脂肪組織ではないが，平滑筋層が発達し肉様膜を形成している。

③ **精　巣**　睾丸とも呼ばれ，左右1対あり，約5～15g，長径4～5cm程度の卵型をしており，白膜（緻密な結合組織）で包まれ下腹部にある陰嚢と呼ばれる袋状の器官の中におさまり垂れ下がっている。結合組織膜（精巣中隔）が放射状に内部に進入し，精巣の実質は200～300個の精巣小葉に分かれ，精巣小葉は，精細管から構成されており，精細管は，精子を産生する場所である。上皮組織は長い円柱状細管のセルトリ細胞で構成され精子形成細胞の間にあり，減数分裂をした精細胞が通り抜けるかで識別することができる。

④ **セルトリ細胞**　精上皮の基底側から管腔側に向かって伸びる柱状の細胞で，滑面小胞体に富んでいる細胞である。セルトリ細胞は精細胞の支持，栄養供給，種々のタンパク質の分泌，精子離脱の補助，貪食作用，免疫学的障壁などの機能を有している。インヒビン，トランスフェリン，セルロプラスミンなどを分泌する。

⑤ **ライディッヒ細胞**　間質細胞あるいは間細胞とも呼ばれ，精巣の精細管の付近に認められる細胞である。ライディッヒ細胞はテストステロンを放出することが可能であり，神経と密接な関係がある。小嚢に囲まれた核と顆粒状の好酸性細胞質を持つ。

⑥ **精巣上体**　副睾丸とも呼ばれ，精巣の隣にあり，頭・体・尾の3部に区分され，頭部は十数本の精巣輸出管に入り，合流して1本の精巣上体管となる。精巣でつくられた精子はまずここに運ばれる。

⑦ **精　索**　精巣上体にあるヒモ状の構造がつながり，鼠径部の鼠径管を通って腹の中へとつながる。精索中には，精巣へ出入りする精巣動脈，精巣静脈，リンパ管，神経，および精管が通っている。精巣と精索全体は，陰嚢の中で精巣挙筋という腹筋の一部が変わった筋肉に包まれ，ぶら下がっている。精巣挙筋が収縮すると，精巣は腹部の方へと引き上げられる。平均的に右側に片寄っていることが多い。

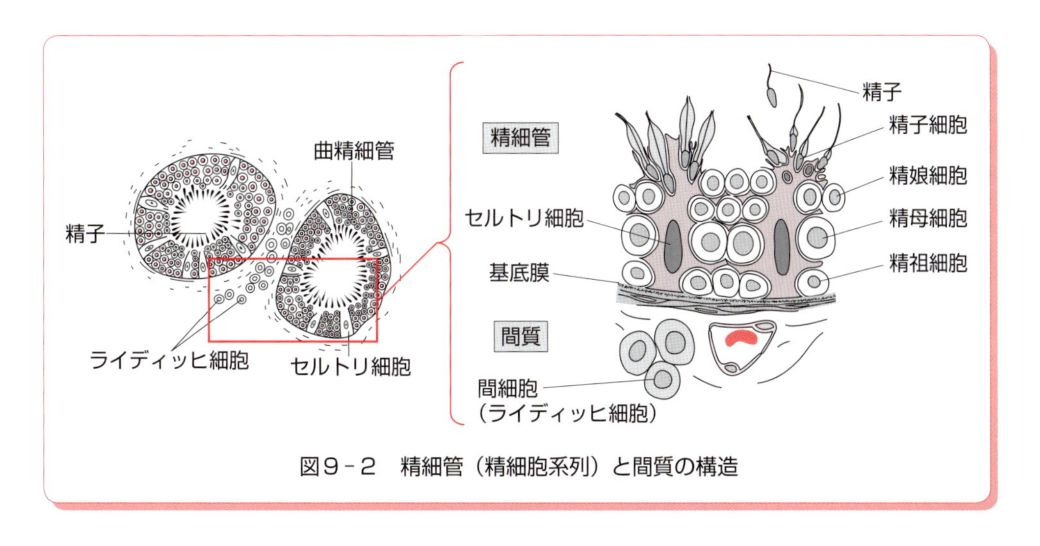

図9－2　精細管（精細胞系列）と間質の構造

(２) 内性器 (付属する腺) (図９－１)

① **精　嚢**　前立腺の後ろに１対ある長さ５cm ほどの袋状の器官である。開口部は精管膨大部と合流し，射精管へと続いている。内部はいくつかの小室に分かれ，細かいヒダが発達している。内皮からは果糖などを含むアルカリ性の淡黄色の粘液を分泌して内部に蓄える。精嚢から分泌される精嚢液は精液全体の約７割を占め，精子に運動のエネルギーを与える役割をしていると考えられる。また精嚢の腺壁には平滑筋が発達しており，射精時には強く収縮して内容物を射精管へ送り出す。

② **精　管**　直径約３mm，長さ約 50 ～ 60 cm，厚さ約 1.5 mm の平滑筋の細長い管である。膀胱の後ろ側で前立腺に入る部分は，紡錘状にふくらんだ精管膨大部の先が射精管となって前立腺を貫き，尿道に開口している。精管には平滑筋がよく発達しており，射精直前には蠕動(ぜんどう)運動によって精巣上体に蓄えられた精子を精管膨大部まで効率よく運ぶ役割をしている。

③ **前立腺**　膀胱を出てすぐのところ (膀胱の真下) にあり，クルミほどの大きさ，重さは数グラムの腺で，尿道を取り囲む形で存在し，精嚢に隣接して尿道が上下に貫通し，背部から射精管が合流する。男性のみに存在する生殖器である。女性の膣上壁に位置する「スキーン腺」と相同である。

④ **尿道球腺**　カウパー腺あるいはカウパー氏腺とも呼ばれ，尿道の途中 (前立腺を過ぎたところ) に２つある豆粒大の器官である。アルカリ性の粘液を分泌し，尿道を潤すのが役目であるが，生殖に関しても，大切な機能を果たしている。尿道球腺は女性の「バルトリン(氏)腺」と相同な器官である。

⑤ **精　液**　性的な興奮が高まると尿道から精液が射出される (射精)。健康な男子の精液量は２～４mL，$1\ mm^3$ 中に１～13 万の精子が含まれる。pH は通常弱アルカリ性 (pH 7.2 ～ 8.0) である。

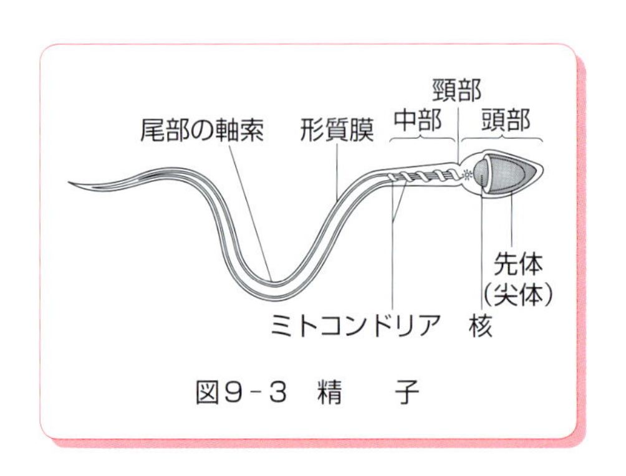

図９－３　精　子

・精　子 (図９－３)：精子の構造は，遺伝子 (DNA) のつまった頭部，ミトコンドリアの集合した中部，さらに中心小体から伸びた軸糸からなる尾部の３部から構成されている。中部のミトコンドリアより供給されたエネルギーにより鞭毛運動している。頭部の先端はアクロソームと呼ばれ，卵子の細胞質をおおっている糖タンパク質である透明帯を通過するために必要なタンパク質分解酵素 (アクロシン，ヒアルロニダーゼ) を含有する先体 (尖体) 構造が存在する。

1.2　女性生殖器の構造

女性生殖器も男性生殖器と同様に，外性器と内性器に分けられ，外性器は外陰，内性器は膣・子宮・卵管・卵巣から構成されている。

(1) 外　性　器（図9－4）

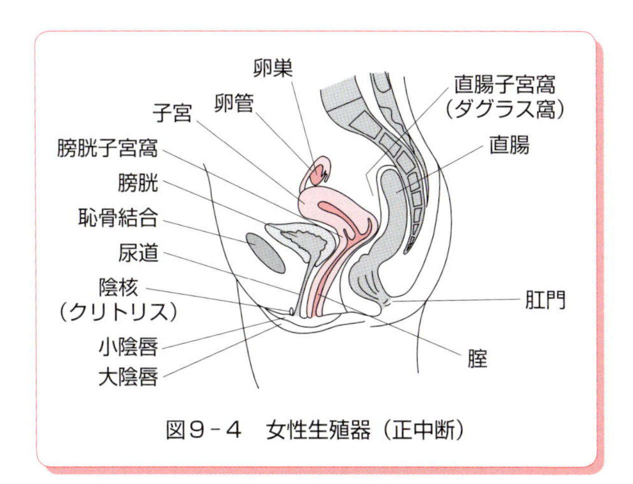

図9－4　女性生殖器（正中断）

外陰部は，大陰唇，小陰唇，**陰核**，膣口，尿道口から形成されており，普段は排尿，月経，性行為および自然分娩の場合には新生児が娩出される。通常，膣内は膣分泌液の作用で清潔に保たれているが，感染力に弱く細菌などに汚染されやすいため pH は 4 ～ 5（酸性）に保たれている。思春期を過ぎると第二次性徴の 1 つとして周囲に陰毛が生える。

① **大陰唇**　脂肪組織に富んだ左右 1 対のヒダのことで，外側は色素沈着を示し，陰毛の発達が見られるが，内側には毛嚢はなく，皮脂腺・汗腺に富んでいる。内部にある生殖器と尿道口を保護する役割を持っている。大陰唇は，発生上は男性の「陰嚢」と同じである。

② **小陰唇**　大陰唇の内側に位置するやや赤色の薄い皮膚隆起で，多数の皮脂腺を含み，前方では陰核をおおい，膣前庭の外縁となって陰唇小帯として再び融合している。大陰唇より脂肪は少なく，結合組織や弾性線維に富み，陰毛はない。女性が性的に興奮していないときは，左右の小陰唇が閉じて尿道口や膣を守っている。しかし，性的に興奮すると小陰唇の血流がよくなり肉びらが膨張し，左右に大きく開いている。このとき，膣内および膣口が膣分泌液（**バルトリン(氏)腺液**や**スキーン腺液**）によって濡れていることが多く，男性器の挿入を容易にしている。

③ **陰　核**　クリトリスとも呼ばれ，恥骨下肢から陰核脚として起こり，小陰唇前端では左右で合わさって，陰核亀頭として終わる。男性の「陰茎海綿体」に相当し，知覚神経が豊富で非常に敏感な箇所である。

④ **膣前庭**　左右を小陰唇に囲まれ，膣口の外縁にあたる部分で，**膣前庭**前部には尿道口，膣口，**小前庭腺（スキーン腺）**，**大前庭腺（バルトリン(氏)腺）**が見られる。

⑤ **膣　口**　左右の大陰唇の合わせ目で，縦に裂けた陰裂で，膣の入口部である。大前庭腺は膣口の両側に開き粘膜表面を潤す。大前庭腺は男性の「尿道球腺（カウパー(氏)腺)」に相当する。

⑥ **会（え）　陰（いん）**　狭義では外陰部（尿生殖部）と肛門の間をさすが，広義では左右の大腿と殿部で囲まれる骨盤の出口全体をさし，恥骨結合と左右の坐骨結節，尾骨を結ぶ菱形部となる。分娩にあたって裂傷をきたす場所であるため，特に初産婦ではこの部分に胎児娩出直前に切開を加えることも多い。

⑦ **乳　腺**（図9－5）　汗腺が特異化，発達した器官で，男性にも痕跡状態で存在するが，女性の**乳腺**は，妊娠や出産に関連しており乳児の哺乳器としてよく発達している。

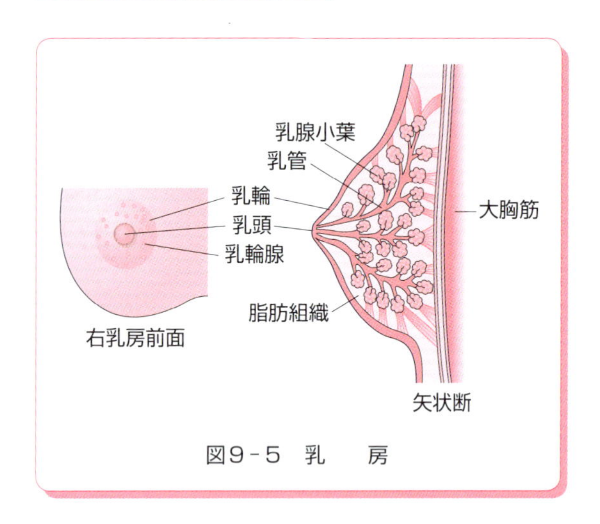

図９-５　乳　房

乳房の表面は皮膚でおおわれ，通常は胸部の大胸筋の表面に左右１対が存在している。乳頭とその周囲の区域には，皮膚に色素が沈着した乳輪がある。乳房のほとんどは脂肪で，約１割が乳腺である。乳腺は，乳房１つあたり 15 ～ 25 個の塊が存在し，乳頭の周囲に放射状に並んでいる。それぞれの乳腺の葉からは乳管が乳頭まで続き，分泌された乳は体外へ出る。

（２）内　性　器（図９－４，図９－６）

① 腟　薄い筋層に囲まれ子宮に続く太い管で，6 ～ 10 cm の長さの筒状の器官で，尿道と直腸の間に位置している。腟粘膜は重層扁平上皮でおおわれ，腟口は処女膜という粘膜のヒダが見られる。腟内には乳酸菌が存在し，剥離した上皮に含まれるグリコーゲンを分解して乳酸をつくるため，腟分泌物は通常酸性（pH 4 ～ 5）であるため，腟内に射精された精子も約 99％が死滅し，細菌やウイルスの子宮内への侵入を防御（自浄作用）している。しかし，排卵期には腟内の pH は，弱アルカリ性（pH 7 ～ 8.5）となり，精子に最も適した pH に変化する。

② 子　宮　膀胱と直腸の間にあって，長さ 7 ～ 8.5 cm，重さ 40 ～ 60 g，子宮壁の厚さは約 1.5 cm で粘膜，筋層，外膜の３層から構成されている。粘膜は子宮内膜，筋層は子宮筋層，外膜は子宮外膜という。子宮内膜は単層円柱でおおわれており，上皮は粘膜の中に管状に落ち込み子宮腺をつくる。筋層がよく発達した楕円形（西洋ナシが倒立した形）の袋のような器官で細い頸部を下方（腟）に向ける。上端を子宮底（部），中央の太い部分を子宮体部，細い部分を子宮頸部という。

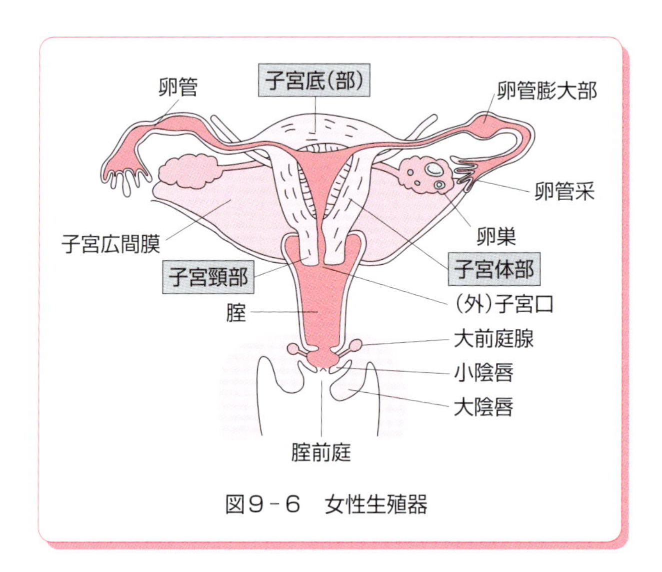

図９-６　女性生殖器

ⅰ 子宮頸部：腟内に突出した子宮腟部とその上方で体部につながる腟上部に分けられる。子宮頸管には頸管腺が数多く開口しており，頸管粘液が分泌される。頸管粘液は，月経周期に伴い性状が変化し，排卵期に頸管粘液量が増え，かつ弱アルカリ性を呈し精子の貫通を助ける。

ⅱ 子宮体部：前後にやや扁平で，左右に卵管が開口し，厚い平滑筋組織で構成されている。内腔である子宮腔も

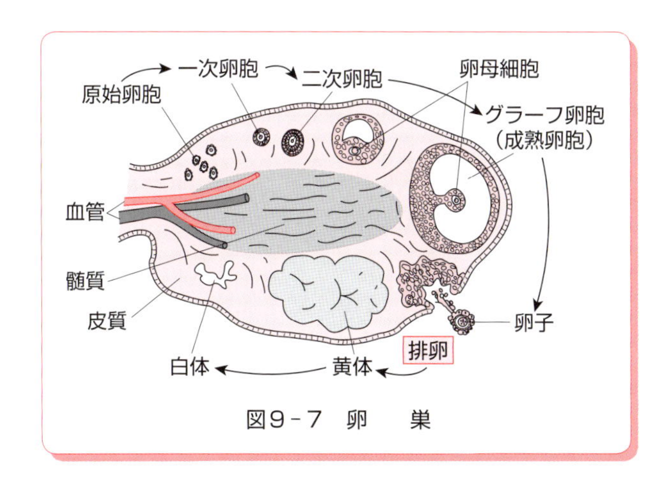

図9-7 卵 巣

表9-1 相同器官

男性生殖器	女性生殖器
陰嚢	大陰唇
陰茎海綿体	陰核（クリトリス）
尿道球腺 （カウパー氏腺）	膣口 （バルトリン（氏）腺）

前後に扁平な逆三角形をしており，底部の左右の角部（卵管角）から卵管に通じている。

ⅲ 子宮内膜：子宮内膜は，**機能層**〔緻密層（子宮腔内に出ている表面部分），海綿層（基底層寄りの真ん中の部分，血管が豊富なふかふかのスポンジ状に厚くなっている）〕，**基底層**（子宮本体に張り付いている部分，厚さ1mm程度）の順に並んでいる。月経周期に応じてダイナミックに変化し，月経時には，子宮内膜は**機能層**の中の海綿層から剥離するが，**基底層**は剥離しない（月経時，機能層は剥離するが，基底層は剥離しない）。

③ **卵 管**（図9-6） 卵巣から子宮（**子宮体部**の底部）へ左右に伸びる7～8cmの管状の器官で，卵管腔は線毛を持ち，これにより卵子の卵巣から子宮への輸送を助けている。性交後，**精子**は子宮腔を通って卵管に至り，排卵直後の卵子と卵管膨大部付近で出合い受精する。

④ **卵 巣**（図9-7） 子宮の左右に位置する母指頭大の楕円形の器官（約6g）で，卵の成熟，排卵の場であり，生殖系の内分泌機能を司る器官でもある。卵巣は，皮質と髄質からなり，皮質には発達段階の卵胞があり，髄質は血管や神経に富んでいる。

2. 生殖器系の機能

2.1 男性生殖器の機能

精巣にある精細管の壁には，精祖(原)細胞から精子までの精細胞系列と，支持細胞であるセルトリ細胞があり，ここで精子の形成が行われる（図9-2）。**セルトリ細胞**は，**卵胞刺激ホルモン**（follicle stimulating hormone：FSH）の刺激を受けて，精子の形成・成熟を促進する。また，アンドロゲン結合タンパク質を分泌して，精細管のアンドロゲン濃度を維持するはたらきがある。

精細管の間を満たす間質には，**ライディッヒ細胞**があり（図9-2），**黄体形成ホルモン**（luteinizing hormone：LH）の作用を受けてテストステロンを産生し，テストステロンは，生殖腺の発達，精子の形成，二次性徴の発現を促進する。またテストステロンには，タンパク質同化促進作用，成長促進作用がある。精巣で形成された**精子**は，精巣上体に一時的に蓄えられ成熟する。精子は精管を通り，精嚢，前立腺，尿道球腺から分泌される分泌液と混ざり，精液を形成する。精液は弱アルカリ性（p.166参照）で，酸性の腟内で精子の運動を維持し，受精効率を高めるのに役立っている。

精子を含む精液は，射精によって体外に放出され，受精にあずかる。精液１mL中には，約１億個の精子が含まれ，１回の射精では数億個の精子が放出される。精子の寿命は，精巣上体では数週間だが，女性生殖器中に放出された後は１～２日である。射精された精子は，子宮から卵管へと移動して卵管内で卵子と出会い受精する。

射精を含む性反射の中枢は，腰髄・仙髄にある。まず，陰茎からの触・圧覚刺激が，陰部神経を介して脊髄に伝わり，勃起神経（副交感神経）が陰茎細動脈を拡張させ，海綿体洞に血液を充満させて勃起を起こす。求心性刺激がさらに続くと，下腹神経叢を介する副交感神経性インパルスが精管や精嚢の平滑筋を収縮させ，精液を後部尿道に放出する（射出）。尿道が精液で満たされると，この刺激が陰部神経を介して脊髄へ送られ，下腹神経叢を介する交感神経性インパルスが球海綿体筋を収縮させ，精液を尿道から外へ放出させる（射精）。

2.2　女性生殖器の機能

女性生殖器の機能は，第１に受胎・妊娠のための準備，すなわち卵子の形成と放出（排卵）であり，第２に妊娠・分娩である。このうち第２の機能については，「第10章　妊娠と分娩」で詳しく述べる。

卵子の形成・成熟は，卵巣で行われる。男性における精子の形成は，思春期から老年期にかけて継続されるが，女性の場合，配偶子の増殖は胎生期に終了しており，出生時には，多数の卵母細胞が第一減数分裂前期に入った状態で卵巣内に存在している。卵母細胞は，周囲を取り巻く卵胞上皮とともに，原始卵胞を構成しており，１か月（約28日）に１個の割合で成熟し，第二減数分裂に入った状態で卵巣から放出される（図９－７）。これを排卵という。排卵された卵子（寿命は約24時間）は，卵管采によって卵管に取り込まれ，子宮に向かって移動する間に精子と卵管膨大部で受精する。受精卵は，細胞分裂を繰り返しながら子宮へと移動し，子宮内膜に着床する。

腟をはじめとする外生殖器は，性交による精子の受容にあずかる。性反射の中枢は，腰髄・仙髄にあり，陰核などへの局所刺激が陰部神経を介して脊髄へ送られ，勃起神経（副交感神経）を介して外陰部の充血，粘液分泌を促す。

（１）性周期，排卵の機序（図９－８）

卵巣での排卵は周期的に起こり，それに合わせて，子宮では内膜の周期的増殖が起こる。妊娠が成立しなかった場合は，増殖した子宮内膜の大部分が剥離し，出血とともに体外に排出される。これが月経である。排卵と月経のサイクルは，約28日を１周期としており，この周期を性周期という。

性周期には，排卵から次の排卵までの卵巣周期と，月経から次の月経までの子宮周期（月経周期，子宮内膜周期）とがある。卵巣周期は，①排卵に先行する卵胞期と，②

排卵後の黄体期からなり，排卵期を区別して，①卵胞期，②排卵期，③黄体期と分けることもある。**子宮周期**は，①月経期，②増殖期，③分泌期からなる。子宮周期の月経期から増殖期が卵巣周期の卵胞期から排卵期に相当し，子宮周期の分泌期が卵巣周期の黄体期に相当する。性周期あるいは子宮周期を**月経周期**と呼ぶこともあり，その場合，月経1日目を周期の第1日目と数える。

1）卵巣周期

① 卵胞期　卵胞期では，いくつかの原始卵胞が成長を開始し，一次卵胞となる。その中の1つだけが急速に成長し，二次卵胞を経て成熟卵胞（グラーフ卵胞，Graaf卵胞）となる（図9－7）。残りの卵胞は閉鎖卵胞となり，萎縮・消失してしまう。一次卵胞以降の卵胞の成熟には，卵胞刺激ホルモン（FSH），黄体形成ホルモン（LH）が関与している。成熟卵胞はエストロゲンを分泌し，自身の成熟をさらに促進する。

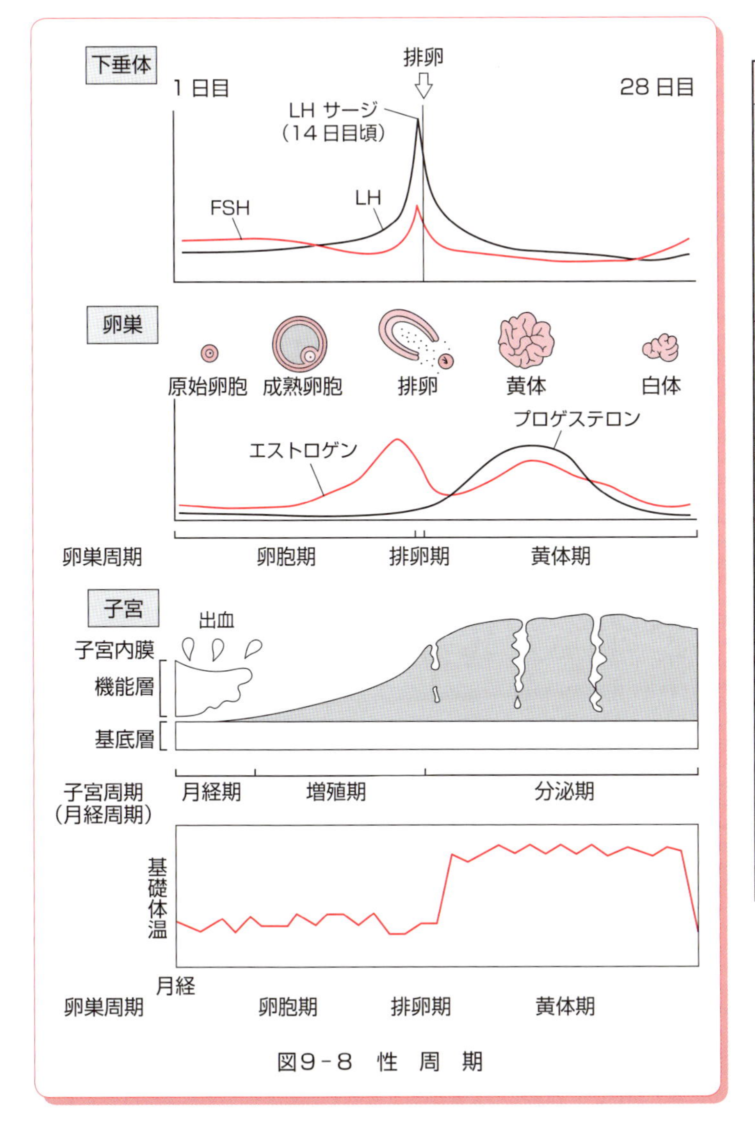

図9－8　性　周　期

表9－2　FSH・LHのはたらき

	FSH	LH
男性	セルトリ細胞は，FSHの刺激を受け，精子の形成を促す。	LHは，ライディッヒ細胞を刺激し，男性ホルモン（テストステロン）の合成・分泌を促す。
女性	卵胞を刺激して発育を促すはたらきを持つ。卵胞が発育することによって卵子が成熟し，同時に卵胞ホルモン（エストロゲン）も増量する。	グラーフ卵胞に対して排卵を促す作用と，排卵後の卵胞に対して黄体化を促す作用とを持つ。黄体化により，卵胞ホルモン（エストロゲン）に加えて，妊娠維持に必要なホルモンである黄体ホルモン（プロゲステロン）が分泌されるようになる。卵胞発育に対してはFSHの補助的役割を担う。

（北川，2016）

② 排卵期　卵巣周期の14日目頃に，LHの大量放出（LHサージ）が起こり，これが引き金となって約18時間後，グラーフ卵胞が破れ，卵子が腹腔内に放出される。これを排卵という。LHの大量放出は，エストロゲンが高濃度で長時間作用することによって，LH分泌に正のフィードバックを起こすために生じる。

③ 黄体期　排卵後，卵胞の顆粒膜細胞とそれを包む莢膜細胞は急速に増殖し，黄体を形成する。黄体からは，エストロゲンとプロゲステロンが分泌され，プロゲステロンの体温上昇作用により，基礎体温が上昇する（約0.5℃）。妊娠が成立した場合には，黄体は妊娠黄体となって存続するため高温期が維持されるが，妊娠が成立しなかった場合には，黄体は退化して白体となり，エストロゲン，プロゲステロンの分泌は低下し，体温も低下する。

2）子宮周期（月経周期）

① 月経期　卵巣で黄体が退化し，黄体期から卵胞期に移行すると同時に，子宮では，妊娠に備えて増殖・肥厚した子宮内膜機能層が壊死・脱落し，出血とともに体外に排出される（p.169参照）。これを月経といい，月経が生じている期間を月経期という。子宮内膜の壊死は，黄体から分泌されていた性ホルモンが低下することにより，子宮壁にあるらせん動脈の痙攣性収縮が起こり，子宮内膜が虚血に陥るために生じ，プロスタグランジンの関与が考えられている。

② 増殖期　月経終了後から排卵直後までの期間を増殖期という。月経終了時には，子宮内膜は基底層を残し機能層が脱落しているが，卵巣から分泌されるエストロゲンの作用により，機能層の増殖が起こり，子宮内膜は肥厚する。

③ 分泌期　排卵後は，黄体から分泌されるエストロゲンとプロゲステロンの作用により，子宮内膜は浮腫状になり，分泌液が放出される。この時期を分泌期といい，卵巣周期の黄体期が終了するまで約2週間続く。

3．生殖器系の疾病

子宮頸癌：子宮頸部に発生する悪性腫瘍で，80%以上が扁平上皮癌である。30歳代後半に多くみられ，分娩回数が多い人やヒトパピローマウイルス*感染との関連が示唆されている。

子宮体癌：子宮体部の粘膜から発生する腫瘍で，80%以上が腺癌である。50歳代以上の閉経後女性に多くみられ，不妊や初妊年齢が高いことが発症率を高める。不正性器出血がきっかけで発見されることが多い。

子宮筋腫：子宮の平滑筋から発生する良性の腫瘍で，40歳代の女性の25%が子宮筋腫を持っているといわれている。女性ホルモンの影響で筋腫は大きくなるが，閉経後には縮小する。月経痛，過多月経，貧血などの症状を呈する。

子宮内膜症：子宮内膜やそれに類似した組織が，子宮以外の場所（卵巣，ダグラス窩，仙骨子宮靭帯など）で発育・増殖する疾病で，生殖年齢の女性の約10%に認められ，発症のピークは30歳代前半である。月経の度に，子宮内膜以外の場所にできた子宮内膜も増殖と出血を繰り返し，月経痛，下腹部痛などを認め，不妊症の原因になる。

乳癌：乳腺に発生する癌で，40歳以上の女性に多くみられ，近年では患者数が増加傾向である。初潮年齢の低下，閉経年齢の遅延，出産回数の減少，出産の経験がない女性の増加などから高エストロゲン状態の関与や，動物性脂肪が多く食物繊維の少ない食生活の欧米化などが関係していると考えられている。ほとんどは無症状で，硬いしこりや皮膚の変化で発見される。

前立腺癌：膀胱直下にある前立腺から発生する癌で，50歳以上の高齢男性に多くみられる。組織型はほとんどが腺癌である。初期は無症状であるが，進行すると排尿困難，頻尿，残尿感，血尿，排尿痛などの症状が出現する。PSAが腫瘍マーカーとして有用である。

前立腺肥大症：前立腺の良性過形成により，特に高齢男性において排尿障害（頻尿，尿閉）を呈する疾患である。

＊ヒトパピローマウイルス（HPV）：性経験のある女性であれば50％以上が生涯で一度は感染するとされている一般的なウイルスである。しかしながら，子宮頸癌をはじめ，肛門癌，腟癌などの癌や尖圭（せんけい）コンジローマ等多くの病気の発生にかかわっていることがわかってきた。近年，若い女性の子宮頸癌罹患が増えていることもあり，問題視されている。

（北川　章）

参考文献

・荒木英爾編著：『Nブックス解剖生理学』，建帛社（2003）
・高野廣子著：『解剖生理学』，南山堂（2003）
・Wilson KJW, Wangh A著，島田達夫，小林邦彦，渡辺皓監訳：『健康と病気のしくみがわかる解剖生理学』，西村書店（2003）
・林正健二編：『ナーシング・グラフィカ　解剖生理学』，MCメディカ出版（2005）
・加藤昌彦，田村明編著：『イラスト人体そのしくみと働き』，東京教学社（2009）
・葛谷恒彦編著：『解剖生理学　第2版』，八千代出版（2006）
・河田光博，三木健寿編：『NEXT解剖生理学　第2版』，講談社サイエンティフィク（2007）
・本郷利憲ほか監修，小澤瀞司ほか編集：『標準生理学』，医学書院（2005）
・大地陸男：『生理学テキスト』，文光堂（2010）
・問田直幹ほか編集：『新生理学』，医学書院（1982）

■練習問題■

問題１　男性生殖器に関する記述である。正しいのはどれか。

(1)　男性ホルモンは二次性徴の促進に関与する。
(2)　精子にはミトコンドリアは存在しない。
(3)　精子細胞は２倍の染色体数を有する。
(4)　精液は弱酸性である。
(5)　精子形成は精巣上体で行われる。

問題２　女性生殖器に関する記述である。正しいのはどれか。

(1)　ダグラス窩は膀胱と子宮の間のくぼみである。
(2)　卵巣には種々の発達段階の卵胞が散在している。
(3)　黄体は白体の瘢痕化によりつくられる。
(4)　子宮壁は内膜，外膜の２層からなる。
(5)　子宮内膜の増殖期にはエストロゲンよりプロゲステロンの血中濃度が高い。

問題３　生殖器系に関する記述である。正しいのはどれか。

(1)　黄体形成ホルモン（LH）サージは月経を誘発しない。
(2)　精巣からはテストステロンが分泌される。
(3)　卵胞期は子宮内膜の分泌期と一致する。
(4)　子宮内膜のうち，月経時に剥離するのは基底層である。
(5)　排卵後にプロゲステロンの分泌は低下する。

（以下は，「第 10 章　妊娠と分娩」関連の問題）

問題４　胎児および胎盤に関する記述である。誤っているのはどれか。

(1)　臍帯の中には１本の臍動脈と２本の臍静脈が存在する。
(2)　胎盤が完成するのは 15 ～ 16 週である。
(3)　妊娠４か月末（16 週）ごろに胎児の運動が活発になり，胎動を感じる。
(4)　胎盤は絨毛膜と基底脱落膜からできている。
(5)　胎盤はホルモンを分泌する。

問題５　発生についての記述である。誤っているのはどれか。

(1)　骨格筋は中胚葉から発生する。
(2)　肝臓は内胚葉から発生する。
(3)　腎臓は外胚葉から発生する。
(4)　骨は間葉から発生する。
(5)　表皮は外胚葉から分化する。

第10章

妊娠と分娩

受精卵が着床して妊娠が成立すると，黄体ホルモン（プロゲステロン）とともに卵胞ホルモン（エストロゲン）の分泌量も徐々に増えていき，出産まで増え続ける。また，プロゲステロンの増加により，体温は高温期が持続し，胎盤がつくられていく。しかし，胎盤が完成するとプロゲステロンが胎盤から分泌されるようになるため，体に及ぼす作用が小さくなり，基礎体温が下がる。

妊娠を持続させるために，母体は子宮を大きくし，乳房の中に通っている乳腺を発達させて母乳を作る準備を促す。

1. 妊　娠

1.1　妊娠から着床（図10-1）

排卵の時期には，子宮頸部の粘液はさらさらになるため，精子は膣から容易に子宮頸部・子宮を通り抜け，**卵管膨大部**で卵子と出会い，精子が卵子の中に入ることで，**受精**が成立する（受精卵）。**受精卵**は，46本の染色体を持っている。卵子は22本の常染色体と2本の性染色体X，精子は22本の常染色体と性染色体XまたはYによって性別が決定する。したがって，Y遺伝子が性の決定因子である。

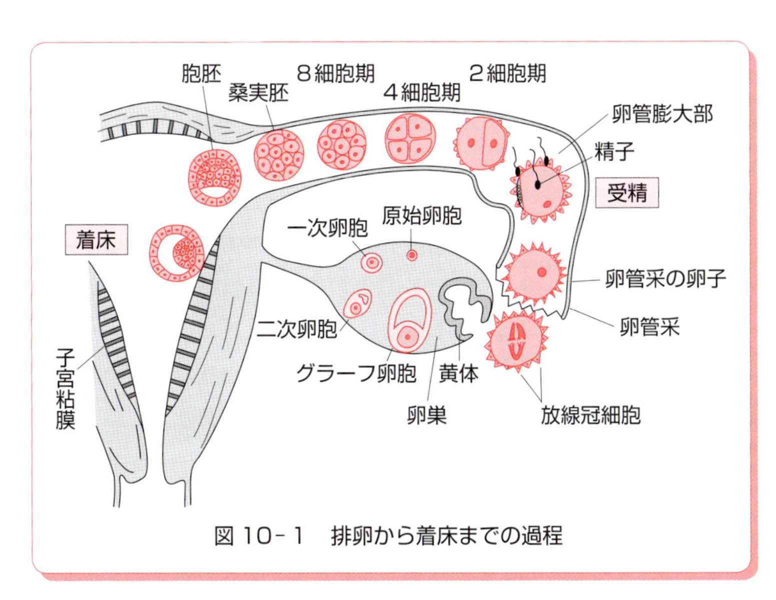

図10-1　排卵から着床までの過程

受精卵は，2細胞期→4細胞期→8細胞期→16細胞期→32細胞期と卵割を重ね桑実胚（そうじつはい），さらに分割が進み胞胚（ほうはい）となり，受精後4～5日には卵管の蠕動運動により，卵管中を子宮腔へと運ばれ，受精後6～7日で子宮内に着床する（図10-2）。

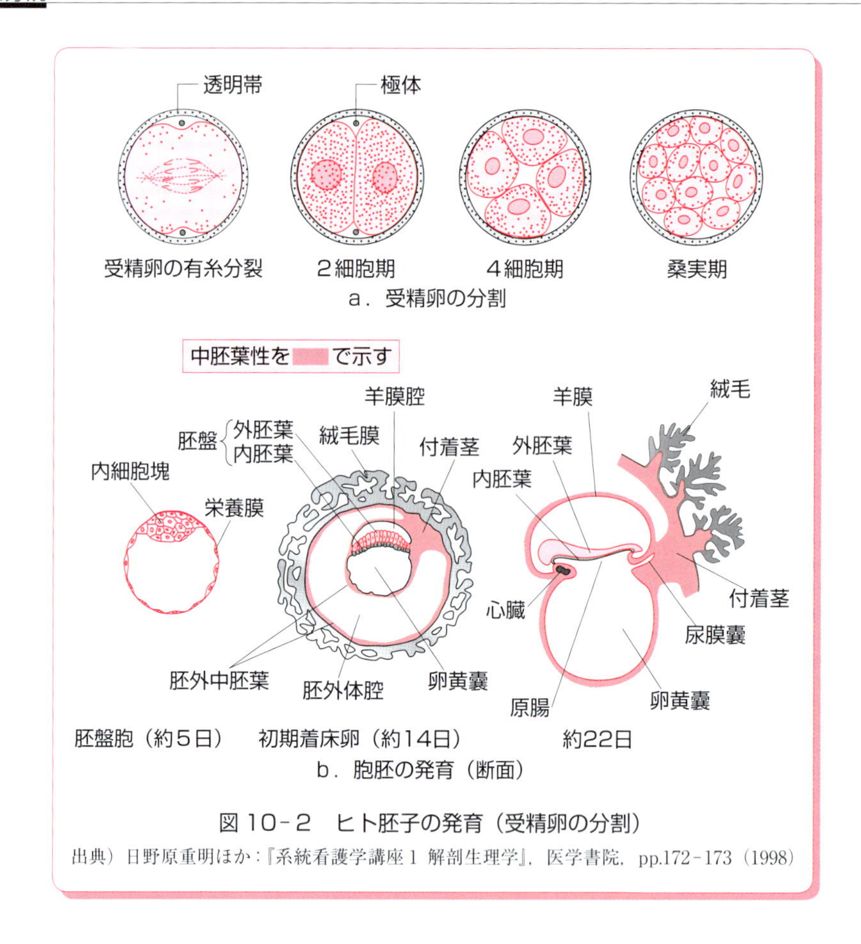

図10-2　ヒト胚子の発育（受精卵の分割）

出典）日野原重明ほか：『系統看護学講座1 解剖生理学』，医学書院，pp.172-173（1998）

表10-1　胚葉に由来する組織と器官

胚　葉	由来する組織と器官	
外胚葉	神経管→神経系全般 表皮とその付属器 感覚器の主部	
内胚葉	脊索 消化・呼吸器系 （粘膜上皮・腺上皮）	
中胚葉	体　節	椎板→脊柱 筋板→体壁の骨格筋 皮板→真皮
	体節茎→泌尿生殖器の主部 側板→漿膜および内臓壁	
間　葉	結合支持組織・平滑筋 四肢の骨格および筋 血液および血管	

1.2　胚子（胎芽／胎児）の発育

受精後第2週目には，桑実胚より発達した胞胚は，表面にならぶ細胞層を**栄養膜**といい，内部の細胞集団を**内細胞塊**（ないさいぼうかい）という。内細胞塊の部分は大きくなるにつれて，中に**羊膜腔**と**卵黄嚢**の2つの空隙を持つようになる。羊膜腔と卵黄嚢の2つの空隙が密着する細胞層からなる円板を形成し，その板状の組織が将来胎児のすべての部分をつくる原基（胚盤）であり，それ以外の組織は胎児被膜を形成する。

胚盤胞の壁は胎芽を包む外膜（絨毛膜）になる。その内側に羊膜が発達し，受精後10～12日目までに羊膜腔が形成され，羊水と呼ばれる透明な液体で満たされ，胎芽は羊水の中に浮かんだ状態で成長し，それに伴い羊膜腔も大きくなっていく。羊膜腔を裏打ちする細胞は**外胚葉**であり，脊椎・神経・皮膚・爪・髪の毛などが形成される。卵黄嚢を裏打ちする細胞は**内胚葉**であり，呼吸器系や 消化器系に分化し，肝臓や膵臓などの主要器官が形成される。また，外胚葉と内胚葉の間に存在する組織が**中胚葉**で，心臓・骨・軟骨・筋肉・血球・泌尿器系などが形成される（表10−1）。

妊娠が進むにつれて羊膜腔は拡大し，胎児はその中にキノコのように突出する。最終的には羊膜は，絨毛膜まで達し，それと融合してその中に羊水を充満した1枚の膜を形成する。羊水は成長しつつある胎児を保護し，筋肉，神経，骨などが形成されるとすぐに胎児が自由に動けるようになる。卵黄嚢のうち胎児の中の部分は，外との連絡がなくなり，切り離されてそれから原腸が形成される。

1.3 胎　盤

（1）胎盤の形成

胚子が子宮粘膜に着床したのち，栄養膜は，絨毛膜に変わり，子宮粘膜は脱落膜を形成する。脱落膜のうち，胚子と子宮筋層を占める部分を基底脱落膜という。

絨毛膜の基底脱落膜に対面する部分には多数の絨毛が形成され，絨毛は絨毛間腔の中に浮かぶ水草の根のような状態になり，絨毛の中を走る胎児と母体との間で物質交換が開始される。こうして，絨毛膜と基底脱落膜により妊娠3週の頃から徐々に胎盤が形成され，15〜16週（妊娠4か月）に完成する。

胎児側では，胎盤は羊膜で境され，絨毛膜板がある。母体側では，基底脱落膜から母体血管が開口し，母体血が噴出しているが，母体の血液と胎児の血液とは直接混合しない構造である（図10−3）。酸素・栄養分・老廃物などの物質交換は，絨毛間腔を流れる母体血と絨毛内血管を流れる胎児血が，絨毛細胞を介して行われる。

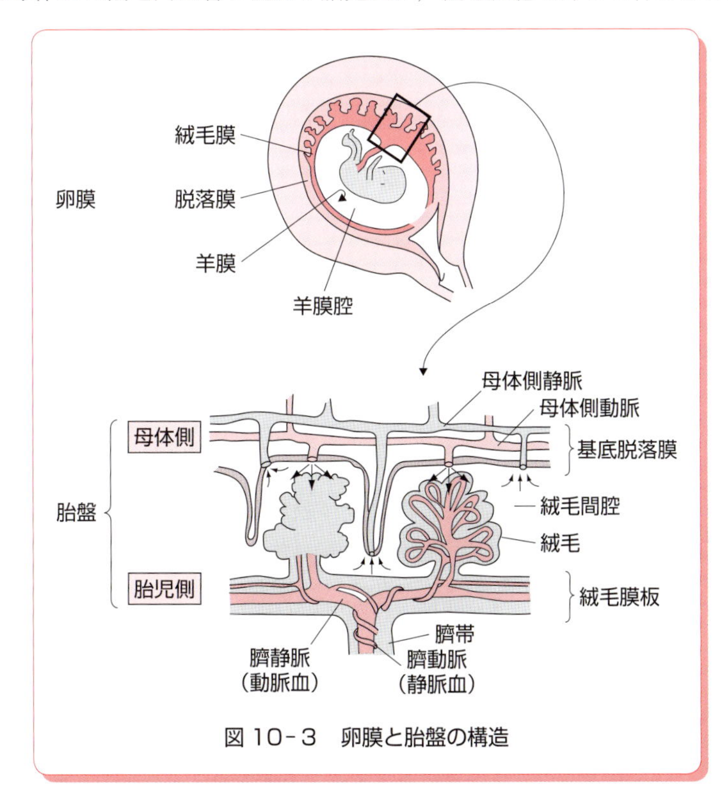

図10−3　卵膜と胎盤の構造

胎盤と胎児は臍帯で連絡しており胎盤の血液は，臍帯を走る1本の**臍静脈**を経て胎盤から胎児に送られ，2本の**臍動脈**を経て胎児から胎盤に達する（p.66図3－19，胎児循環はp.65参照）。

受精8週間後（妊娠10週に相当）前後になると，ほとんどの臓器が完全に形成される。ただし，脳と脊髄は妊娠期間を通して発達を続け，**胎芽**は**胎児**と呼ばれる。この時期には，すでに形成された身体各部の構造が成長と発達を続ける。妊娠12週までには胎児が子宮全体を占めるようになる。妊娠16～20週頃に胎動が感じられるようになる。胎盤の発達に伴い細かく枝分かれした複雑な構造をした細い毛のような器官（絨毛）が胎盤から子宮壁内へと伸びていく。この構造により子宮壁と胎盤の接触面積は非常に大きくなり，母体と胎児の間で大量の栄養素や老廃物が交換できるようになっており，胎盤は15～16週（妊娠4か月）までに完成する。妊娠23～24週前後になると，胎児が母体の外でも生存できる可能性がある。

（2）胎盤の機能

①　母体と胎児との間の物質交換　胎児の血液と母体の血液との間には毛細血管内皮細胞，基底膜，合胞体栄養細胞があり（**血液－胎盤関門**），この関門を介しての物質交換が行われる。すなわち，胎児は二酸化炭素を母血へ排出し，母血から酸素を吸収する。また，母血からグルコース，アミノ酸，脂質を摂取し，胎児内の尿素や老廃物を母血へ排出して代謝される。

②　ホルモン産生機能　妊娠を持続させるためにホルモンを分泌する（表10－2）。

胎盤性**エストロゲン**，**プロゲステロン**，**絨毛性性腺刺激ホルモン**が絨毛の合胞体栄養細胞から分泌される。性腺刺激ホルモンhCGは妊娠黄体の維持，絨毛における卵

表10－2　胎盤で産生されるホルモン

ペプチドホルモン	ヒト絨毛性ゴナドトロピン human chorionic gonadotropin（hCG）	①胎盤形成に寄与。妊娠黄体機能の促進作用。②絨毛のエストロゲン，プロゲステロン産生の促進。着床後約3か月間分泌される。
	ヒト絨毛性乳腺刺激ホルモン human chorionic somatomammotropin（hCS）［ヒト胎盤性ラクトゲン（human placental lactogen, hPL］	①プロラクチン様の黄体刺激作用，乳腺発育作用，成長ホルモン様成長促進作用，②胎児の成長促進作用（母体からの遊離脂肪酸，グルコースの転送），③胎盤機能の指標。
	リラキシン relaxin	恥骨結合の弛緩，子宮の弛緩。卵巣，子宮からも分泌される。
ステロイドホルモン	エストロゲン	①胎児の発育作用（タンパク同化作用），②子宮のオキシトシン感受性増強，③乳腺乳管系の増殖・発育促進。妊娠3か月以後分泌増大。
	プロゲステロン	①体温上昇作用，その他の代謝促進，②子宮のオキシトシン感受性減弱，③乳腺腺葉系の増殖・発育促進。妊娠3か月以後分泌増大。
	エストロゲン／プロゲステロン（協調作用）	①新たな妊娠の阻止，妊娠中の乳汁分泌抑制，②乳腺発育，③妊娠維持のための子宮増大，④分娩準備のための軟産道の柔軟化。

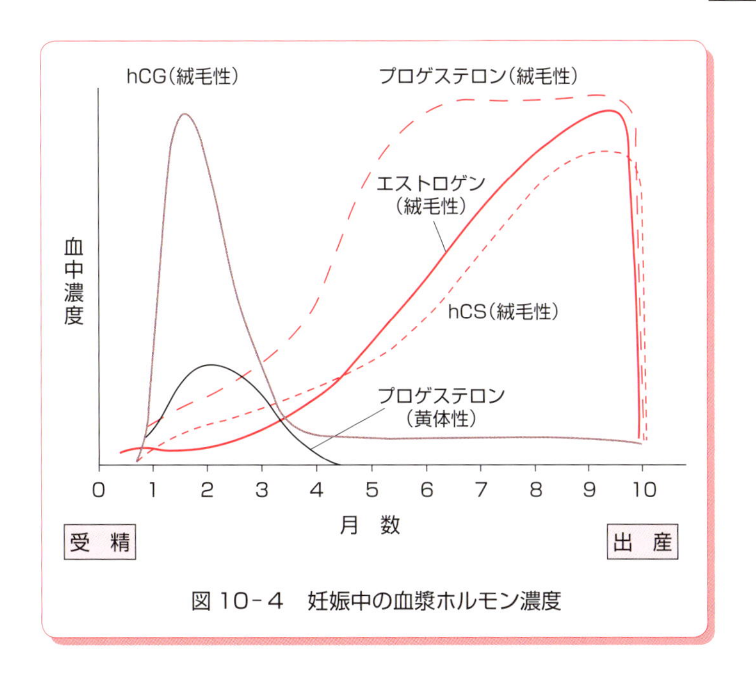

図 10-4　妊娠中の血漿ホルモン濃度

胞ホルモン，黄体ホルモン産生を刺激する。hCG 産生は妊娠第 7 ～ 8 週で最高に達し，その後急激に低下する。尿中 hCG 検出が受精後 2 ～ 3 週で判定可能となるので，妊娠反応として利用される（図 10-4）。

③ **胎児・胎盤単位**　胎盤は大量のステロイドホルモンを生成するために，母体からコレステロールを LDL として供与され，母体・胎児で合成されたホルモン前駆体，ホルモンなどを利用する。妊娠後期の**エストロゲン**は胎児と胎盤の協同作業により生成されるので，母体尿中に排出されるエストリオール値を指標として胎盤機能，胎児の状態を知ることができる。

2. 分　娩

最終月経の初日から 40 週経った頃，子宮の収縮が始まり，胎児は産道を下降する。胎児の頭部により子宮頸部が伸展されると下垂体後葉から**オキシトシン**が分泌されることにより子宮筋が収縮するとともに子脱落膜（胎盤）の**プロスタグランジン**生成を促進させ，さらに子宮収縮が増強する。この収縮は，周期的になり痛みを伴ってくる。分娩は表 10-3 のごとく 3 期に分けられる。**プロスタグランジン**分泌が急激に低下し，子宮の激しい収縮が生じ，胎児および付属物（胎盤・臍帯・卵膜・羊水）が排出され分娩が終了する。

表 10-3　分娩の 3 期

分　類	定　義
1 期（開口期）	陣痛開始より子宮口全開大まで
2 期（娩出期）	子宮口全開大から胎児の娩出完了まで
3 期（後産期）	胎児の娩出完了直後より胎盤等の晩出完了まで

① **胎児の奇形**　胎児の奇形のほとんどは各種器官が形成される時期に起こる。胎芽はこの時期，薬や放射線，ウイルスの影響を最も受けやすい状態にある。このため妊婦は生きたウ

イルスを含む生ワクチンの接種を避け，薬の服用も母体にどうしても必要な場合以外は避ける必要がある。

② 出産および胎児の月齢　胎児の月齢は最終月経の初日から起算し，4週間（28日）をもって1か月として，280日の妊娠期間を10か月に分けて週で示すと40週となる。ただし，受精は最終月経の初日の約2週間後に行われるので，受精した日から起算するときは2週間減じる。

③ 授　乳　妊娠期間中，**エストロゲン**の作用により**プロラクチン**分泌が増加するが，分娩後に胎盤が排出されると乳腺が**プロラクチン**に反応して乳汁産生が高まる。乳児が乳頭を吸引すると，求心性インパルスが**オキシトシン**分泌を増加させ，乳腺周辺の筋上皮細胞を収縮させて乳汁が排出される（射乳反射）。乳頭部の吸引刺激により**プロラクチン**分泌が促され，乳汁産生が継続する。乳汁には，水，タンパク質，糖質（乳糖），脂質などの栄養素以外に，ホルモンや抗体も含まれる。

3. 妊娠と疾病

妊娠高血圧症候群：妊娠高血圧とは，妊娠20週以降に初めて高血圧（収縮期血圧140 mmHg以上または拡張期血圧90 mmHg以上）が発症し，分娩後12週までに正常に戻る場合をいい，以前は妊娠中毒症と呼ばれていた。高年齢の妊婦，初産婦，肥満，高血圧，糖尿病，多胎妊娠などがかかりやすいと報告されている。発症機序の詳細は不明であるが，胎盤形成時に何らかの血管形成不全が起こり，サイトカインやチロシンキナーゼが母体の血中に放出されることなどにより，血圧が上昇するものと考えられている。妊娠高血圧症候群は，高血圧の程度とタンパク尿の量により，軽症と重症に分けられる。重症になると，子癇（痙攣発作），脳出血，肝臓や腎臓の機能障害，流早産，胎児発育遅延，胎盤早期剥離などを合併することがあり，妊婦および胎児の死亡につながることがあるので，適切な血圧管理が重要である。

妊娠糖尿病：妊娠中にはじめて発見または発症した，糖尿病には至っていない糖代謝異常のことをいう。妊娠中に発見された明らかな糖尿病や妊娠前に糖尿病と診断された場合（糖尿病合併妊娠）は，妊娠糖尿病には含めないが，これらの病態は，より厳格な血糖管理が求められる。妊娠糖尿病は，75 g経口ブドウ糖負荷試験で①空腹時血糖値92 mg/dL以上，②負荷後1時間値180 mg/dL以上，③負荷後2時間値153 mg/dL以上の3項目の中で，1項目以上を満たす場合に診断される。妊娠糖尿病を起こす危険因子としては，糖尿病の家族歴，肥満，35歳以上の高年齢，巨大児分娩既往歴，習慣流産歴，先天奇形児分娩歴，強度尿糖陽性，妊娠高血圧症候群，羊水過多症などが指摘されている。妊娠糖尿病において，母体の合併症としては，妊娠高血圧症候群，羊水過多などがあり，胎児の合併症としては，流早産，巨大児，先天奇形，低血糖などがある。

参考文献

・荒木英爾編著：『Nブックス解剖生理学』，建帛社（2003）
・高野廣子著：『解剖生理学』，南山堂（2003）
・Wilson KJW, Wangh A 著，島田達夫，小林邦彦，渡辺皓監訳：『健康と病気のしくみがわかる解剖生理学』，西村書店（2003）
・林正健二編：『ナーシング・グラフィカ　解剖生理学』，MC メディカ出版（2005）
・加藤昌彦，田村明編著：『イラスト人体そのしくみと働き』，東京教学社（2009）
・葛谷恒彦編著：『解剖生理学　第 2 版』，八千代出版（2006）
・河田光博，三木健寿編：『NEXT 解剖生理学　第 2 版』，講談社サイエンティフィク（2007）

■練習問題■

問題 1　妊娠に関する記述である。正しいのはどれか。
(1)　男性の性染色体は 2 本の X 染色体より構成される。
(2)　X 染色体には性を決定する遺伝子が存在する。
(3)　母体と胎児の間の物質変換は母体と胎児の血液が直接混合して行われる。
(4)　卵子は子宮内で授精し，そのまま着床する。
(5)　卵子や精子は染色体数が半減している。

第11章

血液・造血器・リンパ系の構造と機能

1. 血液の機能

心臓と，これにつながる閉ざされた血管系の内容になっている赤い“液体”，それが血液である。血液は心臓のポンプ作用により約1分弱で血管を通って全身を循環しながら以下の役割を果たしている。

① **ガス交換**　赤血球に含まれるヘモグロビンが主としてはたらく。

② **栄養素の運搬**　消化管から吸収された糖質・タンパク質・ビタミン・電解質などは，主として血液に入り，これらを利用あるいは貯蔵する組織へ運ばれる。脂質はまずリンパ系に入るが，胸管を経て最終的には血液に注ぐ。組織から組織への必要な物質の運搬も，主に血液を介して行われる。

③ **老廃物の運搬**　組織の代謝産物である老廃物，例えば尿素・尿酸・クレアチニンなどは血漿によって組織から運び出され，腎臓，肝臓などから体外へ排泄される。

④ **ホルモンの輸送**　ホルモンは内分泌腺から直接血液に入り，血漿に乗って目的の器官に到達し，その作用を発現する。これが生体の体液性調節の一部をなし，神経性調節と並行して生体の機能を円滑に運ばせている。

⑤ **水分などの調節**　血漿の大部分は水分であり，組織液とともに細胞外液を構成する。また，組織液を仲立ちとして細胞内液との間で水分のやりとりが盛んに行われる。一方では，消化管から吸収された水分は血漿に入り，腎臓・皮膚・肺などから出ていく。これらの水分量の調節には血漿中に含まれているタンパク質や塩類で，血液の浸透圧をほぼ一定に保つことによりその役目を果たしている。

⑥ **酸塩基平衡の維持**　血液循環によって，肺から二酸化炭素を，腎臓から酸・アルカリを排泄するとともに，血液自身の持つ緩衝作用（体液の pH 値を一定に保つはたらき）によって，血液の pH（水素イオン濃度）を常に 7.4 前後の一定値に保っている。

⑦ **体温の調節**　体内の化学反応がうまく進行するためには温度がほぼ一定である必要がある。血液は熱産生量の多い組織から熱を吸収して他の熱産生量の少ない組織へ運んだり，体熱を皮膚や肺に運んで水分蒸発，あるいは直接的な放散により外部に熱を逃がしたりすることにより体温調節を行っている。

⑧ **生体防御**　白血球には，ものを取り込む作用（食作用）を持つものがある。

一部の白血球はその運動作用により血管から組織内へ遊出し，あるいは血管の中で，外来の細菌などに対抗して生体を防御する。また，血漿のγグロブリンに含まれる抗体は，やはり血漿タンパク質成分である補体などとともに，外部からの細菌や毒素に対し生体を防御する。

⑨ **血液凝固**　血液には各種の凝固因子があり，その総合的な作用によって血液を凝固させ，出血を止めるうえに大きな役割を果たしている。

2. 血液の一般的性状

血液の水素イオン濃度（pH）は 7.4 ± 0.05（7.35 〜 7.45）である。

血液は体重の約 7 〜 8％を占める。体重 65 kg の人であれば約 5.2 kg である。血液の比重は 1.055 〜 1.063 なので，体積にすると約 5 L である。しかし，実際の血液の量は正確には決められない。なぜなら，血液，特にその無形成分は，たえず組織液との間にやりとりがあって，多少の動揺を免れない。しかし，個人個人についてはほぼ一定に保たれている。

血液の大部分は体内を循環しているけれども，一部は臓器の血管系に停滞している。循環している量を循環血液量（男性 70 ± 4 mL/kg，女性 63 ± 4 mL/kg）といい，これは循環血球量（男性 30 ± 2 mL/kg，女性 25 ± 2 mL/kg）と循環血漿量（男性 40 ± 2 mL/kg，女性 38 ± 2 mL/kg）の和に等しい。また，循環血球量は細胞内液に，循環血漿量は細胞外液に由来する。

循環血液量の変動と意義

急な出血で循環血液量の 1/3 が失われると生命の危険を生ずる。死なずにすんだ場合は，組織液から速やかに補充されて血漿量が増したためである。循環血液量は 12 〜 48 時間で回復するが，血球の不足分は骨髄からゆっくりと補充されるので，貧血が治るのに 4 〜 8 週間を要する。ショックでも急に循環血漿量が減った場合は，早期に治療しないと死ぬ危険性がある。副腎皮質の機能低下があると循環血液量の慢性の減少をみる。飲み水を制限したり，下痢・嘔吐・発汗・利尿などがあると循環血漿量が減るが，ある程度は組織液から補充される。妊娠の後半になると循環血漿量が増し，このために血液量も増加する。多血症では血球量が増すため血液量も増加する。

血液に抗凝固剤を加えて遠心分離すると，液体成分の血漿と細胞成分の血球に分かれる。また，抗凝固剤を加えずに血液をそのまま試験管に入れておくとやがて固まり（血液凝固），その塊（血餅）は収縮して，試験管とのあいだに淡黄色の液体が分離する。この液体を血清という。

3. 血球の分化・成熟

血球は多能性血液幹細胞と呼ばれる 1 種類の幹細胞から分化・成熟してつくられる。多能性血液幹細胞は，骨髄系幹細胞とリンパ系幹細胞の 2 つに大きく分かれた後，それぞれの血球に分化する（図 11－1）。

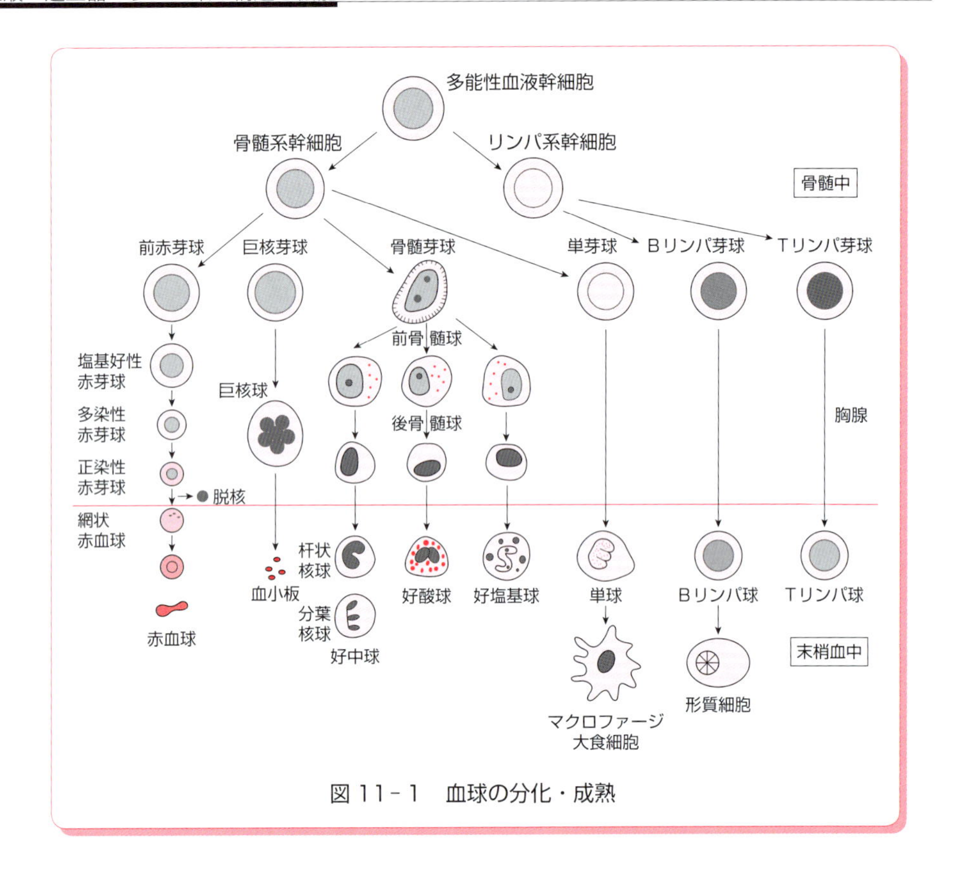

図 11-1　血球の分化・成熟

3.1　赤血球の分化・成熟

赤血球は骨髄系幹細胞の分化・成熟によってつくられる。骨髄系幹細胞 → 前赤芽球 → 塩基好性赤芽球 → 多染性赤芽球 → 正染性赤芽球 → 網状赤血球 → 赤血球の順に成熟する。正染性赤芽球から網状赤血球になる間に**脱核**する。

赤血球は，胎生期には肝臓や脾臓でも産生されるが，成人では骨髄の造血組織で新生される。赤血球の分化・成熟には，特に**鉄**，**ビタミン** B_{12} や**葉酸**などのビタミンのほかに腎臓から分泌される**エリスロポエチン**が不可欠である。

大量出血や高地における長期滞在などの場合には末梢組織への酸素供給が減少する。この低酸素刺激は腎臓からのエリスロポエチンの分泌を亢進する。エリスロポエチンは骨髄の骨髄系幹細胞にはたらいて赤芽球系の細胞の分化増殖を促進する。

赤血球が壊れること（崩壊）を**溶血**という。赤芽球が赤血球になってから溶血するまでが赤血球の寿命である。赤血球の寿命は正常では 120 日前後で，赤血球の 1/120 が毎日壊れることになる。赤血球は，肝臓の類洞や脾臓の脾洞で壊される。老化した赤血球や異常赤血球（球状赤血球や鎌型赤血球など）は脾洞の内皮細胞の間隙を変形して通過することができないため，引っかかり，マクロファージによって処理されてしまう。

3.2 顆粒球の分化・成熟

顆粒球は骨髄系幹細胞の分化・成熟によってつくられる。骨髄系幹細胞 → 骨髄芽球 → 前骨髄球 → 骨髄球 → 後骨髄球 → 杆状核球 → 分葉核球の順に分化・成熟する。正常の末梢血では杆状核球や分葉核球が見られるだけであるが，急性骨髄性白血病などではより幼弱な白血球が末梢血に出てくる。好中球・好酸球・好塩基球の3種への分化は前骨髄球の段階で起こる。顆粒球が分化するためには**ビタミンB_{12}**，**葉酸**などのビタミンや**顆粒球コロニー刺激因子**（G-CSF），ある種の**インターロイキン**が必要である。

3.3 単球の分化・成熟

単球は骨髄系幹細胞の分化・成熟によってつくられる。骨髄系幹細胞 → 単芽球 → 前単球 → 単球の順に分化・成熟する。単球の分化・成熟には**マクロファージ・コロニー刺激因子**（M-CSF）が必要である。

3.4 リンパ球の分化・成熟

リンパ球は多能性血液幹細胞から分化したリンパ球系幹細胞よりつくられる。リンパ系幹細胞 → リンパ芽球 → リンパ球の順に分化・成熟する。Bリンパ球はリンパ系幹細胞が骨髄で分化・成熟することによってつくられ，Tリンパ球はリンパ系幹細胞が胸腺で分化・成熟することによってつくられる。リンパ球の分化・成熟には**インターロイキン**が必要である。

3.5 血小板の分化・成熟

血小板は骨髄系幹細胞の分化・成熟によってつくられる。巨核芽球 → 前巨核球 → 巨核球の順に分化・成熟し，この巨核球の細胞質がちぎれたものが血小板となる。巨核球は直径が35～160 μm と大きさにばらつきがある。核の分裂により染色体数が2n → 4n → 8n → 16n → 32nと増えていくが，これは細胞質は分裂しないためである。巨核球系への分化・成熟には**トロンボポエチン**が必要である。

4. 血液の成分

4.1 赤　血　球

(1) 赤血球の形状と正常値

末梢血における正常な赤血球は，核を持たず，円盤状で，中央が両面からくぼんで薄くなっている。円盤の直径は平均7.7 μm（6.0～9.5 μm）ぐらいで，多少の大小不同があるが，ほぼ正円である。厚さは，厚いところで約2 μm である。

赤血球は，このような特殊な形状をとることにより，表面積は球形であるよりもはるかに広くなり，ガス代謝に好都合であるばかりでなく，機械的な外力や浸透圧の変化に対しても抵抗が大きく，壊れにくい。表面は，主としてタンパク質とリン脂質からなる膜でおおわれ，膜の厚さは6～8 nm（60～80 Å）ある。この膜には血液型物質が含まれている。溶血すると膜は残影として残る。

赤血球の約2/3は水分で，残りの1/3は**ヘモグロビン**が占めている。ほかに少量ずつながらタンパク質・脂質・ブドウ糖・電解質・ビタミン・各種の酵素などがあるが，全体の約3%にすぎない。

- 赤血球（RBC）数：末梢血液1 μL（mm^3）につき**500万**（男性），**450万**（女性）である。年齢と性による差がかなり大きい。出生直後は多く，小児では一時減少する。このときには男女差はない。成人になるとまた増えて上記の値となり，男女間に差を生じる。高齢者では少し減り，再び男女差ははっきりとしなくなる。
- ヘモグロビン（Hb）濃度：末梢血で，成人男子は**14～18 g/dL（平均16 g/dL）**，成人女子は**12～16 g/dL（平均14 g/dL）**である。
- ヘマトクリット（Ht）値：正常値**45%**としているが，男女間に差がある。

(2) ヘモグロビン

ヘモグロビン（Hb）は鉄を含む色素部分の**ヘム**とポリペプチド鎖の**グロビン**が結合したサブユニット（ヘモグロビン・モノマー）が4つ結合したものである（図11-2）。このヘムの中の2価の鉄原子とポリペプチド鎖の間に1個の鉄分子（O_2）が結合する。この結果，ヘモグロビン1 gは酸素1.34 mLと結合することができる。

ヘモグロビンが酸素と結合した状態を**オキシヘモグロビン（酸化ヘモグロビン）**といい，酸素と結合していない状態を**デオキシヘモグロビン（脱酸素化ヘモグロビン）**と呼ぶ。血液の総ヘモグロビンの中のオキシヘモグロビンの占める割合をパーセントで示したものが**酸素飽和度**である。血液の酸素分圧を横軸にとり，それに対するヘモグロビンの酸素飽和度を縦軸にとったグラフをヘモグロビンの酸素飽和曲線またはヘ

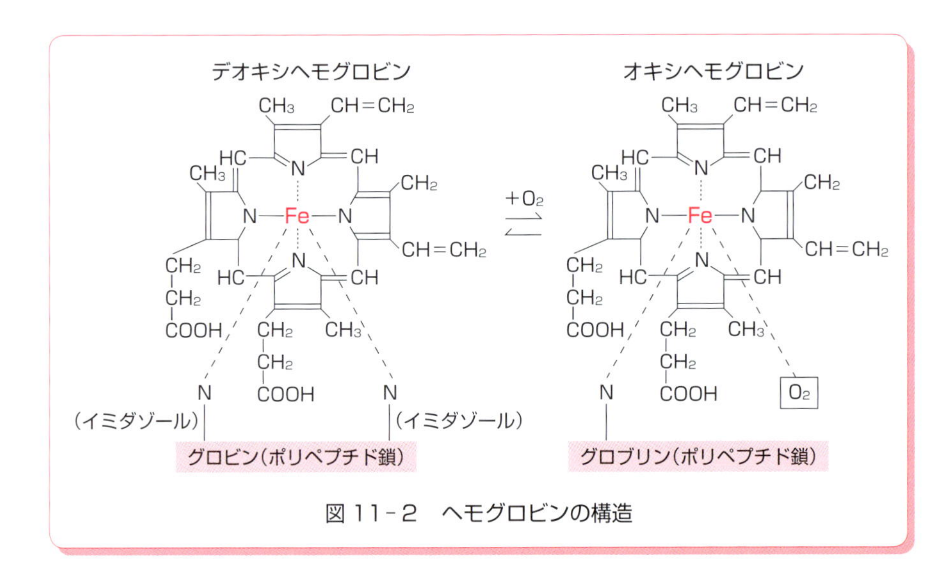

図11-2　ヘモグロビンの構造

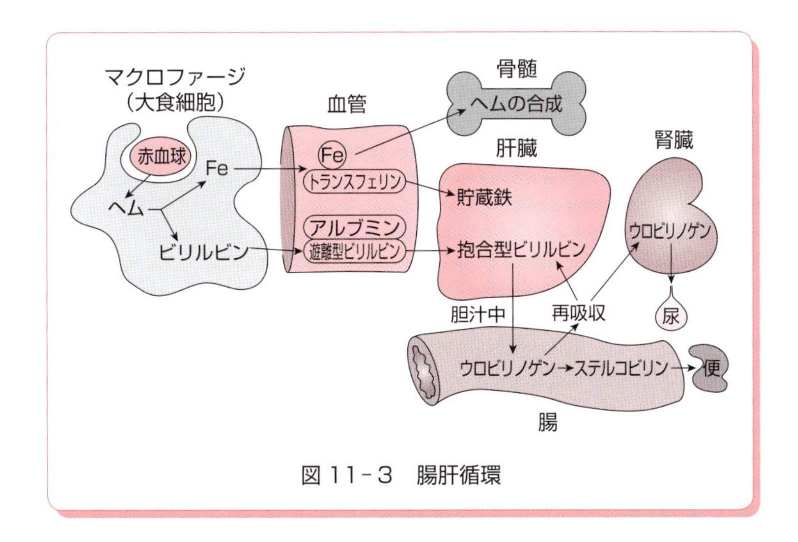

図 11-3　腸肝循環

モグロビンの酸素解離曲線という（p.140，図 7-10 参照）。

ヘモグロビンの酸素飽和曲線は炭酸ガス濃度，pH 値，温度などに影響を受ける。二酸化炭素分圧（P_{CO_2}）の増加，pH 値の低下（水素イオン濃度の上昇）および温度の上昇は酸素飽和曲線を右方向にシフト（右方移動）させる。

溶血後，脾臓や肝臓の類洞にあるマクロファージに貪食されたヘモグロビンのヘムは鉄と**遊離型**（**間接型**）**ビリルビン**に分解される。鉄は血漿タンパク質の一種であるトランスフェリンと結合して骨髄に運ばれ赤血球新生のために使われたり，肝臓に運ばれて貯蔵鉄となったりする。遊離型ビリルビンは血漿タンパク質の一種であるアルブミンと結合して肝臓に送られる。遊離型ビリルビンはアルブミンと結合して血中を移動するので，腎臓から尿中へ排泄されることはない。遊離型ビリルビンは肝臓内でグルクロン酸抱合されて，**抱合型**（**直接型**）**ビリルビン**となり，胆汁として腸管内に排泄される。

腸管内でビリルビンは，**ウロビリノゲン**から**ステルコビリン**となり，糞便として排泄される。糞便の黄褐色はステルコビリンの色である。ウロビリノゲンの一部は腸管から吸収され，その一部は肝臓から胆汁中に排泄され，また一部は腎臓より尿中に排泄される。これをビリルビンの**腸肝循環**と呼ぶ（図 11-3）。

4.2 白　血　球

白血球には**顆粒白血球**（**顆粒球**）と**無顆粒白血球**（**無顆粒球**）がある。顆粒白血球は，顆粒の性質により，**好中球**，**好酸球**と**好塩基球**の 3 種類に分けられる。また，無

表 11-1　白血球百分率の正常値

年齢	白血球数	好中球	好酸球	好塩基球	単球	リンパ球
16 ～ 60 歳	5,000 ～ 8,000/μL	55.3%	3.5%	0.5%	5%	36.6%

顆粒白血球は単球とリンパ球に分けられる。白血球の寿命は，種類により異なるが，おおむね2週間といわれている。

白血球の正常値は，成人では，末梢血液1 μL（mm^3）につき4,500～9,500，平均して6,000～7,000ぐらいと考えられている。

(1) 好　中　球

白血球数のほぼ半分を占める。直径は12～15 μm程度である。杆状核球と分葉核球があり，核の分節の数に応じて，2核・3核・4核・5核と分かれる。通常の好中球は3核までで，4核は少なく，5核はほとんど見られない。核の色は濃紫赤色に染まり，染色質の構造は非常に粗大で，核小体を欠く。細胞質は豊富で，淡いピンク色（好中ピンク）に染まり，小さなピンク色ないし紫色を帯びた顆粒（好中顆粒）が多数散在している。

好中球は活発な運動能を持つ。毛細血管壁の間隙を通って容易に組織中に遊出して活動する。また，好中球には活発な貪食能がある。細胞質のライソゾームが変化した好中顆粒（特殊顆粒やアズール顆粒）は多くの水解酵素を含んでいて，貪食した異物や細菌を処理することにより生体の防御機構に参与する。

(2) 好　酸　球

白血球数の3～5%を占める。一般に好中球よりやや大きく，2分葉（2核）の核を持つことが多い。好中球の分節に比較して丸い傾向がある。核質の染まりは好中球よりも淡いことが多い。最も特徴的なのは，細胞質に大量の顆粒を持っていることである。その顆粒は著しく大きく，かなり均等な大きさを持ち，エオジンに染まって赤色を呈する。

好酸球は，運動能がある。アレルギー性疾患，寄生虫疾患，各種疾患の回復期に増加する。好中球に比べて貪食能は弱いが，タンパク質由来の毒素を中和するはたらきがあると推測される。

(3) 好塩基球

白血球数の0.5%以下を占める。好塩基球は血液肥満細胞とも呼ばれる。大きさは好中球よりやや小さいが，大小の差が激しい。核は不整形で，奇妙な形のものが多く，他の顆粒球と比べて著しい違いを示す。核の周囲は細胞質が不明瞭で，核の網状構造もはっきりしない。細胞質は，好中球に比べて濁った色で，本来は暗青紫色に染まるかなり大きな黒っぽい顆粒を持つ。

好塩基球の顆粒はヒスタミン様物質を含む。IgEとの接触を介して顆粒内容を放出し，アレルギー反応に関与すると考えられるが，数が少ないため不明な点も多い。

(4) 単　球

大きさは直径 15 〜 20 μm ぐらいで，正常の血液に見られる白血球の中では最も大きい。核は腎形，握り拳状や，その他複雑なくびれを示すものが多い。核の網状構造は繊細な感じで大きな染色質塊はなく，全体として淡色に染まる。核小体はない。細胞質はかなり豊富で，好中球よりも青みが強く，周囲はときに不整形を呈する。しばしばアズール顆粒を持つが，リンパ球のものとは異なり微細淡色で，核に近く分布し，数は多い。

単球は貪食能と運動能が活発で，組織に移行すると組織球などの大食細胞（マクロファージ）に変わる。貪食した異物の抗原情報をリンパ球に提示するはたらきを持つ。

(5) リンパ球

染色標本のうえで，リンパ球をそれぞれの大きさから小（7 〜 12 μm），大（12 μm 以上）に分けることができる。

① **小リンパ球**　核は丸いものが多いが，多少の切れ込みが見られることがある。まれに腎形ないしくびれた形のものがある。核の染まりは濃く，網状構造は一般にはっきりしない。細胞質の量は少なく，澄んだ青色（塩基好性）をしている。

② **大リンパ球**　核は偏在し比較的小さい。細胞質は豊富で淡青色である。時に数個までの紫赤色顆粒（アズール顆粒）を持つが，細胞周囲にあるか核周をさけて散在する。

リンパ球は，T リンパ球（胸腺由来リンパ球）と B リンパ球（骨髄由来リンパ球）に分かれる。T リンパ球は細胞性免疫に関与し，B リンパ球は体液性免疫に関与する。

4.3 血 小 板

血小板は，直径 2 〜 4 μm で，円形または楕円形で平板状をなし，核はない。顆粒は微細でほぼ等しい大きさを持ち，アズールで淡紫赤色に染まる。顆粒のないところはやや塩基好性で淡青色に染まる。血小板数の正常域は 1 μL（mm^3）あたり 14 〜 34 万であり，平均 23.4 万である。血小板の寿命は 8 〜 10 日である。

血小板の機能には次のものがある。

① **毛細血管の透過性の抑制**　血小板は血管内皮細胞の細胞間隙に粘着し，血管の透過性を抑制している。このため血小板が減少すると出血性傾向が高まる（紫斑 / 出血斑の形成）。

② **血小板の粘着，粘性変性と凝集**　血小板は一次止血作用を持つ。血管内皮の損傷が生じると，血小板が凝集し，ついで膨化して顆粒を失い（粘性変性），顆粒の成分である ADP やセロトニンなどを放出する。同時に血小板第 3 因子の活性化が起こる。ADP などはさらにほかの血小板の放出反応を促し，血小板は凝集して血小板塊をつくり，出血局所の血管壁を閉じる（白色血栓の形成）。

③ **血液凝固の促進**　血小板は多くの血液凝固因子を含んでいて血液凝固に関与

する。

④ **血餅の収縮** 血小板に含まれる収縮性タンパク質（トンロボステニン）により，凝固した血液（血餅）は時間とともに収縮して血清を分離する。

⑤ **線維素溶解の抑制** プラスミンに対抗する作用（血小板第6因子）を持ち，これにより凝血を強固に維持する。

⑥ **血管の収縮** 血小板中に含まれるセロトニンは血管を収縮させ止血しやすくする。

4.4 血　漿

血漿は血液の液性成分で，タンパク質，糖質，脂質，ビタミン，酵素，ホルモン，電解質などが含まれている。

(1) 血漿タンパク質

血漿タンパク質は 6.3 ～ 8.0 g/dL を占め，血漿中で最も多い成分であり，その種類は100を超える。血漿タンパク質は，①膠質浸透圧とpHの維持，②各種の物質の輸送，③凝固と線溶，④生体防御・免疫機能，⑦プロテアーゼインヒビター，⑧急性期タンパク質，⑨妊娠関連タンパク質などの機能を持つ。血漿タンパク質は電気泳動を行うことにより，アルブミンとグロブリンに分けることができる。

血漿タンパク質の異常は，①タンパク質の供給異常，②合成異常，③体内の異化促進，④排泄異常（漏出）によって起こる。

・アルブミン：血漿アルブミンは血漿総タンパク質の50 ～ 70%を占め，膠質浸透圧の維持，ビリルビン，尿酸，遊離脂肪酸，サイロキシン，銅，亜鉛などの運搬に重要なはたらきを持っている。アルブミンは肝臓で合成され，血漿中に放出される。

・グロブリン：$\alpha 1$，$\alpha 2$，β および γ グロブリンに区分する。

代表的な血漿タンパク質を表11-2に示す。

(2) 糖　質

通常，健常人の血液中に最も多く存在し，重要なはたらきをしているのはグルコースである。他にフルクトース，ガラクトース，マンノースなども存在するが，きわめて微量であるため，一般に血糖というと血中のグルコースを意味する。健常人の早朝空腹時の血中グルコース濃度は 60 ～ 110 mg/dL である。

(3) 脂　質

血漿中の脂質の主な成分は，コレステロール（遊離型およびエステル型），中性脂肪（トリグリセリド），リン脂質および遊離脂肪酸である。遊離脂肪酸はアルブミンと結合するが，その他の脂質はアポタンパク質とともに脂質-タンパク質複合体（アポリ

表11-2　血漿タンパク質

分画	タンパク質	分子量(kDa)	半減期(日)	機能	増加	減少
プレアルブミン	プレアルブミン (PA)	55	3～4	サイロキシン結合運搬 レチノーノレ結合タンパク質と結合	甲状腺機能亢進 ネフローゼ症候群	肝実質障害 低栄養
アルブミン	アルブミン (Alb)	66.5	17～23	血漿浸透圧，結合運搬 (脂肪酸，ビリルビン，カルシウム，銅，亜鉛)		重症肝疾患，タンパク質喪失，低栄養，消耗性疾患
α1	α1-アンチトリプシン	54	5～7	プロテアーゼインヒビター	急性期反応物質 (APR) 悪性腫瘍	ネフローゼ症候群，重症肝実質障害，低栄養，肺気腫・肝疾患
	α1-リポタンパク質 (HDL)	15～36×10⁴		末梢から肝へのコレステロール輸送	胆管炎，アルコール，運動，女性ホルモン	急性肝炎，肝硬変，慢性腎不全，甲状腺機能亢進
	セルロプラスミン	132	4～7	フェロキシダーゼ活性，銅と結合運搬	APR：感染症，腫瘍，膠原病，妊娠，胆汁うっ帯，ホジキン病，白血病，貧血	タンパク質喪失，吸収不良症候群，重症肝疾患，低栄養
α2	α2-マクログロブリン	725		プロテアーゼインヒビター	ネフローゼ症候群	線溶亢進
	ハプトグロブリン	100～400	2～4	ヘモグロビンと結合	APR：感染症，腫瘍 ネフローゼ症候群，ステロイド投与	溶血性貧血，真正多血症，肝実質障害，播種性血管内凝固症候群 (DIC)
	プレβ-リポタンパク質 (VLDL)	19.6×10^6		内因性中性脂肪 (TG) の体内転送，血管内で VLDL → IDL → LDL となる	糖尿病，ネフローゼ症候群，動脈硬化，肥満，男性ホルモン	
β	β-リポタンパク質 (LDL)	$2\sim3\times10^6$		末梢へのコレステロール供給	ネフローゼ症候群，甲状腺機能低下，動脈硬化	重症肝疾患，甲状腺機能亢進
	トランスフェリン	79.6	8～12	鉄 (Fe^{3+}) の結合・輸送	鉄欠乏性貧血，真正多血症，急性肝炎 (初期)，妊娠	肝実質障害，タンパク質喪失 (ネフローゼ症候群)，低栄養，感染症，腫瘍，溶血性貧血
	ヘモペキシン	57		ヘムの結合・輸送	感染症，腫瘍	溶血性貧血，重症肝疾患.，タンパク質喪失
β～γ	フィブリノーゲン	334	3～5	凝固血栓形成，創傷治癒促進	APR，悪性腫瘍，血栓症，糖尿病，ネフローゼ症候群	DIC，線溶亢進，重症肝疾患，大出血
γ	IgG	160	21	体液性免疫	慢性感染症，慢性肝炎・肝硬変，膠原病，悪性腫瘍，免疫芽球性リンパ節症	重症複合免疫不全症，Bruton 型無γグロブリン血症，Wiskott-Aldrich 症候群，悪性リンパ腫，ネフローゼ症候群，タンパク漏出性胃腸症，低γグロブリン血症，免疫抑制剤投与
	IgA	160	6	体液性免疫	IgA 腎症，慢性肝炎・肝硬変，膠原病，慢性感染症，Wiskott-Aldrich 症候群	IgA 単独欠損症，Bruton 型無γグロブリン血症，低γグロブリン血症，タンパク漏出性胃腸症
	IgM	971	5	体液性免疫 (分泌型)	肝炎，球性ウイルス性感染症 (初期)，子宮内感染症 (トキソプラズマ，梅毒など)，膠原病	Bruton 型無γグロブリン血症，低γグロブリン血症，Wiskott-Aldrich 症候群
	CRP	～120	4～6時間	補体活性化	APR，リウマチ熱，関節リウマチ，細菌性感染症，心筋梗塞，悪性腫瘍，悪性リンパ腫，新生児感染症	

ポタンパク質）を形成している。血漿中のリポタンパク質は比重によって，カイロミクロン，超低比重リポタンパク質（VLDL），低比重リポタンパク質（LDL），高比重リポタンパク質（HDL）に区分される。

5. 血液凝固

5.1 止　血

毛細血管が破綻するとそこから赤血球が漏れ出す（出血）が，やがて止まる（止血）。この止血の機構は，次のような過程で行われる。

①　**細動脈の収縮**　局所反射により細動脈−毛細血管移行部に収縮が起こり，血流が減ることによって出血が少なくなる。これは数分しか続かない。その後は血小板から放出されたセロトニンが血管収縮に関与する。

②　**組織内圧の上昇**　出血した血液が，組織中にたまるとそこの圧力が高くなり細い血管などは圧迫され，血流が減少する。

③　**一次血栓（白色血栓）の形成**　血管の傷に血小板が粘着して凝集を生じ，血小板塊ができて傷口をふさぐ。数分後に血小板は互いに癒合する。

④　**血液凝固の開始**　血小板が壊れて血小板因子が放出され，血液と傷口との接触によって血液凝固が始まる。最終的にフィブリンが析出する。

⑤　**二次血栓（赤色血栓）の形成**　フィブリンと血球の塊（血餅）は血小板が含むトロンボスポニンの作用で収縮し強化される。

⑥　**血小板の器質化**　フィブリン安定化因子によりフィブリンは安定化し，線維芽細胞の器質となる。

5.2 血液凝固・線維素溶解系（図11−4）

前項の止血で述べた④血液凝固は次の4つの相に区分する。

第1相　プロトロンビナーゼ（活性トロンボプラスチン）形成：血管内凝固の内因系と血管外凝固の外因系がある。内皮細胞の損傷により血漿が内皮下の組織と接触すると内因系が惹起され，血漿に組織液（組織トロンボプラスチン）が混入すると外因系が惹起される。最終産物はプロトロンビナーゼ（活性トロンボプラスチン／活性化X因子複合体）である。

第2相　トロンビン形成：トロンボプラスチンによって，プロトロンビンからトロンビンが形成される。

第3相　フィブリン形成：トロンビンによって，血中のフィブリノーゲンは，フィブリン・モノマー，フィブリン・ポリマー，安定化フィブリンの順に形成される。安定化フィブリンは網状構造をなし血球を取り込み血餅となる。

第4相　線維素溶解：血中のプラスミノーゲンがプラスミノーゲン活性化因子によってプラスミンに変わる。プラスミンは安定化フィブリンやフィブリノーゲンを分解する。

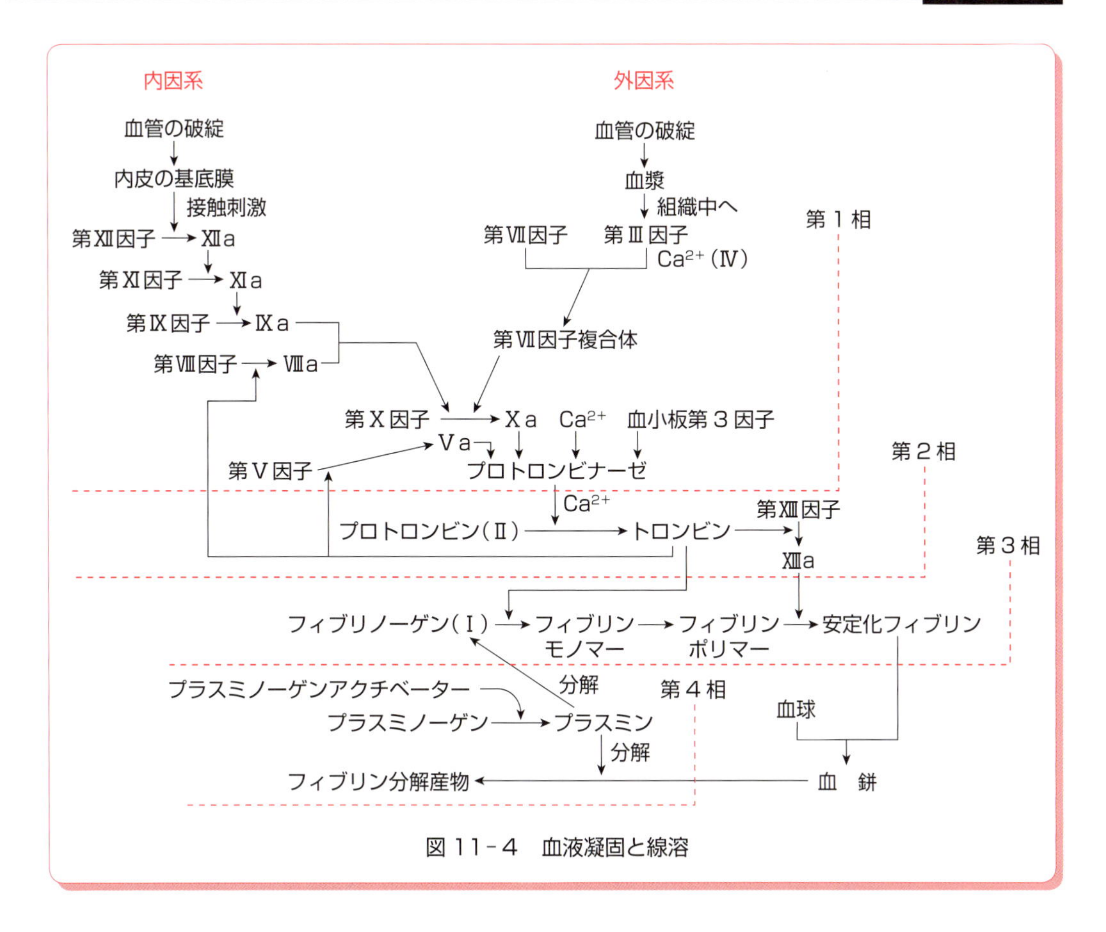

図 11-4　血液凝固と線溶

6. 血 液 型

私たちが一般に血液型と呼んでいるものは赤血球型である。赤血球の細胞表面には種々の**血液型物質**（**抗原**）が存在する。これは一般に知られている ABO 型や Rh 型のほかに，MN 型，P 型，E 型，Lutheran 型，Kell 型，Lewis 型，Duffy 型などがある。

6.1　ABO 式血液型（表 11-3）

赤血球表面にある糖鎖の違いにより，**A 抗原**（**凝集原**）と **B 抗原**に分かれる。この 2 つの抗原の組み合わせで A・B・AB・O の 4 つの組み合わせができる。また血清中には A 抗原と反応する**抗 A 抗体**（**凝集素**）と B 抗原と反応する**抗 B 抗体**がある。日本人では A 型が 40%，B 型が 20%，AB 型が 10%，O 型が 30%の発現頻度である。

6.2　Rh 式血液型

アカゲザルの赤血球でウサギとモルモットを免疫してつくった抗体で，ヒトの赤血球を検査すると，凝集するもの（Rh＋：陽性）と凝集しないもの（Rh－：陰性）に分かれた。このアカゲザル赤血球の抗体で凝集する抗原を Rh と名付けた。同じ頃，新

表11-3　ABO式血液型

血液型	赤血球（抗原）	血　漿（抗体・IgM）	血液型判定用抗体	
			抗A血清	抗B血清
A	A抗原	抗B抗体	+（凝集）	−
B	B抗原	抗A抗体	−	+（凝集）
AB	A抗原 B抗原	−	+（凝集）	+（凝集）
O	−	抗A抗体 抗B抗体	−	−

生児溶血性疾患を持つ新生児の母親の血清中に存在した抗体を抗D抗体と報告した。後日，アカゲザルの抗Rh抗体として報告された抗体は，ヒト由来の抗D抗体とは同一ではないことが判明したが，すでにRhの名称が定着していたため，ヒト由来抗D抗体に反応する抗原をRhと呼ぶようになった。Rh型に関する抗原にはD，C，c，E，eの5つが知られている。白人の85%がRh+であるが，日本人では99%以上がRh+である。また，Rh関連抗原を持たないRh0もある。

Rh型で問題になるのは，血液型不適合妊娠である。Rh−の女性がRh+の男性との間で妊娠をした場合，通常，子どもはRh+である。第1子を妊娠したとき，Rh−の母体には，Rh+に対する抗体を生じる。第2子の妊娠時に母体の抗Rh抗体は胎児の赤血球を破壊する。これにより胎児は溶血性貧血を起こす（**胎児赤芽球症**）。

6.3　主要組織適合抗原

血液型物質（抗原）は，赤血球だけでなく白血球や血小板の細胞膜表面にも存在する。白血球の膜表面で見つかった抗原を**HLA抗原**（ヒト組織適合性白血球抗原：human histocompatibility leukocyte antigen）と名付けたが，その後，ほぼ全身の細胞表面に組織抗原が見つかったため，**主要組織適合抗原**（MHC抗原：major histocompatibility antigen）と呼ばれるようになった。この主要組織適合抗原の一致は，臓器移植後の拒絶反応に深く影響する。

7. 造　血　器

胎生第2週頃に胎児外の胎盤（卵黄嚢をおおう間葉組織の外にある間葉組織と絨毛膜絨毛の中）で胎児外造血が始まる。これを血島という。胎生2か月頃から造血の場は胎児内に移行し，肝臓，脾臓，骨髄などで造血が始まる。

生後，ヒトの造血は骨髄，リンパ性組織に限られるようになる。骨髄では赤血球，顆粒白血球，巨核球，単球がつくられ，リンパ性組織ではリンパ球がつくられる。

骨髄には赤色骨髄と黄色骨髄があり，前者において造血が行われる。後者は赤色骨髄が脂肪変性を起こしたものである。

リンパ性組織におけるリンパの造血は主に，脾臓の白脾髄，リンパ節，胸腺，扁桃などで行われる。

8. 造血器系の疾病

貧　血：末梢血中のヘモグロビン濃度が低下した状態で，血液の酸素運搬能が低下し，組織が低酸素状態に陥る。WHO の基準では，成人男性では 13 g/dL 未満，成人女性では 12 g/dL 未満，妊婦および幼児では 11 g/dL 未満を貧血と定義している。赤血球の産生低下と消失量の増大が主な原因である。貧血に共通の症状としては，動悸，息切れ，めまい，易疲労感，顔色不良，失神発作などがある。貧血の鑑別には，ヘモグロビン濃度，ヘマトクリット値，赤血球数を基に計算する赤血球指数（MCV，MCH，MCHC）が用いられ，赤血球の大きさで小球性，正球性，大球性に分類され，赤血球に含まれるヘモグロビンの量あるいは濃度で正色素性と低色素性に分類される。

鉄欠乏性貧血：ヘモグロビンを構成する鉄の不足により，ヘモグロビン合成が低下して起こる貧血で，若年から中年の女性に多く，貧血の中では最も頻度が高い。血液検査では，小球性低色素性貧血（MCV 低値，MCHC 低値）を呈し，血清鉄低値，フェリチン低値，不飽和鉄結合能（UIBC）高値，総鉄結合能（TIBC）高値を認める。鉄不足の原因には，食事の偏りや低酸症（胃切除後）などによる鉄の吸収不足，月経過多や消化管出血などによる出血量の増加，成長期や妊娠・授乳期の需要増大などが考えられる。鉄欠乏性貧血では，貧血共通の症状に加えて，スプーン状爪，異食症，舌炎・口角炎などを認める。

巨赤芽球性貧血：ビタミン B_{12} や葉酸欠乏では，DNA 合成障害をきたし核の成熟が阻害されるのに対し，RNA やタンパク質の合成は妨げられないので，細胞質が多い巨赤芽球が生じる。この巨赤芽球は骨髄内で容易に融解死滅するため，大球性正色素性貧血（MCV 高値）となる。巨赤芽球性貧血の中で，萎縮性胃炎などによる胃腺の縮小や手術で胃を摘出した場合に，回腸末端におけるビタミン B_{12} の吸収に必要な内因子（胃腺より分泌）の不足が原因で，ビタミン B_{12} の吸収不全を生じたものを，**悪性貧血**という。ビタミン B_{12} 欠乏では，末梢神経障害やハンター舌炎を合併することがある。

溶血性貧血：造血には問題ないが，赤血球が本来の寿命より早く破壊されて，貧血を起こすものをいう。原因としては，先天性では遺伝性球状赤血球症，後天性では自己免疫性溶血性貧血が多くみられる。貧血に加えて黄疸や脾腫を認め，血液検査では，間接ビリルビン高値，ハプトグロビン低値，カリウム高値を認める。

再生不良性貧血：骨髄での造血幹細胞レベルの障害により，赤血球，白血球，血小板のすべてが減少（汎血球減少）する疾患である。骨髄は細胞の密度が低下し，脂肪に置換される。貧血の症状に加えて，易感染性や出血傾向を認める。

腎性貧血：慢性腎臓病において，赤血球の産生を促進するエリスロポエチンの産生が低下することによって起こる貧血である。

血友病：血液凝固因子（第Ⅷ因子または第Ⅸ因子）の先天的な活性低下により出血傾向をきたす疾患で，伴性劣性遺伝のため男児に発症する。関節内や筋肉内の出血で血腫を形成する。治療は不足する凝固因子の補充を行う。

特発性血小板減少性紫斑病（ITP）：Ⅱ型アレルギーの関与による血小板の破壊亢進のため，血小板減少，出血傾向を認める。幼児期に起こる急性型と，成人期に発症する慢性型に分けられる。最近，ヘリコバクター・ピロリ菌の感染との関連が指摘されている。

播種性血管内凝固症候群（DIC）：重篤な基礎疾患（白血病，悪性腫瘍，敗血症など）を有する場合に，凝固能が亢進して血管内に微小血栓が多発してさまざまな臓器障害が引き起こされる。さらに，凝固因子や血小板が大量に消費されて減少し，線溶系も亢進するため出血をきたす。血液検査では，フィブリン分解産物（FDP）や D ダイマーが高値を示す。

白血病：白血球が悪性腫瘍化したもので，骨髄や血液中，全身の組織などさまざまな部位に浸潤して増殖する。分化・成熟能を持たない幼若な細胞のみが増殖したものを急性白血病，分化・成熟能が保たれておりほぼ正常な形態を有する細胞が増殖したものを慢性白血病という。急性白血病では，正常の造血が障害され汎血球減少を呈するため，貧血，易感染性，出血傾向などの症状を認める。

■練習問題■

問題 1　血液に関する記述である。誤っているのはどれか。

(1)　正常なヒトの血液は pH 7.0 に維持されている。
(2)　赤血球には核がない。
(3)　白血球の中で最も多いのは好中球である。
(4)　ABO 式血液型で A 型の人の血清中には抗 B 凝集素が存在する。
(5)　血液凝固因子の他に情報伝達因子も含まれている。

問題 2　血液に関する記述である。正しいのはどれか。

(1)　成人では主として肝臓で赤血球がつくられる。
(2)　腎臓から分泌されるエリスロポエチンは造血作用を持つ。
(3)　フィブリノーゲンをフィブリンに変換するのはプラスミンである。
(4)　血友病は遺伝的なフィブリノーゲンの欠損が原因である。
(5)　赤血球の寿命は約 10 か月である。

問題 3　血液成分についての記述である。正しいのはどれか。

(1)　血液に凝固防止剤を入れて遠心分離すると血清と血球に分かれる。
(2)　血漿中にはアルブミンとグロブリンが存在するが，正常人の血清中にはアルブミンよりもグロブリンの方が多い。
(3)　血小板は有核で，血液凝固にあずかる。
(4)　血液 1mL 当たりの赤血球数は，一般に女性の方が男性より多い。
(5)　アルブミンは肝臓でつくられる。

第12章

免疫・アレルギー

1. 免　疫

免疫とは，生体が体外から侵入してくる病原体などの異物を自己のものではなく，非自己のものであることを認識し，体外に排除または無毒化するはたらきのことをいう。生体には，非特異的防御機構（自然免疫）や特異的防御機構〔獲得免疫（体液性免疫，細胞性免疫）〕などのさまざまな防御機構が存在する。

1.1　特異的・非特異的防御機構

(1) 非特異的防御機構（自然免疫）

非特異的防御機構（自然免疫）とは，免疫応答反応の前に体内に侵入してきた病原体などを除去あるいは無毒化する防御機構である。単球（マクロファージ），多形核白血球などの食作用が非特異的に異物を捕食して成立している。例えば，皮膚（最外層は角質層から形成されており，ほとんどの病原体は通過できない），涙や唾液（リゾチームやラクトフェリンなどの抗菌物質が含まれており，病原体を洗い流すのに重要な役割を果たしている），胃液（胃酸による病原体の破壊），気管粘膜（咳・くしゃみで病原体を排除する）などがある。

自然免疫は，生まれつき備わっている免疫であり，例えば，傷口から侵入してきた細菌などは，皮膚（表皮の有棘層に存在する）のランゲルハンス細胞や，いち早く集まる好中球やマクロファージによって貪食される。自然免疫は，侵入した病原体に対して早急にはたらく。

近年，自然免疫にはたらく免疫細胞について，病原体の構成成分パターンを特異的に認識するしくみのあることが明らかになってきた。体内に侵入してくる病原体には肺炎球菌や破傷風菌などの細胞外で増殖する細菌，結核菌など細胞内で増殖する細菌，インフルエンザや天然痘などを起こすウイルス，日和見感染などの問題となる真菌，回虫などの寄生虫のグループなどが存在する。これら病原体の貪食にはたらくマクロファージやランゲルハンス細胞などの樹状細胞の細胞膜には，toll like receptor（TLR）が存在する。これらの免疫細胞はTLRによって，病原体の構成成分のパターンを特異的に認識して結合し，その結合刺激によってMyD88などのシグナルを経由し活性化され，インターフェロン，インターロイキン，ケモカインなどの炎症性のマーカーを放出して，炎症反応を引き起こす。TLRには，認識する病原体の成分によって，現在10種類が知られている。グラム陽性菌のリポタンパクを認識するTLR2，グラム陰性菌のリポ多糖を認識するTLR4，細菌のDNAを認識するTLR9，細菌の鞭毛タンパク質を認識するTLR5，二本鎖のRNAを認識するTLR3などがある。放出された，IL-1，IL-6，TNF-αなどのサイトカインは，血管壁にはたらいて好中球，さらに単球を動員させ，この好中球や単球が分化したマクロファージは，病原体や壊死した組織を貪食する。マクロファージは，好中球の死骸も貪食する。その結果，**炎症**が起こっている部位には，**発赤**，**熱感**，**疼痛**および**腫脹**が認められる。

(2) 特異的防御機構（獲得免疫）（図12-1）

特異的防御機構は**獲得免疫**とも呼ばれ，生体が非自己である抗原刺激を受けてから，後天的に獲得するものである。主として**リンパ球**が担っており，**体液性免疫**と**細胞性免疫**とがある。リンパ球には，**T細胞**（**Tリンパ球**）と**B細胞**（**Bリンパ球**）とがある。病原体侵入後に備わるのが，獲得免疫で，病原体を貪食した樹状細胞やマクロファージは，リンパ管を通って，リンパ節に移動する。樹状細胞やマクロファージは，貪食した病原体の断片を**MHC class II**という細胞膜タンパク質に乗せて**ヘルパーT細胞**を提示する。この提示された情報を受けて，ヘルパーT細胞が活性化され，さらに活性化したヘルパーT細胞によってB細胞が活性化される。一方，B細胞は，細胞膜上にあるB細胞受容体で，病原体を直接捕えて貪食し，MHC class II分子によって，ヘルパーT細胞へ病原体の断片を提示する。このような樹状細胞やマクロファージ，B細胞のMHC class IIによって提示されT細胞やB細胞を活性化させる病原体の断片などを**抗原**という。また，抗原の提示できる細胞を**抗原提示細胞**という。

抗原となるのは病原体のタンパク質などで，例えばレンサ球菌では莢膜多糖体，HIV（ヒト免疫不全ウイルス）では膜のgp120などの糖タンパクが抗原となる。いろいろな抗原と貪食細胞のMHC class IIの複合体に対して，それぞれ違うT細胞受容体（TCR）が反応する。1つのT細胞は，1種類のTCRのみを持つ。そのため侵入してくる多様な抗原に備えて，リンパ節には100万種類ものT細胞が待機しており，ヘルパーT細胞が放出した**サイトカイン**によってB細胞が活性化され，盛んに分裂増殖し，さらに**形質細胞**（**プラズマ細胞**）に分化する。

形質細胞は，抗原に特異的に結合する抗体を産生・放出する。抗体は，B細胞の細胞膜上にある受容体とほぼ同じもので，H鎖，L鎖，各2本で構成されるタンパク質である。抗原が結合する領域の各部を決定する遺伝子は多様性に富んでいて，その組み合わせによってつくられる受容体は100万種類以上に及んでいる。その中で，自己抗原に対して反応するリンパ球は，発生初期の段階で**アポトーシス**（**生理的死**）を起こし淘汰されていく。このようにして，自己の抗原に対しては免疫反応を起こさないリンパ球のみが成熟する。このしくみを**自己寛容**という（p.201「1.4 免疫寛容」参照）。抗体は共通した構造である定常領域の違いにより**5つの免疫グロブリン**（**Ig**），**IgG**，

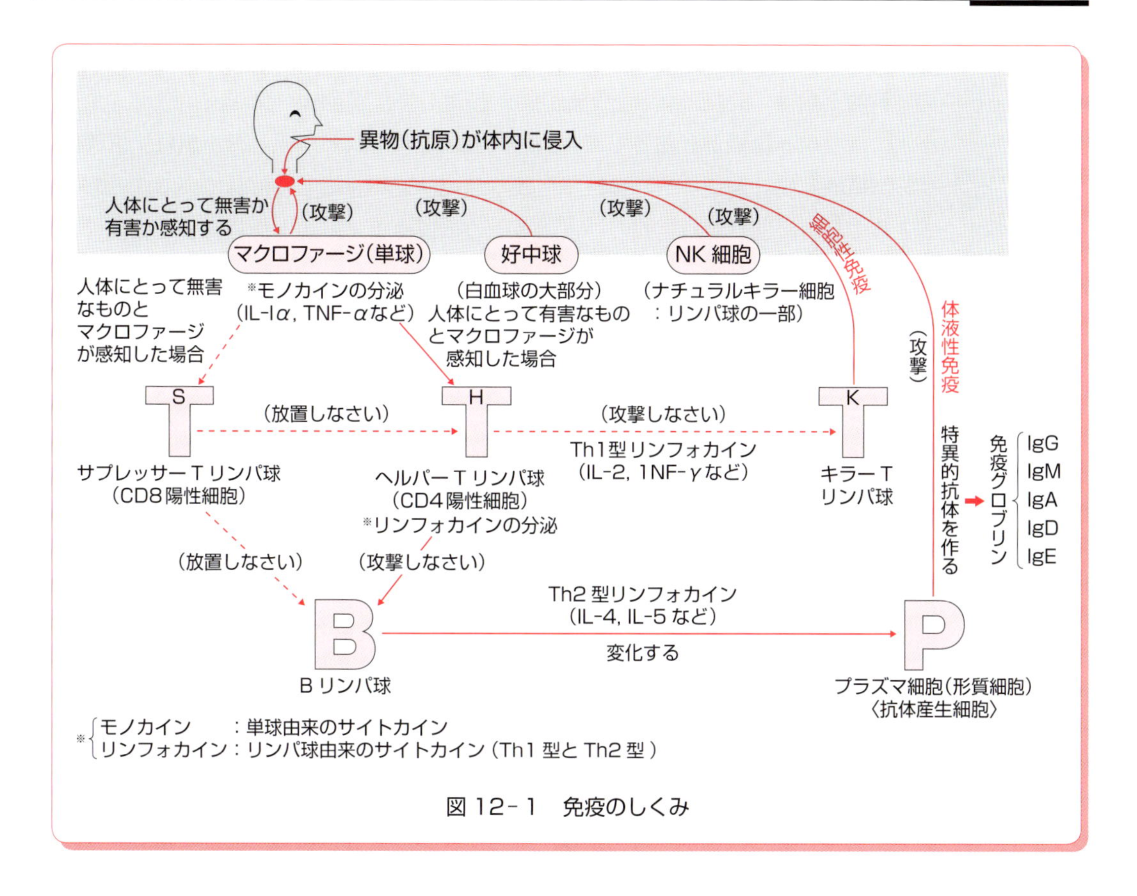

図 12-1　免疫のしくみ

IgA, IgM, IgD, IgE に分類される。

感染初期にはたらくのが IgM で，血液中では 5 量体として存在している。感染後，IgM から少し遅れて増えてくるのが IgG で，二度目の感染となる二次応答では素早く大量に産生される。血液中に一番多く含まれる抗体である。IgA は単量体，もしくは 2 量体として，気管支や消化管の粘液，乳汁に含まれ，抗原の侵入を防ぐ。なお，B 細胞は同じクラスの抗体をつくり続けるのではなく，別のクラスの抗体をつくるようになる。これをクラススイッチという。

免疫にはたらく血漿タンパク質には抗体のほかに，主に肝臓でつくられる補体がある。補体は抗体とともに病原体に結合し，病原体が食細胞に貪食されやすい状態にする。このことをオプソニン作用という。このほか，補体には病原体の細胞膜に集まって，細胞膜に穴をあける溶菌作用などがある。一度獲得免疫が起これば，増殖した B 細胞や T 細胞の一部がメモリー B 細胞やメモリー T 細胞として保存され，再びその病原体が侵入してきたときには，素早く強力な免疫反応を引き起こす。これが麻疹などには一度罹患すると二度とかからない，いわゆる免疫と呼ばれるしくみである。以上のように，生体は生まれつき備わった自然免疫と，病原体侵入によって備わった獲得免疫によって，病原体の侵入を防いでいる。

1.2　全身免疫，局所（粘膜）免疫

一般的な全身の免疫系〔全身免疫（系）〕に対して，鼻咽頭，気管支，腸管，生殖器などにはリンパ組織が存在しており，それらはそれぞれ鼻咽頭リンパ組織，気管関連リンパ組織，腸管関連リンパ組織，生殖器関連リンパ組織と呼ばれている。これらをまとめて粘膜関連リンパ組織という。多くの細菌やウイルスも同様にまず粘膜での防御という抵抗に出合う。粘膜関連リンパ組織を中心とした免疫系を粘膜免疫という。

粘膜関連リンパ組織はリンパ節や脾臓などのリンパ組織とは独立しており，粘膜免疫に重要な役割を果たしているIgAの産生細胞はこの系の中を循環している。腸間膜のパイエル板で抗原により活性化されたB細胞はリンパ液の中に入る。その後B細胞は腸間膜リンパ節，胸管，血液を経て，腸粘膜に広く分布し，IgA産生細胞となり，腸間膜全体を分泌型IgAで保護する。また，同時にこれらのリンパ球は肺やその他の粘膜，外分泌にも定着し，局所免疫にあずかっている。このように粘膜免疫系のリンパ球はB細胞，T細胞を問わず全身を循環しても粘膜組織に再度戻ってくる性質を持っている。このホーミングという現象にはリンパ球と血管内皮細胞にそれぞれ発現している接着分子同士の特異的な結合が重要な役割を果たしている。

1.3　体液性免疫，細胞性免疫

獲得免疫系は，Tリンパ球やBリンパ球などによって行われている。抗体を産生して免疫応答を起こす体液性免疫と，リンパ球が直接抗原に免疫応答を起こす細胞性免疫に分けられる。

(1) 体液性免疫

抗原刺激によって，Bリンパ球とそれから分化した形質細胞（プラズマ細胞）は種々の抗体（5種類の免疫グロブリン）を産生する。この抗体が関与する免疫機構を体液性免疫（液性免疫）という。抗原と抗体は鍵と鍵穴の関係にたとえられ，特異的に結合して，抗原を無毒化し排除する。抗原提示によってTリンパ球に伝達された情報によって，Tリンパ球がBリンパ球を増殖，分化させる。このはたらきを行うリンパ球をヘルパーT細胞（Th）という。ヘルパーT細胞はヘルパーT細胞タイプ1（Th1）とヘルパーT細胞タイプ2（Th2）に大きく分別される（近年，ヘルパーT細胞タイプ3（Th3）の存在も明らかになってきた）。Th1の表面抗原マーカー（cluster of differentiation；CD）はCD4であり，Th2はCD8である。Th1からはIL-2，IFN-γ，IL-12などのサイトカイン（炎症性タンパク質系化学伝達物質の1つ）が分泌される。Th2からはIL-4，IL-5，IL-10などのサイトカインが分泌される。

免疫反応を抑制し制御するリンパ球もあり，サプレッサーT細胞（Ts）と呼ぶ。同一の抗原が再度侵入しきた際に速やかに反応して，抗原に対する抗体を産生する。抗体（免疫グロブリン）は5種類あり，胎盤を通過する唯一の免疫グロブリンであるIgGは感染防御のはたらきに関与する。IgAは血清型と分泌型に分別され，特に消化

表 12-1　免疫グロブリンの構造特徴

抗　体	構　造	特　徴
免疫グロブリン G IgG		・血中に最も多い：75% ・毒物，微生物に結合し，無毒化する ・胎盤を通過可能(母親の IgG は生後数か月まで新生児免疫にはたらく)
免疫グロブリン A IgA		・分泌液中に多く含まれ，局所免疫に関与 ・粘膜上皮の分泌成分として結合した分泌型 IgA としてはたらく ・消化管，気道の局所免疫 ・乳汁中に多く含有
免疫グロブリン M IgM		・胎児期に産生 ・溶菌，殺菌，凝集力強力
免疫グロブリン D IgD		・抗体産生細胞の分化に重要な役割
免疫グロブリン E IgE		・Ⅰ型アレルギーに関与 ・肥満細胞，好塩基球の表面に結合，ヒスタミンなどの化学伝達物質を遊離

一次免疫応答：初感染時の免疫応答で，IgM が主役。2 回目の反応（IgG）に比べ抗体量は少ない。IgE も一次免疫応答する可能性がある。

管や気道粘膜に存在する分泌型は，粘膜表面で外界からの微生物などに対する感染防御に関与する。IgM は最も原始的な免疫グロブリンであり，感染に際して一番最初に出現する。そのほかに IgD や IgE が存在する（表 12-1）。

(2) 細胞性免疫

貪食細胞としてはたらいているマクロファージ（血管が外に出た場合の単球）は，貪食以外にも生体防御システムにおいて重要な役割を演じている。どんな異物が生体に侵入しているかを細胞表面に示すことから，別名抗原提示細胞と呼ばれる。細胞性免疫とはこの抗原提示に基づいて，T リンパ球自身によって，結核菌やウイルスなどの病原体からの感染を防御する。移植免疫，自己免疫性疾患，腫瘍免疫では T リンパ球のうち，細胞傷害性 T 細胞（キラー T 細胞）が活躍する。リンパ球から放出されるリンホカインの一種であるマクロファージ活性化因子（MAF）によってマクロファージは活性化を受けたり，補体などとともに協同作用しながら抗原を排除する免疫機構である。

1.4 免疫寛容

自己に限らず，特定の抗原に対して特異的な反応性が徐々に喪失していくことを免疫寛容という。自己の抗原は何度免疫しても抗体をつくり出さないこともわかっており，これは先天性免疫寛容（自己寛容）という。免疫寛容は胎生期から新生期にかけて成立しやすいと考えられているが，これは抗原の性状によって異なっている。一般に粒子状の抗原は新生期には寛容を誘導するが，成体では誘導しにくい。単分子のタンパク質は年齢に関係なく寛容を誘導しやすい。免疫寛容はT細胞レベルでもB細胞レベルでも成立する。一般にT細胞はB細胞に比べて，少量の寛容源で長期間持続する寛容状態になる。

1.5 免疫と栄養

(1) 栄養不良と免疫

栄養不良により免疫機能は低下し，感染症にかかりやすくなることはよく知られている。これらの栄養不良はタンパク質を中心とした摂取熱量の不足であり，protein-energy malnutrition（PEM）と呼ばれている。開発途上国における乳幼児死亡や，先進国においても，高齢者，進行性癌患者，免疫不全者などの栄養障害による感染や経管栄養，経静脈栄養に伴う栄養素欠乏と免疫機能との関連性が明らかにされてきている。栄養障害と免疫機能の低下に関しては多くの報告がある。非特異的防御因子としての食細胞機能，補体系，特異的防御因子としての体液性免疫，細胞性免疫は，栄養障害の程度に応じて異なる影響を受ける。

(2) 特定の栄養素と免疫能

ビタミンやミネラルなどの単一因子の欠乏も免疫系に大きな影響を及ぼす。例えば，亜鉛は免疫機能に本質的に必要であり，この物質の欠乏により胸腺，T細胞や細胞性免疫は低下する。亜鉛はDNAあるいはRNA合成に関与するいくつかの酵素の至適活性を保持するのに必要であり，分裂増殖の盛んな免疫系の細胞は亜鉛欠乏に影響を受けやすい。鉄欠乏では，抗原刺激に対するカンジダ抗原などに対するリンパ球幼弱化反応が障害され，好中球の殺菌機能が低下するとされている。葉酸，ビタミン B_6 とビタミンAの不足は細胞性免疫能の低下とT細胞依存性の抗体産生能を低下させる。

(3) 栄養過剰と免疫

栄養過剰も病気と密接に関連していることが明らかになっている。栄養過剰による肥満は，糖尿病，高血圧，心疾患や癌などの罹患率が高く，平均寿命が明らかに短い。肥満による高コレステロール血症はリンパ球幼弱化反応を減弱させる。また高インスリン血症はマクロファージの貪食能やリンパ球幼弱化反応を低下させることが知られている。一方，抗原の処理能力は肥満による影響を受けず，貪食能だけが低下している。

(4) 低栄養と免疫

栄養不良も栄養過剰とともに栄養異常をきたす。タンパク質や必須脂肪酸，ビタミンやミネラルは栄養不良でない程度に含まれているうえで，適度なカロリー摂取量の制限（低栄養）を行うことによって外来抗原に対する免疫機能を維持し，病気の発症を抑制して寿命を延長させることがいろいろな疾患発症モデル動物で明らかになってきている。

2. アレルギー

生体防御機能としての免疫系が，結果的に自己に害を及ぼす場合がある。この免疫反応が**アレルギー反応**であり，この際引き起こされる疾患がアレルギー疾患である。I型からⅣ型に分類される（表12-2）。

2.1 I型アレルギー

I型アレルギーは，**IgE**とそのIgEのFc部分を結合するFcレセプターがたくさん発現した**マスト細胞**（**好塩基球が血管外に出た場合**）が発症にかかわる。一般にアレルギーという場合，多くはI型アレルギーのことをいい，**花粉症**に代表されるアレルギー性鼻炎，**アトピー性皮膚炎**，**気管支喘息**などがこれにあたる。

マスト細胞のFcレセプターにIgEが結合し，そこに抗原が侵入してくるとIgEが

表12-2 アレルギー反応の分類とメカニズム（まとめ）

反応型			抗原の種類	主な関与因子	発症機序	疾患
I型	アナフィラキシー型	体液性免疫（即時型過敏症）	・IgE（レアギン） ・IgG	・抗体（IgE） ・肥満細胞 ・好塩基球 ・アレルゲン	一般にアレルギー性疾患といえば，I型をさす。原因物質（抗原，アレルゲン）が体内に侵入することにより，数分～数十分以内に発赤などの症状が出現する。	・食物アレルギー ・気管支喘息 ・花粉症 ・アトピー性皮膚炎 ・アレルギー性鼻炎 ・じんま疹 ・アナフィラキシーショック
Ⅱ型	細胞傷害型		・IgG ・IgM	・抗体（IgG，IgM） ・貪食細胞 ・補体	細胞損傷型反応であり，細胞膜に存在する抗原に対し，血漿中の抗体（IgG，IgM）が補体とともにはたらき，溶解を起こす。	・新生児溶血 ・橋本病 ・血液型不適合による溶血 ・リウマチ熱 ・自己免疫性溶血性貧血
Ⅴ型	刺激型		・IgG	・ホルモンレセプター	抗レセプター抗体の阻害や刺激等による自己免疫疾患に属する。	・重症筋無力症 ・バセドウ病（甲状腺機能亢進症）
Ⅲ型	免疫複合体型		・IgG ・IgM	・免疫複合体 ・補体	免疫複合体型反応であり，血液などの体液中の抗原と抗体（IgG，IgM）が結合してできた可溶性抗原抗体結合体複合物が基底膜などに沈着し，これに補体が関与して炎症反応を起こす。	・急性糸球体腎炎 ・全身性エリテマトーデス ・血清病 ・リウマチ性疾患 ・多発性動脈炎 ・過敏性肺炎
Ⅳ型	Tリンパ球依存型	細胞性免疫（遅延型過敏症）	・なし	・Tリンパ球	遅延型反応であり，抗原侵入後1～2日後に症状が現れる。組織に侵入した抗原とT細胞により反応部位に発赤などが出現する。	・ツベルクリン反応 ・移植免疫 ・金属アレルギー反応 ・接触性皮膚炎

架橋されて，細胞が活性化されマスト細胞の顆粒内のヒスタミンが放出される（マスト細胞の脱顆粒という）。また，プロスタグランジン，ロイコトリエンなどのアラキドン酸代謝産物（脂質性の炎症性化学伝達物質）の合成・放出が起こる。ヒスタミンやプロスタグランジンなどによって，血管透過性の亢進，炎症細胞の浸潤，粘膜の過剰分泌が引き起こされ，アレルギーの症状が生じる。

急性アレルギー反応であるアナフィラキシーではじんま疹やめまい，呼吸困難，意識障害などの症状が現れる。時には，アナフィラキシーショックと呼ばれる血圧低下を伴う末梢循環不全を起こして，ショック症状となり，死に至ることもある。I型アレルギーは，数十分ほどでこのような即時相の反応が起こった後，一度回復して，5～6時間後に再び遅発相の反応が現れる。遅発相にも活性化したマスト細胞が関係していると考えられている。マスト細胞が放出するIL-4，IL-5，TNF-αによって，好酸球や好塩基球，リンパ球が末梢組織に浸潤していく。活性化した好酸球などが放出する，細胞傷害性タンパク質によって，組織がダメージを受ける。気管支喘息重症患者の気管支の組織では，粘膜下に好酸球などの浸潤が認められ，上皮や粘膜腺の過形成，基底膜や平滑筋の肥厚が認められる。

2.2　II型アレルギー

II型アレルギーは，標的となる細胞表面に存在する抗原に対してIgGやIgMがはたらき，その細胞をFcレセプターを過剰に発現した樹状細胞，マクロファージ，好中球が攻撃して起こる。II型アレルギーによる疾患には，母児間血液型不適合や自己免疫性溶血性貧血などがある。母児間血液型不適合には，Rh型不適合とABO型不適合があり，重症化するのは主にRh型不適合である。赤血球表面にD因子を持たないRh－の女性がRh＋の子どもを妊娠した場合，分娩時に子どもの赤血球が母体に入り込むと，母体の中で抗D抗体がつくられる。Rh＋の第2子を妊娠した場合，母体の抗D抗体が胎児に流れ込めば，胎児の赤血球が破壊される。しかし，現在は，母体での抗D抗体の産生を防ぐために，Rh－の女性にRh＋の第1子分娩後，抗Dヒト免疫グロブリンが投与される。

2.3　III型アレルギー

III型アレルギーは，抗原と抗体が結合した免疫複合体と，Fcレセプターが過剰に発現した好中球やマクロファージ，マスト細胞が発症に関与する。III型アレルギーによる疾患には免疫複合体糸球体腎炎などがあり，免疫複合体が糸球体毛細血管壁に沈着し，補体が活性化されて，好中球やマクロファージが動因され，活性化された好中球が放出する酵素によって，自己の腎臓組織までもが障害される。

2.4　IV型アレルギー

IV型アレルギーは，抗原提示細胞によりT細胞が分化・増殖したTh1細胞によるマクロファージの活性化が発症に関与する。Ⅳ型アレルギー反応を利用したものが，結核菌の感染の既往の有無を調べるツベルクリン反応である。無毒化した結核菌の菌体性分を皮内注射すると，抗原が局所の抗原提示細胞（ランゲンルハンス細胞）に取り込まれる。結核菌感染の既往がある人ではTh1細胞が活性化されサイトカインを放出し，炎症細胞の浸潤や体液成分，タンパク質の滲出を起こし，硬い紅斑が認められる。結核菌感染の既往がないか，または結核菌に対する免疫反応が弱い場合は，このツベルクリン反応が陰性となる。Ⅳ型アレルギーは，抗原提示やその後のTh1細胞活性などの時間がかかるので，抗原侵入から48～72時間に反応がピークになる遅延型の反応になる。

2.5 Ⅴ型アレルギー

Ⅴ型アレルギーは，従来Ⅱ型アレルギーに含まれていたものであるが，アレルギーの機序がⅡ型アレルギーと異なることが明らかになり，最近では新たにⅤ型アレルギーに分類されている。Ⅴ型アレルギーは抗レセプター抗体の作用（発現）によりレセプターを刺激して細胞を活性化したり，逆にレセプターを障害して細胞の働きを抑えたりする。例えば，重症筋無力症では抗アセチルコリン（Ach）レセプター抗体が産生されAchの結合を妨げるため，筋組織の機能低下を起こし，麻痺を起こす。

2.6 食物アレルギー

食物がアレルゲンとなり，IgEを介して引き起こされる即時型アレルギー（Ⅰ型アレルギー）である。食物アレルゲンとしてとしては，卵白，牛乳，大豆，そばなどがある。食物アレルギーの原因食品は，鶏卵，乳製品，小麦の順に多い。小麦，そば，卵，乳，えび，かにおよび落花生の7品目を原材料とする加工食品については，これらを原材料としている旨を記載しなければならない（詳細は次項参照）。

3. 免疫・アレルギー系の疾病

アレルギー：免疫反応は，体内に入ってきた異物から生体を守る反応であるが，その免疫応答が過剰になり，生体組織の傷害や病気が生じることをアレルギーという。アレルギーの発症には，遺伝要因と環境要因の両者が関与する。

食物アレルギー：摂取した食物が原因で起こるアレルギーで，IgEを介したⅠ型アレルギーが関与する場合が多い。小児，特に0～2歳くらいの乳幼児に多くみられ，年齢とともに改善される傾向がある。小児に多い原因としては，腸管の消化能力が未発達のために，タンパク質などをまだ抗原性を持った大きな分子のまま体内に取り入れてしまうことや，腸管表面のIgAの分泌が不十分なことなどが考えられている。食物アレルギーを起こしやすい食品としては，小児では卵，牛乳，小麦，成人では甲殻類（えび，かになど），魚介類（さばなど），そばなどがある。症状としては，嘔吐，腹痛，下痢などの消化器症状，じんましん，喘息などを呈し，重篤な場合はアナフィラキシーショックを起こす。

食物アレルギーの特殊型として，**食物依存性運動誘発アナフィラキシー**がある。小麦製品や甲殻類などの摂取後2～3時間以内に運動した場合に，じんましん，呼吸困難，血圧低下などをきたし，生命の危険を伴うことがある。中学・高校生に好発し，アスピリンなどの非ステロイド性抗炎症薬（NSAIDs）の服用やアルコール摂取が増強因子と考えられている。

膠原病，自己免疫疾患：一般に自分の身体の構成成分には自己の免疫系は反応しない，すなわち免疫学的寛容が成立しているが，このシステムが破綻してしまうと自己の構成成分に自分の免疫系が反応し，**自己免疫疾患**を発症する。自己免疫疾患は，臓器特異的に発症するもの（橋本病，バセドウ病，自己免疫性溶血性貧血，潰瘍性大腸炎など）と，臓器非特異的に発症するものがある。臓器非特異的な自己免疫疾患の代表的な疾病は，全身の結合組織が系統的に侵される膠原病で，全身性エリテマトーデス（SLE），関節リウマチ，全身性硬化症（強皮症），多発性筋炎（皮膚筋炎），シェーグレン症候群などが含まれる。**全身性エリテマトーデス**は，15～40歳の女性に多く，再燃と寛解を繰り返して慢性に経過し，抗核抗体，抗DNA抗体などの多彩な自己抗体が検出される。発熱，顔面蝶形紅斑，紅斑性発疹，多発性関節炎，レイノー現象，汎血球減少，ループス腎炎，心膜炎など多彩な症状が観察される。**関節リウマチ**は，関節滑膜の炎症が病変の主体であり，30～50歳の女性に発症することが多く，膠原病の中では最も患者数が多い疾患である。左右対称性で多発性の関節の腫脹，疼痛，朝のこわばりなどの症状を認め，次第に関節破壊をきたし，身体機能障害に至る。血液検査では，リウマトイド因子や抗CCP抗体が診断に有用である。

免疫不全：先天性あるいは後天性の原因によって，免疫系がうまくはたらかない状態をいう。免疫不全では感染症にかかりやすく，重症化しやすくなる。健康な人では感染症を起こさないような病原体が原因で発症することがある（日和見感染）。後天性の中では，**後天性免疫不全症候群（AIDS）**が重要で，HIV（human immunodeficiency virus）がCD4をマーカーとして持つヘルパーT細胞に感染し，この細胞を破壊して免疫能を低下させる疾患である。感染してもすぐには重篤な症状は出ないが，次第に免疫力が低下し，AIDS関連症候群からAIDSを発症する。死因としては日和見感染症が80%を占め，ニューモシスチス肺炎，サイトメガロウイルス感染症，カンジダ症，結核などがみられる。また悪性腫瘍（カポジ肉腫，リンパ腫など）もしばしば認められる。後天性の免疫不全は，ステロイドなどの免疫抑制剤の長期投与を行った場合にも生じることがある。

参考文献

・佐藤昭夫，佐伯由香編集：『人体の構造と機能　第2版』，医歯薬出版（2006）
・エレンN．マリーブ著：『人体の構造と機能　第2版』，医学書院（2005）

■練習問題■

問題 1　免疫系の細胞についての記述である。誤っているのはどれか。

(1)　形質細胞は抗体の産生を行う。

(2)　ツベルクリン反応にはＴリンパ球が関与している。

(3)　マスト細胞はヒスタミンの分泌を行う。

(4)　好酸球はアレルギーに関係する。

(5)　移植臓器拒絶反応にはＢリンパ球が関与している。

問題 2　免疫グロブリンに関する記述である。正しいのはどれか。

(1)　IgD は感染後，最初に血中に現れる抗体である。

(2)　IgE は免疫グロブリンの中で血中濃度が最も高い。

(3)　IgM はⅠ型アレルギーに関与する。

(4)　IgG は胎盤を通過する。

(5)　IgA はアナフィラキシーショックに関与する。

問題 3　免疫についての組み合わせである。誤っているのはどれか。

(1)　血液型不適合による溶血はⅡ型アレルギー反応である。

(2)　じんま疹は，IgE が関与している。

(3)　ツベルクリン反応の発症には細胞性免疫が関与している。

(4)　Ⅲ型アレルギー反応は IgG 抗体と抗原が結合して起こる。

(5)　アレルギー性鼻炎はⅣ型アレルギー反応である。

索引

【練習問題解答】

第 1 章	問題 1(5)	問題 2(2)	問題 3(3)	第 7 章	問題 1(4)	問題 2(3)	問題 3(4)	
第 2 章	問題 1(3)	問題 2(4)	問題 3(5)	第 8 章	問題 1(5)	問題 2(1)	問題 3(3)	
第 3 章	問題 1(1)	問題 2(2)	問題 3(4)	第 9 章	問題 1(1)	問題 2(2)	問題 3(2)	問題 4(1) 問題 5(3)
第 4 章	問題 1(2)	問題 2(3)	問題 3(3)	第 10 章	問題 1(5)			
第 5 章	問題 1(4)	問題 2(5)	問題 3(1)	第 11 章	問題 1(1)	問題 2(2)	問題 3(5)	
第 6 章	問題 1(2)	問題 2(2)	問題 3(1)	第 12 章	問題 1(5)	問題 2(4)	問題 3(5)	

〔編著者〕

荒木　英爾　エスポワール所沢　施設長　医学博士

藤田　　守　久留米大学医学部客員教授　医学博士

〔著　者〕（50音順）

川合　清洋　秋田栄養短期大学教授　医学博士

河手　久弥　中村学園大学栄養科学部教授　医学博士

北川　　章　至学館大学健康科学部教授　医学博士

佐藤　容子　関東学院大学栄養学部教授　医学博士

馬場　良子　産業医科大学医学部講師　博士（理学）

日野真一郎　中村学園大学栄養科学部准教授　博士（医学）

平林　義章　名古屋文理大学健康生活学部教授　医学博士

山﨑　俊介　元鎌倉女子大学家政学部教授　獣医学博士・学術博士

〔執筆協力〕

石毛　路子　元鎌倉女子大学家政学部助手

熊谷　奈々　中村学園大学栄養科学部講師　博士（栄養科学）

（執筆分担）

荒木　英爾　第2章2.　第5章1.，2.1，2.2～2.7（機能関連），2.8　第10章1.3，2.

藤田　　守　第1章1.～3.　第2章1.

川合　清洋　第4章1.

河手　久弥　第2章3.　第3章8.　第4章7.　第5章3.　第6章5.　第7章5.　第8章3.
第9章3.　第10章3.　第11章8.　第12章3.

北川　　章　第9章1.　第10章1.，2.

佐藤　容子　第4章2.～6.　第7章2.～4.　第9章2.

馬場　良子　第1章1.～3.　第2章1.

日野真一郎　第7章1.

平林　義章　第3章1.～3.　第6章1.，3.　第8章1.　第11章1.～7.

山﨑　俊介　第1章4.　第3章4.～7.　第5章2.2～2.7（構造関連）　第6章2.，4.
第8章2.　第12章1.，2.

Nブックス
改訂 人体の構造と機能：解剖生理学

2012年（平成24年）3月20日　初版発行～第5刷
2017年（平成29年）2月10日　改訂版発行
2021年（令和3年）12月15日　改訂版第6刷発行

編著者　荒木英爾
　　　　藤田守
発行者　筑紫和男
発行所　株式会社 建帛社 KENPAKUSHA
112-0011　東京都文京区千石4丁目2番15号
TEL　(03)3944-2611
FAX　(03)3946-4377
https://www.kenpakusha.co.jp/
ISBN 978-4-7679-0592-1 C3047　あづま堂印刷／ブロケード

（定価はカバーに表示してあります）